LE LIS ET LE LION

Maurice Druon est né à Paris en 1918. Il fait des études classiques, devient lauréat du Concours général et entre ensuite à l'École des Sciences politiques.

Aspirant sorti de l'École de cavalerie de Saumur en 1940, il s'évade de France pour rejoindre les Forces Françaises Libres du général de Gaulle à Londres. C'est là qu'il écrit *Le Chant des partisans*, en 1943, avec son oncle Joseph Kessel. Il sera correspondant de guerre jusqu'à la fin des hostilités.

En 1948, il obtient le prix Goncourt pour son roman *Les Grandes Familles*. À partir de 1955, il publie sa fameuse série, *Les Rois maudits*, qui connaît un succès international et sera le sujet d'une très célèbre adaptation télévisée. Il reçoit le Prix de Monaco, en 1966, pour l'ensemble de son œuvre de romancier, d'essayiste et de dramaturge et, la même année, il est élu à l'Académie française.

Il a consacré à l'Antiquité deux importants ouvrages : *Alexandre le Grand* et *Les Mémoires de Zeus*.

Ayant toujours porté intérêt à la chose publique, Maurice Druon devient, en 1973, ministre des Affaires culturelles. De 1978 à 1981, il siégera à l'Assemblée nationale et aux assemblées européennes. Élu secrétaire perpétuel de l'Académie française en 1985, il conduit un incessant combat pour la défense et le rayonnement de la langue française. Il a entrepris la publication de ses écrits politiques sous le titre général de *Circonstances*, dont trois volumes sont déjà parus.

MAURICE DRUON
de l'Académie française

LES ROIS MAUDITS
VI

Le Lis et le Lion

ROMAN HISTORIQUE

Nouvelle Édition

LE LIVRE DE POCHE

SOMMAIRE

Première partie

LES NOUVEAUX ROIS

Deuxième partie

LES JEUX DU DIABLE

Troisième partie

LES DÉCHÉANCES

Quatrième partie

LE BOUTE-GUERRE

Épilogue

JEAN Ier L'INCONNU

« *La politique consiste dans la volonté de conquête et de conservation du pouvoir ; elle exige par conséquent une action de contrainte ou d'illusion sur les esprits... L'esprit politique finit toujours par être contraint de falsifier...* »

PAUL VALÉRY

Je tiens à renouveler ma vive reconnaissance à mes collaborateurs Pierre de Lacretelle, Georges Kessel, Madeleine Marignac, pour l'assistance précieuse qu'ils m'ont donnée pendant l'élaboration de ce volume ; je veux également remercier les services de la Bibliothèque nationale et des Archives nationales pour l'aide indispensable apportée à nos recherches.

M. D.

PREMIÈRE PARTIE

LES NOUVEAUX ROIS

I

LE MARIAGE DE JANVIER

De toutes les paroisses de la ville, en deçà comme au-delà de la rivière, de Saint-Denys, de Saint-Cuthbert, de Saint-Martin-cum-Gregory, de Saint-Mary-Senior et Saint-Mary-Junior, des Shambles, de Tanner Row, de partout, le peuple d'York depuis deux heures montait en files ininterrompues vers le Minster, vers la gigantesque cathédrale, encore inachevée en sa partie occidentale, et qui occupait, haute, allongée, massive, le sommet de la cité.

Dans Stonegate et Deangate, les deux rues tortueuses qui aboutissaient au Yard, la foule était bloquée. Les adolescents perchés sur les bornes n'apercevaient que des têtes, rien que des têtes, un foisonnement de têtes, couvrant entièrement l'esplanade. Bourgeois, marchands, matrones aux nombreuses nichées, infirmes sur leurs béquilles, servantes, commis d'artisans, clercs sous leur capuchon, soldats en chemise de mailles, mendiants en guenilles, étaient confondus ainsi que les brindilles d'un foin botté. Les voleurs aux doigts agiles faisaient leurs affaires pour l'année. Aux fenêtres en surplomb apparaissaient des grappes de visages.

Mais était-ce une lumière de midi que ce demi-jour fumeux et mouillé, cette buée froide, cette nuée cotonneuse qui enveloppait l'énorme édifice et la

multitude piétinant dans la boue ? La foule se tassait
pour garder sa propre chaleur.

24 janvier 1328. Devant Mgr William de Melton,
archevêque d'York et primat d'Angleterre, le roi
Edouard III, qui n'avait pas seize ans, épousait
Mme Philippa de Hainaut, sa cousine, qui en avait à
peine plus de quatorze.

Il ne restait pas une seule place dans la cathédrale
réservée aux dignitaires du royaume, aux membres
du haut clergé, à ceux du Parlement, aux cinq cents
chevaliers invités, aux cent nobles écossais en robes
quadrillées venus pour ratifier, par la même occasion, le traité de paix. Tout à l'heure serait célébrée
la messe solennelle, chantée par cent vingt chantres.

Mais dans l'instant, la première partie de la cérémonie, le mariage proprement dit, se déroulait
devant le portail sud, à l'extérieur de l'église et à la
vue du peuple, selon le rite ancien et les coutumes
particulières à l'archidiocèse d'York*[1].

La brume marquait de traînées humides les
velours rouges du dais dressé contre le porche, se
condensait sur les mitres des évêques, collait les
fourrures sur les épaules de la famille royale assemblée autour du jeune couple.

« *Here I take thee, Philippa, to my wedded wife, to
have and to hold at bed and at board...* Ici, je te
prends, Philippa, pour ma femme épousée, pour
t'avoir et garder en mon lit et à mon logis... »

Surgie de ces lèvres tendres, de ce visage imberbe,
la voix du roi surprit par sa force, sa netteté et l'intensité de sa vibration. La reine mère Isabelle en fut saisie, et messire Jean de Hainaut, oncle de la mariée,
également, et tous les assistants des premiers rangs
parmi lesquels les comtes Edmond de Kent et de

---

* Les numéros dans le texte renvoient aux « Notes historiques »
en fin de volume, où le lecteur trouvera également le « Répertoire
biographique » des personnages ainsi que la « Bibliographie » des
Rois Maudits.

Norfolk, et le comte de Lancastre au Tors-Col, chef du Conseil de régence et tuteur du roi.

« ... *for fairer for fouler, for better for worse, in sickness and in health*... Pour le beau et le laid, le meilleur et le pire, dans la maladie et dans la santé... »

Les chuchotements dans la foule cessaient progressivement. Le silence s'étendait comme une onde circulaire et la résonance de la jeune voix royale se propageait par-dessus les milliers de têtes, audible presque jusqu'au bout de la place. Le roi prononçait lentement la longue formule du vœu qu'il avait apprise la veille ; mais on eût dit qu'il l'inventait, tant il en détachait les termes, tant il les *pensait* pour les charger de leur sens le plus profond et le plus grave. C'était comme les mots d'une prière destinée à n'être dite qu'une fois et pour la vie entière.

Une âme d'adulte, d'homme sûr de son engagement à la face du Ciel, de prince conscient de son rôle entre son peuple et Dieu, s'exprimait par cette bouche adolescente. Le nouveau roi prenait ses parents, ses proches, ses grands officiers, ses barons, ses prélats, la population d'York et toute l'Angleterre, pour témoins de l'amour qu'il jurait à Mme Philippa.

Les prophètes brûlés du zèle de Dieu, les meneurs de nations soutenus d'une conviction unique, savent imposer aux foules la contagion de leur foi. L'amour publiquement affirmé possède aussi cette puissance, provoque cette adhésion de tous à l'émotion d'un seul.

Il n'était pas une femme dans l'assistance, et quel que fût son âge, pas une mariée récente, pas une épouse trompée, pas une veuve, pas une pucelle, pas une aïeule, qui ne se sentît en cet instant-là à la place de la nouvelle épousée ; pas un homme qui ne s'identifiât au jeune roi. Edouard III s'unissait à tout ce qu'il y avait de féminin dans son peuple ; et c'était son royaume tout entier qui choisissait Philippa pour compagne. Tous les rêves de la jeunesse, toutes les désillusions de la maturité, tous les regrets de la vieillesse se dirigeaient vers eux comme autant d'offrandes jaillies de chaque cœur. Ce soir, dans les rues sombres, les yeux des fiancés illumineraient la nuit, et même de vieux couples désunis se reprendraient la main après souper.

Si depuis le lointain des temps les peuples se pressent aux mariages des princes, c'est pour vivre ainsi par délégation un bonheur qui, d'être exposé si haut, semble parfait.

« ... *till death us do part...* jusqu'à ce que la mort nous sépare... »

Les gorges se nouèrent ; la place exhala un vaste soupir de surprise triste et presque de réprobation. Non, il ne fallait pas parler de mort en cette minute ; il n'était pas possible que ces deux jeunes êtres eussent à subir le sort commun, pas admissible qu'ils fussent mortels.

« ... *and thereto I plight thee my troth...* et pour tout ceci je t'engage ma foi. »

Le jeune roi sentait respirer la multitude, mais ne la regardait pas. Ses yeux bleu pâle, presque gris, aux longs cils pour une fois relevés, ne quittaient pas la petite fille roussote et ronde, empaquetée dans ses velours et ses voiles, à laquelle son vœu s'adressait.

Car Mme Philippa ne ressemblait en rien à une princesse de conte, et elle n'était même pas très jolie. Elle présentait les traits grassouillets des Hainaut, un nez court, un cou bref, un visage couvert de taches de son. Elle n'avait pas de grâce particulière dans la tournure, mais au moins elle était simple et ne cherchait pas à affecter une attitude de majesté qui ne lui eût guère convenu. Privée d'ornements royaux, elle eût pu être confondue avec n'importe quelle fille rousse de son âge ; ses semblables se rencontraient par centaines dans toutes les nations du Nord. Et ceci précisément renforçait la tendresse de la foule à son égard. Elle était désignée par le sort et par Dieu, mais non différente, en essence, des femmes sur lesquelles elle allait régner. Toutes les rousses un peu grasses se sentaient promues et honorées.

Emue, elle-même, à en trembler, elle plissait les paupières comme si elle ne pouvait soutenir l'intensité du regard de son époux. Tout ce qui lui advenait était trop beau. Tant de couronnes autour d'elle, tant de mitres, et ces chevaliers et ces dames qu'elle apercevait à l'intérieur de la cathédrale, rangés derrière les cierges comme les élus en Paradis, et tout ce peuple autour... Reine, elle allait être reine, et choisie par amour !

Ah ! combien elle allait le choyer, le servir, l'adorer, ce joli prince blond, aux longs cils, aux mains fines, arrivé par miracle vingt mois auparavant à Valenciennes, accompagnant une mère en exil qui venait querir aide et refuge ! Leurs parents les avaient envoyés jouer dans le verger avec les autres enfants ; il s'était épris d'elle, et elle de lui. A présent il était roi et ne l'avait pas oubliée. Avec quel bonheur elle lui vouait sa vie ! Elle craignait seulement de n'être pas assez belle pour lui plaire toujours, ni assez instruite pour le pouvoir bien seconder.

« Offrez, Madame, votre main droite », lui dit l'archevêque-primat.

Aussitôt, Philippa tendit hors de la manche de velours une petite main potelée, et la présenta fermement, paume en avant et doigts ouverts.

Edouard eut un regard émerveillé pour cette étoile rose qui se donnait à lui.

L'archevêque prit, sur un plateau tenu par un second prélat, l'anneau d'or plat, incrusté de rubis, qu'il venait de bénir, et le remit au roi. L'anneau était mouillé, comme tout ce qu'on touchait dans cette brume. Puis l'archevêque, doucement, rapprocha les mains des époux.

« Au nom du Père, prononça Edouard en posant l'anneau, sans l'engager, sur l'extrémité du pouce de Philippa. Au nom du Fils... du Saint-Esprit... », dit-il en répétant le geste sur l'index, puis sur le médius.

Enfin il glissa la bague au quatrième doigt en disant :

« Amen ! »

Elle était sa femme.

Comme toute mère qui marie son fils, la reine Isabelle avait les larmes aux yeux. Elle s'efforçait de prier Dieu d'accorder à son enfant toutes les félicités, mais pensait surtout à elle-même, et souffrait. Les jours écoulés l'avaient amenée à ce point où elle cessait d'être la première dans le cœur de son fils et dans sa maison. Non, certes, qu'elle eût, ni pour l'autorité sur la cour ni pour la comparaison de beauté, grand-chose à redouter de cette petite pyramide de velours et de broderies que le destin lui allouait comme belle-fille.

Droite, mince et dorée, avec ses belles tresses relevées de chaque côté du visage clair, Isabelle à trente-six ans en paraissait à peine trente. Son miroir longuement consulté le matin même, tandis qu'elle coiffait sa couronne pour la cérémonie, l'avait rassurée. Et pourtant, à partir de ce jour, elle cessait d'être la reine tout court pour devenir la reine mère. Comment cela s'était-il fait si vite ? Comment vingt ans de vie, et traversés de tant d'orages, s'étaient-ils dissous de la sorte ?

Elle pensait à son propre mariage, il y avait tout juste vingt ans, une fin de janvier comme aujourd'hui, et dans la brume également, à Boulogne en France. Elle aussi s'était mariée en croyant au bonheur, elle aussi avait prononcé ses vœux d'épousailles du plus profond de son cœur. Savait-elle alors à qui on l'unissait, pour satisfaire aux intérêts des royaumes ? Savait-elle qu'en paiement de l'amour et du dévouement qu'elle apportait, elle ne recevrait qu'humiliations, haine et mépris, qu'elle se verrait supplantée dans la couche de son époux non pas même par des maîtresses mais par des hommes avides et scandaleux, que sa dot serait pillée, ses biens confisqués, qu'elle devrait fuir en exil pour sauver sa vie menacée et lever une armée pour abattre celui-là même qui lui avait glissé au doigt l'anneau nuptial ?

Ah ! la jeune Philippa avait bien de la chance, elle qui était non seulement épousée mais aimée !

Seules les premières unions peuvent être pleinement pures et pleinement heureuses. Rien ne les remplace, si elles sont manquées. Les secondes amours n'atteignent jamais à cette perfection limpide ; même solides jusqu'à ressembler au roc, il court dans leur marbre des veines d'une autre couleur qui sont comme le sang séché du passé.

La reine Isabelle tourna les yeux vers Roger Mortimer, baron de Wigmore, son amant, l'homme qui, grâce à elle autant qu'à lui-même, gouvernait en maître l'Angleterre au nom du jeune roi. Sourcils joints, les traits sévères, les bras croisés sur son manteau somptueux, il la regardait, dans la même seconde, sans bonté.

« Il devine ce que je pense, se dit-elle. Mais quel homme est-il donc pour donner l'impression qu'on commet une faute dès qu'on cesse un moment de ne songer qu'à lui ? »

Elle connaissait son caractère ombrageux, et lui sourit pour l'apaiser. Que voulait-il de plus que ce qu'il possédait ? Ils vivaient comme s'ils eussent été époux et femme, bien qu'elle fût reine, bien qu'il fût marié, et le royaume assistait à leurs publiques amours. Elle avait agi de sorte qu'il eût le contrôle entier du pouvoir. Mortimer nommait ses créatures à tous les emplois ; il s'était fait donner tous les fiefs des anciens favoris d'Edouard II et le Conseil de régence ne faisait qu'entériner ses volontés. Mortimer avait même obtenu qu'elle consentît à l'exécution de son conjoint déchu. Elle savait qu'à cause de lui certains à présent l'appelaient la Louve de France ! Pouvait-il empêcher qu'elle pensât, un jour de noces, à son époux assassiné, surtout lorsque l'exécuteur était là, en la personne de John Maltravers, promu récemment sénéchal d'Angleterre, et dont la longue face sinistre apparaissait parmi celles des premiers seigneurs, comme pour rappeler le crime ?

Isabelle n'était pas la seule que cette présence indisposât. John Maltravers, gendre de Mortimer, avait été le gardien du roi déchu ; sa soudaine élévation à la charge de sénéchal dénonçait trop clairement les services dont on l'avait ainsi payé. Officiellement, Edouard II était décédé par trépas naturel. Mais qui donc, à la cour, acceptait cette fable ?

Le comte de Kent, le demi-frère du mort, se pencha vers son cousin Henri Tors-Col et lui chuchota :

« Il semble que le régicide, à présent, donne droit de se pousser au rang de la famille. »

Edmond de Kent grelottait. Il trouvait la cérémonie trop longue, le rituel d'York trop compliqué. Pourquoi n'avoir pas célébré le mariage dans la chapelle de la tour de Londres, ou de quelque château royal, au lieu d'en faire une occasion de kermesse populaire ? La foule lui causait un malaise. Et la vue de Maltravers, de surcroît... N'était-il pas indécent que l'homme qui avait expédié le père fût présent, en si belle place, aux noces du fils ?

Tors-Col, la tête couchée sur l'épaule droite, infirmité à laquelle il devait son surnom, murmura :

« C'est par le péché qu'on entre le plus aisément dans notre maison. Notre ami, le premier, nous en offre la preuve... »

Ce « notre ami » désignait Mortimer envers qui les sentiments des Anglais étaient bien changés depuis qu'il avait débarqué, dix-huit mois plus tôt, commandant l'armée de la reine et accueilli en libérateur.

« Après tout, la main qui obéit n'est pas plus laide que la tête qui commande, pensait Tors-Col. Et Mortimer est plus coupable assurément, et Isabelle avec lui, que Maltravers. Mais nous sommes tous un peu coupables ; nous avons tous pesé sur le fer lorsque nous avons destitué Edouard II. Cela ne pouvait finir autrement. »

Cependant l'archevêque présentait au jeune roi trois pièces d'or frappées sur leur face aux armes d'Angleterre et de Hainaut, et chargées au revers d'un semis de roses, les fleurs emblématiques du bonheur conjugal. Ces pièces étaient les *deniers pour épouser*, symbole du douaire en revenus, terres et châteaux que le marié constituait à sa femme. Les donations avaient été bien écrites et précisées, ce qui rassurait un peu messire Jean de Hainaut, l'oncle, auquel on devait toujours quinze mille livres pour la solde de ses chevaliers pendant la campagne d'Ecosse.

« Prosternez-vous, Madame, aux pieds de votre époux, pour recevoir les deniers », dit l'archevêque à la mariée.

Tous les habitants d'York attendaient cet instant, curieux de savoir si leur rituel local serait respecté jusqu'au bout, si ce qui valait pour toute sujette valait aussi pour une reine.

Or, nul n'avait prévu que Mme Philippa, non seulement s'agenouillerait, mais encore, dans un élan d'amour et de gratitude, enserrerait à deux bras les jambes de son époux, et baiserait les genoux de celui qui la faisait reine. Elle était donc, cette ronde Flamande, capable d'inventer sous l'impulsion du cœur.

La foule lui adressa une immense ovation.

« Je crois qu'ils seront bien heureux, dit Tors-Col à Jean de Hainaut.

— Le peuple va l'aimer », dit Isabelle à Mortimer qui venait de s'approcher d'elle.

La reine mère ressentait comme une blessure ; cette ovation n'était pas pour elle. « C'est Philippa la reine à présent, pensait-elle. Mon temps ici est achevé. Oui, mais maintenant, peut-être, je vais avoir la France... »

Car un chevaucheur à la fleur de lis, une semaine plus tôt, avait galopé jusqu'à York pour lui apprendre que son dernier frère, le roi Charles IV de France, se mourait.

II

TRAVAUX POUR UNE COURONNE

Le roi Charles IV avait dû s'aliter le jour de Noël.
A l'Epiphanie, les mires et physiciens, déjà, le décla-
raient perdu. La cause de cette fièvre qui le consu-
mait, de cette toux déchirante qui secouait sa poitrine amaigrie, de ces crachats sanglants ? Les mires
levaient les épaules d'un geste d'impuissance. La
malédiction, voyons ! la malédiction qui accablait la
descendance de Philippe le Bel. Les remèdes sont
inopérants contre une malédiction. Et la cour et le
peuple partageaient cette certitude.

Louis Hutin était mort à vingt-sept ans, par
manœuvre criminelle. Philippe le Long était trépassé
à vingt-neuf ans, d'avoir bu en Poitou l'eau de puits
empoisonnés. Charles IV avait résisté jusqu'à trente-
trois ans ; il atteignait la limite. Il est bien connu que
les maudits ne peuvent pas dépasser l'âge du Christ !

« A nous, mon frère, de nous saisir à présent du
gouvernement du royaume, et de le tenir de main
ferme, avait dit le comte de Beaumont, Robert
d'Artois, à son cousin et beau-frère Philippe de
Valois. Et cette fois, avait-il ajouté, nous ne nous lais-
serons pas gagner à la course par ma tante Mahaut.
D'ailleurs elle n'a plus de gendre à pousser. »

Ces deux-là se montraient en belle santé. Robert
d'Artois, à quarante et un ans, était toujours le même
colosse qui devait se baisser pour franchir les portes

et pouvait terrasser un bœuf en le prenant par les cornes. Maître en procédure, en chicane, en intrigues, il avait assez prouvé depuis vingt ans son savoir-faire, et par les soulèvements d'Artois, et dans le déclenchement de la guerre de Guyenne, et en bien d'autres occasions. La découverte du scandale de la tour de Nesle était un peu le fruit de ses œuvres. Si la reine Isabelle et son amant Lord Mortimer avaient pu réunir une armée en Hainaut, soulever l'Angleterre et renverser Edouard II, c'était en partie grâce à lui. Et il ne se sentait pas gêné d'avoir sur les mains le sang de Marguerite de Bourgogne. Au Conseil du faible Charles IV, sa voix, dans les récentes années, s'élevait plus fermement que celle du souverain.

Philippe de Valois, de six ans son cadet, ne possédait pas tant de génie. Mais haut et fort, la poitrine large, la démarche noble, et faisant presque figure de géant quand Robert n'était pas à côté de lui, il avait une belle prestance de chevalier qui prévenait en sa faveur. Et surtout il bénéficiait du souvenir laissé par son père, le fameux Charles de Valois, le prince le plus turbulent, le plus aventureux de son temps, coureur de trônes fantômes et de croisades manquées, mais grand homme de guerre, et dont il s'efforçait de copier la prodigalité et la magnificence.

Si Philippe de Valois jusqu'à ce jour n'avait pas encore étonné l'Europe par ses talents, on lui accordait toutefois confiance. Il brillait en tournois, qui étaient sa passion ; l'ardeur qu'il y déployait n'était pas chose négligeable.

« Philippe, tu seras régent, je m'y engage, disait Robert d'Artois. Régent, et peut-être roi, si Dieu le veut... c'est-à-dire si dans deux mois la reine, ma nièce[2], qui est déjà grosse jusqu'au menton, n'accouche pas d'un fils. Pauvre cousin Charles ! Il ne verra pas cet enfant-là qu'il souhaitait tant. Et même si ce doit être un garçon, tu n'en exerceras pas moins la régence pour vingt ans. Or, en vingt ans... »

Il prolongeait sa pensée d'un grand geste du bras qui en appelait à tous les hasards possibles, à la mortalité infantile, aux accidents de chasse, aux desseins impénétrables de la Providence.

« Et toi, loyal comme je te sais, continuait le géant, tu agiras pour qu'on me restitue enfin mon comté d'Artois que Mahaut la voleuse, l'empoisonneuse, détient injustement, ainsi que la pairie qui s'y rattache. Songe que je ne suis pas même pair ! N'est-ce pas bouffon ? J'en ai honte pour ta sœur qui est mon épouse. »

Philippe avait abaissé par deux fois son grand nez charnu, et fermé les paupières d'un air entendu.

« Robert, je te rendrai bonne justice, si je suis mis en état de l'administrer. Tu peux compter sur mon soutien. »

Les meilleures amitiés sont celles qui se fondent sur des intérêts communs et la construction d'un même avenir.

Robert d'Artois, auquel aucune tâche ne répugnait, se chargea d'aller à Vincennes faire entendre à Charles le Bel que ses jours étaient comptés et qu'il avait quelques dispositions à prendre, comme de convoquer les pairs de toute urgence, et de leur recommander Philippe de Valois pour assurer la régence. Et même, afin de mieux éclairer leur choix, pourquoi ne pas confier à Philippe, dès à présent, le gouvernement du royaume, en lui déléguant les pouvoirs ?

« Nous sommes tous mortels, tous, mon bon cousin », disait Robert, éclatant de santé, et qui faisait trembler par son pas puissant le lit de l'agonisant.

Charles IV n'était guère en capacité de refuser, et trouvait même du soulagement à ce qu'on le délivrât de tout souci. Il ne songeait qu'à retenir sa vie qui lui fuyait entre les dents.

Philippe de Valois reçut donc la délégation royale et lança l'ordre de convocation des pairs.

Robert d'Artois, aussitôt, se mit en campagne. D'abord auprès de son neveu d'Évreux, garçon jeune encore, vingt et un ans, de gentille tournure, mais assez peu entreprenant. Il était marié à la fille de

Marguerite de Bourgogne, Jeanne la Petite comme on continuait de l'appeler bien qu'elle eût à présent dix-sept ans, et qui avait été écartée de la succession de France à la mort du Hutin.

La loi salique, en fait, avait été inventée à son propos et afin de l'éliminer, ceci d'autant plus aisément que l'inconduite de sa mère jetait un doute sérieux sur sa légitimité. En compensation, et pour apaiser la maison de Bourgogne, on avait reconnu à Jeanne la Petite l'héritage de Navarre. Mais on s'était peu hâté de tenir cette promesse, et les deux derniers rois de France avaient gardé le titre de roi de Navarre.

L'occasion était belle, pour Philippe d'Evreux, s'il avait ressemblé tant soit peu à son oncle Robert d'Artois, d'ouvrir là-dessus une énorme chicane, de contester la loi successorale et de réclamer au nom de sa femme les deux couronnes.

Mais Robert, usant de son ascendant, eut vite fait de rouler comme poisson en pâte ce compétiteur possible.

« Tu auras cette Navarre qui t'est due, mon bon neveu, aussitôt que mon beau-frère Valois sera régent. J'en fais une affaire de famille, que j'ai posée en condition à Philippe pour lui porter mon appui. Roi de Navarre tu vas être ! C'est une couronne qui n'est pas à dédaigner et que je te conseille, pour ma part, de te mettre au plus tôt sur la tête, avant qu'on ne te la vienne discuter. Car, parlons bas, la petite Jeanne, ton épouse, serait mieux assurée de son droit si sa mère avait eu la cuisse moins folâtre ! Dans cette grande ruée qui va se faire, il faut te ménager des soutiens : tu as le nôtre. Et ne t'avise pas d'écouter ton oncle de Bourgogne ; il ne te conduira, pour son propre service, qu'à commettre des sottises. Philippe régent, fonde-toi là-dessus ! »

Ainsi, moyennant l'abandon définitif de la Navarre, Philippe de Valois disposait déjà, outre la sienne propre, de deux voix.

Louis de Bourbon venait d'être créé duc quelques semaines auparavant en même temps qu'il avait reçu en apanage le comté de la Marche[3]. Il était l'aîné de la famille. Dans le cas d'une trop grande confusion autour de la régence, sa qualité de petit-fils de Saint Louis pouvait lui servir à rallier plusieurs suffrages. Sa décision, de toute manière, pèserait sur le Conseil des pairs. Or, ce boiteux était lâche. Entrer en rivalité avec le puissant parti Valois eût été une entreprise digne d'un homme de plus de courage. En outre, son fils avait épousé une sœur de Philippe de Valois.

Robert laissa comprendre à Louis de Bourbon que plus vite il se rallierait, plus vite lui seraient garantis les avantages en terres et en titres qu'il avait accumulés au cours du règne précédent. Trois voix.

Le duc de Bretagne, à peine arrivé de Vannes, et ses coffres pas encore déballés, vit Robert d'Artois se dresser en son hôtel.

« Nous appuyons Philippe, n'est-ce pas ? Tu es bien d'accord... Avec Philippe, si pieux, si loyal, nous sommes certains d'avoir un bon roi... je veux dire un bon régent. »

Jean de Bretagne ne pouvait que se déclarer pour Philippe de Valois. N'avait-il pas épousé une sœur de Philippe, Isabelle, morte à l'âge de huit ans il est vrai, mais les liens d'affection n'en subsistaient pas moins. Robert, pour renforcer sa démarche, avait amené sa mère, Blanche de Bretagne, consanguine du duc, toute vieille, toute petite, toute ridée, et parfaitement dénuée de pensée politique, mais qui opinait à tout ce que voulait son géant de fils. Or, Jean de Bretagne s'occupait davantage des affaires de son duché que de celles de France. Eh bien ! oui, Philippe, pourquoi pas, puisque tout le monde semblait si empressé à le désigner !

Cela devenait en quelque sorte la campagne des beaux-frères. On appela en renfort Guy de Châtillon, comte de Blois, qui n'était nullement pair, et même le comte Guillaume de Hainaut, simplement parce qu'ils avaient épousé deux autres sœurs de Philippe.

Le grand parentage Valois commençait à apparaître déjà comme la vraie famille de France.

Guillaume de Hainaut mariait en ce moment sa fille au jeune roi d'Angleterre ; soit, on n'y voyait pas d'obstacle, et même on y trouverait peut-être un jour des avantages. Mais il avait été bien avisé de se faire représenter aux noces par son frère Jean plutôt que de s'y rendre lui-même, car c'était ici, à Paris, qu'allaient se produire les événements importants. Guillaume le Bon ne souhaitait-il pas depuis long-temps que la terre de Blaton, patrimoine de la cou-ronne de France, enclavée dans ses Etats, lui fût cédée ? On lui donnerait Blaton, pour presque rien, un rachat symbolique, si Philippe occupait la régence.

Quant à Guy de Blois, il était l'un des derniers barons à avoir conservé le droit de battre monnaie. Malheureusement, et malgré ce droit, il manquait d'argent, et les dettes l'étranglaient.

« Guy, mon aimé parent, ton droit de battage te sera racheté. Ce sera notre premier soin. »

Robert, en peu de jours, avait accompli un solide travail.

« Tu vois, Philippe, tu vois, disait-il à son candidat, combien les mariages arrangés par ton père nous aident à présent. On dit qu'abondance de filles est grand-peine pour les familles ; ce sage homme, que Dieu l'ait en sa garde, a bien su se servir de toutes tes sœurs.

— Oui, mais il faudra achever de payer les dots, répondait Philippe. Plusieurs n'ont été versées qu'au quart...

— A commencer par celle de la chère Jeanne, mon épouse, rappelait Robert d'Artois. Mais dès lors que nous aurons tout pouvoir sur le Trésor... »

Plus difficile à rallier fut le comte de Flandre, Louis de Crécy et de Nevers. Car lui n'était pas un beau-frère et demandait autre chose qu'une terre ou de l'argent. Il voulait la reconquête de son comté dont ses sujets l'avaient chassé. Pour le convaincre, il fallut lui promettre une guerre.

« Louis mon cousin, Flandre vous sera rendue, et par les armes, nous vous en faisons serment ! »

Là-dessus, Robert, qui pensait à tout, de courir de nouveau à Vincennes pour presser Charles IV de parfaire son testament.

Charles n'était plus qu'une ombre de roi, crachant ce qui lui restait de poumons.

Or, tout moribond qu'il fût, il se souvint à ce moment-là du projet de croisade que son oncle Charles de Valois lui avait naguère mis en tête. Projet d'année en année différé ; les subsides de l'Eglise avaient été employés à d'autres fins ; et puis Charles de Valois était mort... Dans le mal qui le détruisait, Charles IV ne devait-il pas reconnaître un châtiment pour cette promesse non tenue, ce vœu non accompli ? Le sang de poitrine dont il tachait ses draps lui rappelait la croix rouge qu'il n'avait pas cousue sur son manteau.

Alors, dans l'espérance d'amadouer le Ciel et de négocier quelque survie, il fit ajouter à son testament ses volontés concernant la Terre sainte... « *car mon intention est d'y aller de mon vivant*, dicta-t-il, *et, si de mon vivant ne se peut, que cinquante mille livres soient données au premier passage général qui se fera* ».

On lui demandait simplement de léguer trois d'une semblable hypothèque la fortune royale dont on avait besoin pour de plus pressants usages. Robert enrageait. Ce niais de Charles, jusqu'au bout, aurait de ces sots entêtements !

On lui demandait simplement de léguer trois mille livres au chancelier Jean de Cherchemont, autant au maréchal de Trye et à messire Miles de Noyers, président de la Chambre aux Comptes, pour leurs loyaux services rendus à la couronne... et parce que leurs fonctions les faisaient siéger de droit au Conseil des pairs.

« Et le connétable ? » murmura le roi agonisant.

Robert haussa les épaules. Le connétable Gaucher de Châtillon avait soixante-dix ans, il était sourd comme une marmite, et possédait des biens à ne savoir qu'en faire. Ce n'était pas à son âge que se développait l'appétit de l'or ! On raya le connétable.

En revanche, Robert, avec beaucoup d'attention, aida Charles IV à composer la liste des exécuteurs testamentaires, car cette liste constituait comme un ordre de préséance parmi les grands du royaume : le comte Philippe de Valois en tête, le comte Philippe d'Evreux, et puis lui-même, Robert d'Artois, comte de Beaumont-le-Roger.

Cela fait, on s'occupa de rallier les pairs ecclésiastiques.

Guillaume de Trye, duc-archevêque de Reims, avait été précepteur de Philippe de Valois ; et puis Robert venait de faire coucher son frère, le maréchal, sur le testament royal, pour trois mille livres qu'on sut rendre tintantes. On n'aurait pas de mécomptes de ce côté-là.

Le duc-archevêque de Langres était acquis de longue date aux Valois ; et tout également leur était dévoué le comte-évêque de Beauvais, Jean de Marigny, dernier frère survivant du grand Enguerrand. Vieilles trahisons, vieux remords, services mutuels avaient tissé de solides liens.

Restaient les évêques de Châlons, de Laon et de Noyon ; ces derniers, on le savait, feraient corps avec le duc Eudes de Bourgogne.

« Ah ! pour le Bourguignon, s'écria Robert d'Artois en écartant les bras, cela, Philippe, c'est ton affaire. Je ne peux rien auprès de lui, nous sommes lance à lance. Mais tu as épousé sa sœur ; tu dois bien avoir quelque action sur lui. »

Eudes IV n'était pas un aigle de gouvernement. Toutefois il se rappelait les leçons de sa défunte mère, la duchesse Agnès, la dernière fille de Saint Louis, et comment lui-même, pour reconnaître la régence de Philippe le Long, avait gagné le rattachement de la Bourgogne-comté à la Bourgogne-duché.

Eudes en cette occasion avait épousé la petite-fille de Mahaut d'Artois, de quatorze ans plus jeune que lui, ce dont il ne se plaignait pas maintenant qu'elle était nubile.

La question de l'héritage d'Artois fut la première qu'il posa lorsque, arrivant de Dijon, il s'enferma avec Philippe de Valois.

« Il est bien entendu qu'au jour du trépas de Mahaut, le comté d'Artois ira à sa fille, la reine Jeanne la Veuve, pour ensuite revenir à la duchesse mon épouse ? J'insiste fort sur ce point, mon cousin, car je connais les prétentions de Robert sur l'Artois ; il les a assez clamées ! »

Ces grands princes ne mettaient pas moins de défiante âpreté à défendre leurs droits d'héritage sur les quartiers du royaume que des brus à se disputer les gobelets et les draps dans une succession de pauvres.

« Jugements par deux fois ont été rendus qui ont attribué l'Artois à la comtesse Mahaut, répondit Philippe de Valois. Si aucun fait nouveau ne vient étayer les requêtes de Robert, l'Artois passera à votre épouse, mon frère.

— Vous n'y voyez point d'empêchement ?

— Je n'en vois mie. »

Ainsi le loyal Valois, le preux chevalier, le héros de tournoi, avait donné à ses deux cousins, à ses deux beaux-frères, deux promesses contradictoires.

Honnête toutefois dans sa duplicité, il rapporta à Robert d'Artois son entretien avec Eudes, et Robert l'approuva pleinement.

« L'important, dit ce dernier, est d'obtenir la voix du Bourguignon, et peu importe qu'il s'ancre dans la tête un droit qu'il n'a pas. Des faits nouveaux, lui as-tu dit ? Eh bien, nous en produirons, mon frère, et je ne te ferai pas manquer à ta parole. Allons, tout est au mieux. »

Il ne restait plus qu'à attendre, ultime formalité, le décès du roi, en souhaitant qu'il se produisît assez vite, pendant que cette belle conjonction de princes était réunie autour de Philippe de Valois.

Le dernier fils du Roi de fer rendit l'âme la veille de la Chandeleur, et la nouvelle du deuil royal se répandit dans Paris, le lendemain matin, en même temps que l'odeur des crêpes chaudes.

Tout semblait devoir se dérouler selon le plan parfaitement agencé par Robert d'Artois, quand à l'aube même du jour fixé pour le Conseil des pairs, arriva un évêque anglais, au visage chafouin, aux yeux fatigués, sortant d'une litière couverte de boue, et qui venait représenter les droits de la reine Isabelle.

III

CONSEIL POUR UN CADAVRE

Plus de cervelle dans la tête, plus de cœur dans la poitrine, ni d'entrailles dans le ventre. Un roi creux. Les embaumeurs, la veille, avaient terminé leur travail sur le cadavre de Charles IV. Mais cela faisait-il grande différence avec ce que ce faible, indifférent, inactif monarque avait été durant sa vie ? Enfant attardé que sa mère appelait « l'oison », mari trompé, père malheureux vainement entêté à travers trois mariages à assurer sa succession, souverain constamment gouverné, d'abord par un oncle puis par des cousins, il n'avait servi à rien d'autre qu'au logement du principe royal. Il y servait encore.

Au bout de la grand-salle à piliers du château de Vincennes, reposait, raide sur un lit d'apparat, sa dépouille habillée de la tunique azurée, du manteau fleurdelisé, et la tête encastrée dans la couronne.

Les pairs et les barons, réunis à l'autre extrémité, voyaient briller, éclairés par les buissons de cierges, les pieds bottés de toile d'or.

Charles IV allait présider son dernier conseil, dit « conseil dans la chambre du roi », puisqu'il était censé gouverner encore ; son règne ne serait officiellement terminé que le lendemain, à l'instant où son corps descendrait dans la tombe, à Saint-Denis.

Robert d'Artois avait pris l'évêque anglais sous son aile, tandis qu'on attendait les retardataires.

« En combien de temps êtes-vous venu ? Douze jours depuis York ? Vous n'avez pas traîné à chanter messe en route, messire évêque... un vrai train de chevaucheur !... Votre jeune roi, a-t-il eu de joyeuses noces ?

— Je le pense. Je n'ai pu y prendre part ; j'étais déjà sur mon chemin », répondit l'évêque Orleton.

Et Lord Mortimer, était-il en bonne santé ? Grand ami, Lord Mortimer, grand ami, et qui parlait souvent, au temps où il était réfugié à Paris, de Mgr Orleton.

« Il m'a conté comment vous le fîtes évader de la tour de Londres. Pour ma part, je l'ai accueilli en France, et lui ai donné les moyens de s'en retourner un peu plus armé qu'il n'était arrivé. Ainsi nous avons fait chacun la moitié de la besogne. »

Et la reine Isabelle ? Ah ! la chère cousine ! Toujours d'aussi grande beauté ?

Robert ainsi amusait le temps, pour empêcher Orleton de se mêler aux autres groupes, d'aller parler au comte de Hainaut ou au comte de Flandre. Il connaissait Orleton de réputation, et s'en méfiait. N'était-ce pas l'homme que la cour de Westminster utilisait pour ses ambassades auprès du Saint-Siège, et l'auteur, à ce qu'on disait, de la fameuse lettre à double sens : « *Eduardum occidere nolite bonum est...* » dont Isabelle et Mortimer s'étaient servis pour ordonner l'assassinat d'Edouard II ?

Alors que les prélats français avaient tous coiffé leur mitre, Orleton portait simplement son bonnet de voyage, en soie violette, à oreillettes fourrées d'hermine. Robert nota ce détail avec satisfaction ; cela retirerait de l'autorité à l'évêque anglais quand il prendrait la parole.

« C'est Mgr Philippe de Valois qui va être régent », murmura-t-il à Orleton comme s'il confiait un secret à un ami.

L'autre ne répondit pas.

Enfin la dernière personne attendue pour que le Conseil fût au complet entra. C'était la comtesse

Mahaut d'Artois, seule femme convoquée à cette
assemblée. Elle avait vieilli, Mahaut ; ses pas semblaient haler avec peine le poids de son corps massif ; elle s'appuyait sur une canne. Son visage était
rouge sombre sous les cheveux tout blancs. Elle
adressa de vagues saluts à la ronde, alla asperger le
mort, et vint s'asseoir, lourdement, à côté du duc de
Bourgogne. On l'entendait haleter[4].

L'archevêque-primat Guillaume de Trye se leva, se
tourna d'abord vers le cadavre du souverain, fit le
signe de croix, lentement, puis demeura un moment
en méditation, les yeux vers les voûtes comme s'il
demandait l'inspiration divine. Les chuchotements
s'étaient arrêtés.

« Mes nobles seigneurs, commença-t-il, quand la
succession naturelle fait défaut à la dévolution du
pouvoir royal, celui-ci retourne à sa source qui est
dans le consentement des pairs. Telle est la volonté
de Dieu et de la Sainte Eglise, laquelle en fournit
l'exemple par l'élection de son suprême pontife. »

Il parlait bien, Mgr de Trye, avec une belle éloquence de sermon. Les pairs et barons ici conviés
allaient avoir à décider de l'attribution du pouvoir
temporel dans le royaume de France, d'abord pour
l'exercice de la régence et ensuite, car sagesse veut
de prévoir, pour l'exercice de la royauté même, dans
le cas où la très noble dame la reine faillirait à donner un fils.

Le meilleur d'entre les égaux, *primus inter pares*,
tel était celui qu'il convenait de désigner, et le plus
proche aussi de la couronne, par le sang. N'était-ce
pas de comparables circonstances qui avaient
conduit autrefois les pairs-barons et les pairs-
évêques à remettre le sceptre au plus sage et au plus
fort d'entre eux, le duc de France et comte de Paris,
Hugues Capet, fondateur de la glorieuse dynastie ?

« Notre défunt suzerain, pour ce jour encore
auprès de nous, continua l'archevêque en inclinant
légèrement sa mitre vers le lit, a voulu nous éclairer
en recommandant à notre choix, par testament,

son plus proche cousin, prince très chrétien et très vaillant, digne en tout de nous gouverner et conduire, Mgr Philippe, comte de Valois, d'Anjou et du Maine. »

Le prince très vaillant et très chrétien, les oreilles bourdonnantes d'émotion, ne savait quelle attitude prendre. Baisser son grand nez d'un air modeste, c'eût été montrer qu'il doutait de lui-même et de son droit à régner. Se redresser d'un air arrogant et orgueilleux eût pu indisposer les pairs. Il choisit de demeurer figé, les traits immobiles, le regard fixé sur les bottes dorées du cadavre.

« Que chacun se recueille en sa conscience, acheva l'archevêque de Reims, et exprime son conseil pour le bien de tous. »

Mgr Adam Orleton était déjà debout.

« Ma conscience est recueillie, dit-il. Je viens ici porter parole pour le roi d'Angleterre, duc de Guyenne. »

Il avait l'expérience de ce genre d'assemblées où tout est préparé en sous-main et où chacun pourtant hésite à faire la première intervention. Il se hâtait de prendre cet avantage.

« Au nom de mon maître, poursuivit-il, j'ai à déclarer que la plus proche parente du feu roi Charles de France est la reine Isabelle, sa sœur, et que la régence, de ce fait, doit à elle revenir. »

A l'exception de Robert d'Artois qui s'attendait bien à quelque coup de cette sorte, les assistants marquèrent un temps de stupéfaction. Nul n'avait songé à la reine Isabelle durant les tractations préliminaires, nul n'avait envisagé une minute qu'elle pût émettre la moindre prétention. On l'avait oubliée, tout bonnement. Et voilà qu'elle surgissait de ses brumes nordiques, par la voix d'un petit évêque en bonnet fourré. Avait-elle vraiment des droits ? On s'interrogeait du regard, on se consultait. Oui, de toute évidence, et si l'on s'en tenait aux strictes considérations de lignage, elle possédait des droits ; mais il semblait dément qu'elle en voulût faire usage.

Cinq minutes plus tard, le Conseil était en pleine confusion. Tout le monde parlait à la fois et le ton des voix montait, sans égard pour la présence du mort.

Le roi d'Angleterre, duc de Guyenne, en la personne de son ambassadeur, avait-il oublié que les femmes ne pouvaient régner en France, selon la coutume deux fois confirmée par les pairs dans les récentes années ?

« N'est-ce point vrai, ma tante ? » lança méchamment Robert d'Artois, rappelant à Mahaut le temps où ils s'étaient si fort opposés sur cette loi de succession établie pour favoriser Philippe le Long, gendre de la comtesse.

Non, Mgr Orleton n'avait rien oublié ; particulièrement, il n'avait pas oublié que le duc de Guyenne ne se trouvait ni présent ni représenté — sans doute parce qu'à dessein averti trop tard — aux réunions des pairs où s'était décidée très arbitrairement l'extension de la loi dite salique au droit royal, laquelle extension, par voie de conséquence, le duc n'avait jamais ratifiée.

Orleton ne possédait pas la belle éloquence onctueuse de Mgr Guillaume de Trye ; il parlait un français un peu rocailleux avec des tournures archaïques qui pouvaient prêter à sourire. Mais en revanche, il avait une grande habileté à la controverse juridique, et ses réponses venaient vite.

Messire Miles de Noyers, conseiller de quatre règnes et le principal rédacteur, sinon même l'inventeur de la loi salique, lui porta la réplique.

Puisque le roi Edouard II avait rendu l'hommage au roi Philippe le Long, on devait admettre qu'il avait reconnu celui-ci pour légitime et ratifié implicitement le règlement de succession.

Orleton ne l'entendait pas de cette oreille. Que nenni, messire ! En rendant l'hommage, Edouard II avait confirmé seulement que le duché guyennais était vassal de la couronne de France, ce que personne ne songeait à nier, encore que les limites de cette vassalité restassent, depuis cent et des ans, à préciser. Mais l'hommage ne valait point pour la loi du trône. Et d'abord, de quoi disputait-on, de la régence ou de la couronne ?

« Des deux, des deux ensemble, intervint l'évêque Jean de Marigny. Car justement l'a dit Mgr de Trye : sagesse veut de prévoir ; et nous ne devons point nous exposer dans deux mois à affronter le même débat. »

Mahaut d'Artois cherchait son souffle. Ah ! qu'elle était fâchée du malaise qu'elle éprouvait, et de ce bruissement dans la tête qui l'empêchait de penser clairement. Rien ne lui convenait de tout ce qu'on disait. Elle était hostile à Philippe de Valois parce que soutenir Valois c'était soutenir Robert ; elle était hostile à Isabelle par vieille haine, parce que Isabelle, autrefois, avait dénoncé ses filles. Elle intervint, avec une mesure de retard.

« Si la couronne à femme pouvait aller, ce ne serait point à votre reine, messire évêque, mais à nulle autre qu'à Madame Jeanne la Petite, et la régence à exercer devrait l'être par son époux que voici, Mgr d'Evreux, ou son oncle qui est à mon côté, le duc Eudes. »

Quelque flottement fut perceptible du côté du duc de Bourgogne, du comte de Flandre, des évêques de Laon et de Noyon, et jusque dans l'attitude du jeune comte d'Evreux.

On eût dit que la couronne était en suspens entre sol et voûte, incertaine du point de sa chute, et que plusieurs têtes se tendaient.

Philippe de Valois avait depuis longtemps abandonné sa noble immobilité et s'adressait par signes à son cousin d'Artois. Celui-ci se leva.

« Allons ! s'écria-t-il, il paraît qu'en ce jour chacun s'empresse à se renier. Je vois Madame Mahaut, ma bien-aimée tante, toute prête à reconnaître à Madame de Navarre... »

Et il appuya sur le mot « Navarre » en regardant Philippe d'Evreux pour lui rappeler leur accord.

« ... les droits précisément qu'elle lui contesta naguère. Je vois le noble évêque d'Angleterre se réclamer des actes d'un roi qu'il s'est occupé à déchasser du trône pour faiblesse, incurie et trahison... Voyons, messire Orleton ! on ne peut refaire une loi à chaque occasion de l'appliquer, et au gré de chaque partie. Une fois elle sert l'un, une fois elle sert l'autre. Nous aimons et respectons Madame Isabelle, notre parente, que nous sommes quelques-uns ici à avoir aidée et servie. Mais sa requête, pour laquelle vous avez bien plaidé, semble irrecevable. N'est-ce point votre conseil, Messeigneurs ? » acheva-t-il en prenant les pairs à témoin.

Des approbations nombreuses lui répondirent, les plus chaleureuses venant du duc de Bourbon, du comte de Blois, des pairs-évêques de Reims et de Beauvais.

Mais Orleton n'avait pas usé toutes ses lames. Si même on admettait qu'il s'agît non seulement de la régence mais aussi, éventuellement, de la couronne, si même on admettait, pour ne point revenir sur une loi appliquée, que les femmes ne pussent régner en France, alors ce n'était pas au nom de la reine Isabelle, mais au nom de son fils, le roi Edouard III, seul descendant mâle de la lignée directe, qu'il élevait sa réclamation.

« Mais si femme ne peut régner, à plus forte raison ne peut-elle transmettre ! dit Philippe de Valois.

— Et pourquoi, Monseigneur ? Les rois en France ne naissent donc point de femme ? »

Cette riposte amena un sourire sur quelques visages. Le grand Philippe se trouvait cloué. Après tout il n'avait pas tort, le petit évêque anglais ! La fumeuse coutume invoquée à la succession de Louis X était muette là-dessus. Et, en bonne logique, puisque trois frères à la suite avaient régné, sans produire de garçons, le pouvoir ne devait-il pas revenir au fils de la sœur survivante, plutôt qu'à un cousin ?

Le comte de Hainaut, tout acquis à Valois jusque-

là, réfléchissait, voyant se dessiner soudain pour sa
fille un avenir inattendu.

Le vieux connétable Gaucher, les paupières plis-
sées comme celles d'une tortue et la main en cornet
autour de l'oreille, demandait à son voisin Miles de
Noyers :

« Quoi ? Que dit-on ? »

Le tour trop compliqué du débat l'irritait. Sur la
question de la succession des femmes, il avait son
opinion, invariable depuis douze ans. La loi des
mâles, en vérité, c'était lui qui l'avait proclamée en
ralliant les pairs autour de sa formule fameuse :
« Les lis ne filent pas la laine ; et France est trop
noble royaume pour être à femelle remis. »

Orleton poursuivait, cherchant à se rendre émou-
vant. Il invitait les pairs à considérer une occasion,
que les siècles peut-être n'offriraient plus jamais,
d'unir les deux royaumes sous le même sceptre. Car
là était sa pensée profonde. Finis les litiges incessants, les hommages mal définis, et les guerres
d'Aquitaine dont pâtissaient les deux nations ; résolue l'inutile rivalité de commerce qui créait les problèmes de Flandre. Un seul et même peuple, des
deux côtés de la mer. La noblesse anglaise n'était-elle
pas tout entière de souche française ? La langue
française n'était-elle pas commune aux deux cours ?
De nombreux seigneurs français n'avaient-ils pas,
par jeu d'héritage, des biens en Angleterre, comme
les barons anglais avaient des établissements en
France ?

« Eh bien, soit, remettez-nous l'Angleterre, nous
ne la refusons pas », ironisa Philippe de Valois.

Le connétable Gaucher écoutait les explications
que Miles de Noyers lui soufflait à l'oreille, et soudain
son teint fonça. Comment ? Le roi d'Angleterre réclamait la régence ? Et la couronne à suivre ? Alors, tant
de campagnes qu'il avait conduites, lui Gaucher, sous
le dur soleil de Gascogne, tant de chevauchées dans
les boues du Nord contre ces mauvais drapiers flamands toujours soutenus par l'Angleterre, tant de

bons chevaliers tués, tant de tailles et subsides dépensés, n'auraient donc servi qu'à cela ? On se moquait.

Sans se lever, mais d'une profonde voix de vieillard tout enrouée par la colère, il s'écria :

« Jamais France ne sera à l'Anglois, et cela n'est point question de mâle ou de femelle, ni de savoir si la couronne se transmet par le ventre ! Mais la France ne sera pas à l'Anglois parce que les barons ne le supporteraient pas. Allons Bretagne ! Allons Blois ! Allons Nevers ! Allons Bourgogne ! Vous acceptez d'entendre cela ? Nous avons un roi à porter en terre, le sixième de ceux que j'aurai vus passer de mon vivant, et qui tous ont dû lever leur ost contre l'Angleterre ou ceux qu'elle appuie. Qui doit commander à la France doit être du sang de France. Et qu'on en finisse d'écouter ces sornettes qui feraient rire mon cheval. »

Il avait appelé Bretagne, Blois, Bourgogne, du ton qu'il prenait naguère en bataille, pour rallier les chefs de bannière.

« Je donne mon conseil, avec le droit du plus vieux, pour que le comte de Valois, le plus proche du trône, soit régent, gardien et gouverneur du royaume. »

Et il éleva la main pour appuyer son vote.

« Il a bien dit ! » s'empressa d'approuver Robert d'Artois en dressant sa large patte et en conviant du regard les partisans de Philippe à l'imiter.

Il regrettait presque, à présent, d'avoir fait écarter le vieux connétable du testament royal.

« Il a bien dit ! » répétèrent les ducs de Bourbon et de Bretagne, le comte de Blois, le comte de Flandre, le comte d'Evreux, les évêques, les grands officiers, le comte de Hainaut.

Mahaut d'Artois interrogea des yeux le duc de Bourgogne, vit qu'il allait lever la main et se hâta d'approuver pour n'être pas la dernière.

Seule la main d'Orleton resta baissée.

Philippe de Valois, qui se sentait soudain épuisé, se disait : « C'est chose faite, c'est chose faite. » Il entendit l'archevêque Guillaume de Trye, son ancien précepteur, dire :

« Longue vie au régent du royaume de France, pour le bien du peuple et de la Sainte Eglise. »

Le chancelier Jean de Cherchemont avait préparé le document qui devait clore le conseil et en entériner la décision ; il ne restait que le nom à inscrire. Le chancelier traça en grandes lettres celui du « très puissant, très noble et très redouté seigneur Philippe, comte de Valois », et puis donna lecture de cet acte qui non seulement attribuait la régence, mais encore désignait le régent, si l'enfant à naître était une fille, pour devenir roi de France.

Tous les assistants apposèrent en bas du document leur signature et leur sceau privé ; tous, sauf le duc de Guyenne, c'est-à-dire son représentant Mgr Adam Orleton qui refusa en disant :

« On ne perd jamais rien à défendre son droit, même si l'on sait qu'il ne peut pas triompher. L'avenir est grand, et dans les mains de Dieu. »

Philippe de Valois s'était approché du catafalque et regardait le corps de son cousin, la couronne encadrant le front cireux, le long sceptre d'or posé le long du manteau, les bottes scintillantes.

On crut qu'il priait, et ce geste lui valut le respect.

Robert d'Artois vint auprès de lui et lui murmura :

« Si ton père te voit, en ce moment, il doit être bien heureux, le cher homme... Encore deux mois à attendre. »

IV

LE ROI TROUVÉ

Les princes de ce temps-là avaient besoin d'un nain. Les couples de pauvres gens considéraient presque comme une chance de mettre au monde un avorton de cette sorte ; ils avaient la certitude de le vendre un jour à quelque grand seigneur, sinon au roi lui-même.

Car le nain, nul n'eût songé à en douter, était un être intermédiaire entre l'homme et l'animal domestique. Animal, parce qu'on pouvait lui mettre un collier, l'affubler, comme un chien dressé, de vêtements grotesques, et lui envoyer des coups de pied aux fesses ; homme, parce qu'il parlait et s'offrait volontairement, moyennant salaire et nourriture, à ce rôle dégradant. Il avait à bouffonner sur ordre, sautiller, pleurer ou niaiser comme un enfant, et cela même quand ses cheveux devenaient blancs. Sa petitesse faisait ressortir la grandeur du maître. On se le transmettait par héritage ainsi qu'un bien de propriété. Il était le symbole du « sujet », de l'individu soumis à autrui par nature, et créé tout exprès, semblait-il, pour témoigner de la division de l'espèce humaine en races différentes, dont certaines avaient pouvoir absolu sur les autres.

L'abaissement comportait des avantages ; le plus petit, le plus faible, le plus difforme, prenait place parmi les mieux nourris et les mieux vêtus. Il était également permis et même ordonné à ce disgracié de dire aux maîtres de la race supérieure ce qui n'eût été toléré de nul autre.

Les moqueries, les reproches, les insultes que tout homme, même le plus dévoué, adresse parfois en pensée à celui qui le commande, le nain les proférait pour le compte de tous, comme par délégation.

Il existe deux sortes de nains : ceux à long nez, à face triste et à double bosse, et ceux à gros visage, nez court et torse de géant monté sur de minuscules membres noués. Le nain de Philippe de Valois, Jean le Fol, était de la seconde sorte. Sa tête arrivait juste à hauteur des tables. Il portait grelots au sommet de son bonnet et sur les épaules de ses robes de soie.

Ce fut lui qui vint dire un jour à Philippe, en tournoyant et en ricanant :

« Tu sais, mon Sire, comment le peuple te nomme ? On t'appelle "le roi trouvé". »

Car le Vendredi saint, 1er avril de l'an 1328, Madame Jeanne d'Evreux, veuve de Charles IV, avait fait ses couches. Rarement dans l'Histoire, sexe d'enfant fut observé avec plus d'attention à l'issue des flancs maternels. Et quand on vit que c'était une fille qui naissait, chacun reconnut bien que la volonté divine s'était exprimée et l'on en éprouva un grand soulagement.

Les barons n'avaient pas à revenir sur leur choix de la Chandeleur. Dans une assemblée immédiate, où seul le représentant de l'Angleterre fit entendre, par principe, une voix discordante, ils confirmèrent à Philippe l'octroi de la couronne.

Le peuple poussait un soupir. La malédiction du grand maître Jacques de Molay paraissait épuisée. La branche aînée de la race capétienne s'achevait par trois bourgeons séchés.

L'absence de garçon, en toute famille, fut toujours considérée comme un malheur ou un signe d'infériorité. A plus forte raison pour une maison royale. Cette incapacité des fils de Philippe le Bel à produire des descendants mâles semblait bien la manifestation d'un châtiment. L'arbre allait pouvoir repartir du pied.

De soudaines fièvres saisissent les peuples, dont il faudrait chercher la cause dans le déplacement des astres, tant elles échappent à toute autre explication : vagues d'hystérie cruelle, comme l'avaient été la croisade des pastoureaux et le massacre des lépreux, ou vagues d'euphorie délirante comme celle qui accompagna l'avènement de Philippe de Valois.

Le nouveau roi était de belle taille et possédait cette majesté musculaire nécessaire aux fondateurs de dynastie. Son premier enfant était un fils âgé déjà de neuf ans et qui paraissait robuste ; il avait également une fille, et l'on savait, les cours ne font point mystère de ces choses, qu'il honorait presque chaque nuit sa boiteuse épouse avec un entrain que les années ne ralentissaient pas.

Doué d'une voix forte et sonore, il n'était pas un bafouilleur comme ses cousins Louis Hutin et Charles IV, ni un silencieux comme Philippe le Bel ou Philippe V. Qui pouvait s'opposer à lui, qui pouvait-on lui opposer ? Qui songeait à écouter, dans cette liesse où roulait la France, la voix de quelques docteurs en droit payés par l'Angleterre pour formuler, sans conviction, des représentations ?

Philippe VI arrivait au trône dans le consentement unanime.

Et pourtant il n'était qu'un roi de raccroc, un neveu, un cousin de roi comme il y en avait tant, un homme fortuné parmi son parentage ; pas un roi désigné par Dieu à la naissance, pas un roi reçu ; un roi « trouvé » le jour qu'on en manquait.

Ce mot inventé par la rue ne diminuait en rien la confiance et la joie ; ce n'était qu'une de ces expressions d'ironie dont les foules aiment à nuancer leurs passions et qui leur donnent l'illusion de la familiarité avec le pouvoir. Jean le Fol, lorsqu'il répéta cette parole à Philippe, eut droit à une bourrade dont il exagéra la rudesse en se frottant les côtes et en poussant des cris aigus ; il venait tout de même de prononcer le maître mot d'un destin.

Car Philippe de Valois, comme tout parvenu, voulut prouver qu'il était bien digne, par valeur naturelle, de la situation qui lui était échue, et répondre en tout à l'image qu'on peut se faire d'un roi.

Parce que le roi exerce souverainement la justice, il envoya pendre dans les trois semaines le trésorier du dernier règne, Pierre Rémy, dont on assurait qu'il avait beaucoup trafiqué du Trésor. Un ministre des Finances au gibet est chose toujours qui réjouit un peuple ; les Français se félicitèrent ; on avait un roi juste.

Le prince est, par devoir et fonction, défenseur de la foi. Philippe prit un édit qui renforçait les peines contre les blasphémateurs et accroissait le pouvoir de l'inquisition. Ainsi le haut et bas clergé, la petite noblesse et les bigotes de paroisse se trouvèrent rassurés : on avait un roi pieux.

Un souverain se doit de récompenser les services rendus. Or, combien de services avaient été nécessaires à Philippe pour assurer son élection ! Mais un roi doit veiller également à ne point se faire d'ennemis parmi ceux qui se sont montrés, sous ses prédécesseurs, bons serviteurs des intérêts publics. Aussi, tandis qu'étaient maintenus dans leurs charges presque tous les anciens dignitaires et officiers royaux, de nouvelles fonctions furent créées ou bien l'on doubla celles qui existaient afin de donner place aux soutiens du nouveau règne, et satisfaire à toutes les recommandations présentées par les grands électeurs. Et comme la maison de Valois avait déjà train royal, ce train se superposa à celui de l'ancienne dynastie, et ce fut une grande ruée aux emplois et aux bénéfices. On avait un roi généreux.

Un roi se doit encore d'apporter la prospérité à ses sujets. Philippe VI s'empressa de diminuer et même, dans certains cas, de supprimer les taxes que Philippe IV et Philippe V avaient mises sur le négoce, sur les marchés publics et sur les transactions des étrangers, taxes qui, de l'avis de ceux qui les acquittaient, entravaient les foires et le commerce.

Ah ! le bon roi que voilà, qui faisait cesser les tracasseries des receveurs de Finances ! Les Lombards, prêteurs habituels de son père et auxquels lui-même devait encore si gros, le bénissaient. Nul ne songeait que la fiscalité des anciens règnes produisait ses effets à long terme et que si la France était riche, si l'on y vivait mieux que nulle part au monde, si l'on y était vêtu de bon drap et souvent de fourrure, si l'on y voyait des bains et étuves jusque dans les hameaux, on le devait aux précédents Philippe qui avaient su assurer l'ordre dans le royaume, l'unité des monnaies, la sécurité du travail.

Un roi... un roi doit aussi être un sage, l'homme le plus sage parmi son peuple. Philippe commença de prendre un ton sentencieux pour énoncer, de cette belle voix qui était la sienne, de graves principes où l'on reconnaissait un peu la manière de son précepteur, l'archevêque Guillaume de Trye.

« Nous qui toujours voulons raison garder... », disait-il chaque fois qu'il ne savait quel parti prendre.

Et quand il avait fait fausse route, ce qui lui arrivait fréquemment, et se trouvait contraint d'interdire ce qu'il avait ordonné l'avant-veille, il déclarait avec autant d'assurance : « Raisonnable chose est de modifier son propos. »

« En toute chose, mieux vaut prévenir qu'être prévenu », énonçait encore pompeusement ce roi qui en vingt-deux ans de règne ne cesserait d'aller de surprise en surprise malheureuse !

Jamais monarque ne débita de plus haut autant de platitudes. On croyait qu'il réfléchissait ; en vérité il ne pensait qu'à la sentence qu'il allait pouvoir formuler pour se donner l'air de réfléchir ; mais sa tête était creuse comme une noix de la mauvaise saison.

Un roi, un vrai roi, n'oublions pas, se doit d'être brave, et preux, et fastueux ! En vérité Philippe n'avait d'aptitude que pour les armes. Pas pour la guerre, mais bien pour les armes, les joutes, les tournois. Instructeur de jeunes chevaliers, il eût fait merveille à la cour d'un moindre baron. Souverain, son hôtel ressembla à quelque château des romans de la Table Ronde, qui étaient beaucoup lus à l'époque et dont il s'était fort farci l'imagination. Ce ne furent que tournois, fêtes, festins, chasses, divertissements, puis tournois encore avec débauche de plumes sur les heaumes, et chevaux plus parés que des femmes.

Philippe s'occupait très gravement du royaume, une heure par jour, après une joute d'où il revenait ruisselant ou un banquet dont il sortait la panse lourde et l'esprit nuageux. Son chancelier, son trésorier, ses officiers innombrables prenaient les décisions pour lui, ou bien allaient chercher leurs ordres auprès de Robert d'Artois. Celui-ci, en vérité, commandait plus que le souverain.

Nulle difficulté ne se présentait que Philippe n'en appelât au conseil de Robert, et l'on obéissait de confiance au comte d'Artois, sachant que tout décret de sa part serait approuvé par le roi.

De la sorte on alla au sacre, où l'archevêque Guillaume de Trye devait poser la couronne sur le front de son ancien élève. Les fêtes, à la fin mai, durèrent cinq jours.

Il semblait que tout le royaume fût arrivé à Reims. Et non seulement le royaume, mais encore une partie de l'Europe avec le superbe et impécunieux roi Jean de Bohême, le comte Guillaume de Hainaut, le marquis de Namur et le duc de Lorraine. Cinq jours de réjouissances et de ripailles ; une profusion, une dépense comme les bourgeois rémois n'en avaient jamais vu. Eux qui subvenaient aux frais des fêtes, et qui avaient rechigné devant le coût des derniers sacres, cette fois fournissaient le double, le triple, d'un cœur joyeux. Il y avait cent ans qu'au royaume de France on n'avait tant bu : on servait à cheval dans les cours et sur les places.

La veille du couronnement, le roi arma chevalier Louis de Crécy, comte de Flandre et de Nevers, avec la plus grande pompe possible. Il avait été décidé, en effet, que ce serait le comte de Flandre qui tiendrait le glaive de Charlemagne pendant le sacre, et le porterait au roi. Et l'on s'étonnait que le connétable eût consenti à se dessaisir de cette fonction traditionnelle. Encore fallait-il que le comte de Flandre fût chevalier. Philippe VI pouvait-il montrer avec plus d'éclat l'amitié dans laquelle il tenait son cousin flamand ?

Or, le lendemain, pendant la cérémonie dans la cathédrale, lorsque Louis de Bourbon, grand chambrier de France, ayant chaussé le roi des bottes fleurdelisées, appela le comte de Flandre pour présenter l'épée, ce dernier ne bougea pas.

Louis de Bourbon répéta :

« Monseigneur le comte de Flandre ! »

Louis de Crécy resta immobile, debout, les bras croisés.

« Monseigneur le comte de Flandre, proclama le duc de Bourbon, si vous êtes céans, ou quelque personne pour vous, venez accomplir votre devoir, et ci vous sommons de paraître à peine de forfaiture. »

Un grand silence s'était fait sous les voûtes et un étonnement apeuré se peignait sur les visages des prélats, des barons, des dignitaires ; mais le roi restait impassible, et Robert d'Artois reniflait, nez en l'air, comme s'il s'intéressait au jeu du soleil à travers les vitraux.

Enfin le comte de Flandre consentit à avancer, s'arrêta devant le roi, s'inclina et dit :

« Sire, si l'on avait appelé le comte de Nevers ou le sire de Crécy, je me fusse approché plus tôt.

— Mais quoi, Monseigneur, répondit Philippe VI, n'êtes-vous point comte de Flandre ?

— Sire, j'en porte le nom, mais n'en ai point le profit. »

Philippe VI prit alors son meilleur air royal, poitrine gonflée, regard vague, et son grand nez pointé vers l'interlocuteur pour prononcer bien calmement :

« Mon cousin, que me dites-vous donc ?

— Sire, reprit le comte, les gens de Bruges, d'Ypres, de Poperingue et de Cassel m'ont bouté dehors mon fief, et ne me tiennent plus pour leur comte ni seigneur ; c'est à peine si je puis tout furtivement me rendre à Gand tant le pays est en rébellion. »

Alors Philippe de Valois abattit sa large paume sur le bras du trône, geste qu'il avait vu bien souvent faire à Philippe le Bel et qu'il reproduisait, inconsciemment, tant son oncle avait été l'incarnation véritable de la majesté.

« Louis, mon beau cousin, déclara-t-il lentement et fortement, nous vous tenons pour comte de Flandre, et, par les dignes onctions et sacrement que nous recevons aujourd'hui, vous promettons que jamais ne prendrons paix ni repos avant que de vous avoir remis en possession de votre comté. »

Alors le comte de Flandre s'agenouilla et dit :

« Sire, grand merci. »

Et la cérémonie continua.

Robert d'Artois clignait de l'œil à ses voisins, et l'on comprit alors que cet esclandre était coup monté. Philippe VI tenait les promesses faites par Robert pour assurer son élection. Philippe d'Evreux apparaissait ce même jour, sous son manteau de roi de Navarre.

Aussitôt après la cérémonie, le roi réunit les pairs et barons, les princes de sa famille, les seigneurs d'au-delà du royaume venus assister à son sacre, et, comme si l'affaire ne souffrait une heure d'attente, il délibéra avec eux du moment où il irait attaquer les rebelles de Flandre. Le devoir d'un roi preux est de défendre le droit de ses vassaux ! Quelques esprits prudents, estimant que le printemps était déjà fort avancé et qu'on risquait de n'être prêt qu'à la mauvaise saison — ils avaient encore en mémoire « l'ost boueux » de Louis Hutin — conseillaient de remettre l'expédition à un an. Le vieux connétable Gaucher leur fit honte en s'écriant d'une voix forte :

« Qui bon cœur a pour la bataille, toujours trouve le temps convenant ! »

A soixante-dix-huit ans, il éprouvait quelque hâte à commander sa dernière campagne, et ce n'était pas pour tergiverser de la sorte qu'il avait accepté de se dessaisir tout à l'heure du glaive de Charlemagne.

« Ainsi l'Anglois, qui est par-dessous cette rébellion, prendra bonne leçon », dit-il encore en grommelant.

Ne lisait-on pas, dans les romans de chevalerie, les exploits de héros de quatre-vingts ans, capables de renverser leurs ennemis en bataille et de leur fendre le heaume jusqu'à l'os du crâne ? Les barons allaient-ils montrer moins de vertu que le vieux vétéran impatient de partir en guerre avec son sixième roi ?

Philippe de Valois, se levant, s'écria :

« Qui m'aime bien me suivra ! »

Dans le mouvement général d'enthousiasme qui suivit cette parole, on décida de convoquer l'ost pour la fin juillet, et à Arras, comme par hasard. Robert allait pouvoir en profiter pour remuer un peu le comté de sa tante Mahaut.

Et de la sorte, au début d'août, on entra en Flandre.

Un bourgeois du nom de Zannequin commandait les quinze mille hommes des milices de Furnes, de Dixmude, de Poperingue et de Cassel. Voulant prouver qu'il savait les usages, Zannequin adressa un cartel au roi de France pour lui demander jour de bataille. Mais Philippe méprisa ce manant qui prenait des manières de prince, et fit répondre aux Flamands qu'étant gens sans chef ils auraient à se défendre comme ils pourraient. Puis il envoya ses deux maréchaux, Mathieu de Trye et Robert Bertrand, dit « le chevalier au Vert Lion », incendier les environs de Bruges.

Quand les maréchaux rentrèrent ils furent grandement félicités ; chacun se réjouissait de voir au loin de pauvres maisons flamber. Les chevaliers désarmés, vêtus de riches robes, se faisaient visite d'une tente à l'autre, mangeaient sous des pavillons de soie brodée, et jouaient aux échecs avec leurs familiers. Le camp français ressemblait tout à fait au camp du roi Arthur dans les livres à images, et les barons se prenaient pour autant de Lancelot, d'Hector et de Galaad.

Or, il arriva que le vaillant roi, qui préférait prévenir plutôt qu'être prévenu, dînait en compagnie, joyeusement, quand les quinze mille hommes de Flandre envahirent son camp. Ils brandissaient des étendards peints d'un coq sous lequel était écrit :

> *Le jour que ce coq chantera*
> *Le roi trouvé ci entrera.*

Ils eurent tôt fait de ravager la moitié du camp, coupant les cordes des pavillons, renversant les échiquiers, bousculant les tables de festin et tuant bon nombre de seigneurs.

Les troupes d'infanterie françaises prirent la fuite ; leur émoi devait les porter sans souffler jusqu'à Saint-Omer, à quarante lieues en arrière.

Le roi n'eut que le temps de passer une cotte aux armes de France, se couvrir la tête d'un bassinet de cuir blanc et sauter sur son destrier pour rassembler ses héros.

Les adversaires, en cette bataille, avaient chacun commis une lourde faute, par vanité. Les chevaliers français avaient méprisé les communaux de Flandre ; mais ceux-ci, afin de montrer qu'ils étaient gens de guerre autant que les seigneurs, s'étaient équipés d'armures ; or, ils venaient à pied !

Le comte de Hainaut et son frère Jean, dont les cantonnements se trouvaient un peu à l'écart, se lancèrent les premiers pour prendre les Flamands à revers et désorganiser leur attaque. Les chevaliers français, rameutés par le roi, purent alors se ruer sur cette piétaille qu'alourdissait un orgueilleux équipement, la culbuter, la fouler aux sabots des lourds destriers, en faire massacre. Les Lancelot et les Galaad se contentaient de pourfendre et d'assommer, lais-

sant leurs valets d'armes achever au couteau les vain-
cus. Qui cherchait à fuir était renversé par un cheval à la charge ; qui s'offrait à se rendre était dans
l'instant égorgé. Il resta sur le terrain treize mille Flamands qui formaient un fabuleux monceau de fer et
de cadavres, et l'on ne pouvait rien toucher, herbe,
harnais, homme ou bête, qui ne fût poisseux de sang.

La bataille du mont Cassel, commencée en
déroute, s'achevait en victoire totale pour la France.
On en parlait déjà comme d'un nouveau Bouvines.

Or le vrai vainqueur n'était pas le roi, ni le vieux
connétable Gaucher, ni Robert d'Artois, si grande
vaillance qu'ils eussent prouvée en s'éboulant
comme avalanche dans les rangs adverses. Celui qui
avait tout sauvé était le comte Guillaume de Hainaut.
Mais ce fut Philippe VI, son beau-frère, qui mois-
sonna la gloire.

Un roi aussi puissant que l'était Philippe ne pouvait plus tolérer aucun manquement de la part de ses
vassaux. On envoya donc sommation au roi anglais,
duc de Guyenne, de venir rendre hommage et de se
hâter.

Il n'est guère de défaites salutaires, mais il est des
victoires malheureuses. Peu de journées devaient
coûter aussi cher à la France que celle de Cassel, car
elle accrédita plusieurs idées fausses : à savoir
d'abord que le nouveau roi était invincible, et ensuite
que les gens de pied ne valaient rien à la guerre.
Crécy, vingt ans plus tard, serait la conséquence de
cette illusion.

En attendant, quiconque avait bannière, quiconque portait lance, et jusqu'au plus simple écuyer,
considérait avec pitié, du haut de sa selle, les espèces
inférieures qui s'en allaient à pied.

Cet automne-là, vers le milieu du mois d'octobre,
Madame Clémence de Hongrie, la reine à la mauvaise fortune qui avait été la seconde épouse de
Louis Hutin, mourut à trente-cinq ans, en l'ancien
hôtel du Temple, sa demeure. Elle laissait tant de

dettes qu'une semaine après sa mort tout ce qu'elle possédait, bagues, couronnes, joyaux, meubles, linge, orfèvrerie, et jusqu'aux ustensiles de cuisine, fut mis aux enchères sur la demande des prêteurs italiens, les Bardi et les Tolomei.

Le vieux Spinello Tolomei, traînant la jambe, poussant le ventre, un œil ouvert et l'autre clos, fut à cette vente où six orfèvres-priseurs, commis par le roi, firent les estimations. Et tout fut dispersé de ce qui avait été donné à la reine Clémence en une année de précaire bonheur.

Quatre jours durant on entendit les priseurs, Simon de Clokettes, Jean Pascon, Pierre de Besançon et Jean de Lille, crier :

« Un bon chapeau d'or[5], auquel il y a quatre gros rubis balais, quatre grosses émeraudes, seize petits balais, seize petites émeraudes et huit rubis d'Alexandrie, prisé six cents livres. Vendu au roi !

— Un doigt, où il y a quatre saphirs dont trois carrés et un cabochon, prisé quarante livres. Vendu au roi !

— Un doigt, où il y a six rubis d'Orient, trois émeraudes carrées et trois diamants d'émeraude, prisé deux cents livres. Vendu au roi !

— Une écuelle de vermeil, vingt-cinq hanaps, deux plateaux, un bassin, prisés deux cents livres. Vendus à Mgr d'Artois, comte de Beaumont !

— Douze hanaps en vermeil émaillé aux armes de France et de Hongrie, une grande salière en vermeil portée par quatre babouins, le tout pour quatre cent quinze livres. Vendus à Mgr d'Artois, comte de Beaumont !

— Une boursette brodée d'or, semée de perles et de doubles, et dedans la bourse il y a un saphir d'Orient. Prisée seize livres. Vendue au roi ! »

La compagnie des Bardi acheta la pièce la plus chère : une bague portant le plus gros rubis de Clémence de Hongrie et estimée mille livres. Ils n'avaient pas à la payer, puisque cela viendrait en diminution de leurs créances, et ils étaient sûrs de pouvoir la revendre au pape lequel, autrefois leur débiteur, disposait maintenant d'une fabuleuse richesse.

Robert d'Artois, comme pour prouver que les hanaps et autres services à boire n'étaient pas son seul souci, acquit encore une bible en français, pour trente livres.

Les habits de chapelle, tuniques, dalmatiques, furent achetés par l'évêque de Chartres.

Un orfèvre, Guillaume le Flament, eut à bon compte le couvert en or de la reine défunte.

Des chevaux de l'écurie, on tira six cent quatre-vingt-douze livres. Le char de Madame Clémence et le char de ses demoiselles suivantes furent mis aussi à l'encan.

Et quand tout fut enlevé de l'hôtel du Temple, on eut le sentiment de fermer une maison maudite.

Il semblait vraiment cette année-là que le passé s'éteignait, comme de lui-même, pour faire place nette au nouveau règne. L'évêque d'Arras, Thierry d'Hirson, chancelier de la comtesse Mahaut, mourut au mois de novembre. Il avait été pendant trente ans le conseiller de la comtesse, un peu son amant aussi, et son serviteur en toutes ses intrigues. La solitude s'installait autour de Mahaut. Robert d'Artois fit nommer au diocèse d'Arras un ecclésiastique du parti Valois, Pierre Roger[6].

Tout était défavorable à Mahaut, tout se montrait favorable à Robert dont le crédit ne cessait de grandir, et qui accédait aux suprêmes honneurs.

Au mois de janvier 1329, Philippe VI érigeait en pairie le comté de Beaumont-le-Roger ; Robert devenait pair du royaume.

Le roi d'Angleterre tardant à rendre son hommage, on décida de saisir à nouveau le duché de Guyenne. Mais avant de mettre la menace à exécution armée, Robert d'Artois fut envoyé en Avignon pour obtenir l'intervention du pape Jean XXII.

Robert passa, au bord du Rhône, deux semaines enchanteresses. Car Avignon, où tout l'or de la Chrétienté affluait, était, pour qui aimait la table, le jeu et les belles courtisanes, une ville d'agrément sans égal, sous un pape octogénaire et ascète, retrait dans les problèmes d'administration financière, de politique et de théologie.

Le nouveau pair de France eut plusieurs audiences du Saint-Père ; un festin fut donné en son honneur au château pontifical, et il s'entretint doctement avec nombre de cardinaux. Mais, fidèle aux goûts de sa tumultueuse jeunesse, il eut rapport aussi avec des gens de plus douteux aloi. Où qu'il fût, Robert attirait à lui, et sans prendre aucune peine, la fille légère, le mauvais garçon, l'échappé de justice. N'eût-il existé dans la ville qu'un seul receleur, il le découvrait dans le quart d'heure. Le moine chassé de son ordre pour quelque gros scandale, le clerc accusé de larcin ou de faux serment piétinaient dans son antichambre pour quêter son appui. Dans les rues, il était souvent salué par des passants de basse mine dont il cherchait vainement à se rappeler en quel bordel de quelle ville il les avait autrefois rencontrés. Il inspirait confiance à la truanderie, c'était un fait, et qu'il fût à présent le second prince du royaume français n'y changeait rien.

Son vieux valet Lormet le Dolois, trop âgé à présent pour les longs voyages, ne l'accompagnait pas. Un gaillard plus jeune, mais formé à pareille école, Gillet de Nelle, emplissait le même rôle et se chargeait des mêmes besognes. Ce fut Gillet qui rabattit sur Mgr Robert un certain Maciot l'Allemant, sergent d'armes sans emploi, mais prêt à tout faire, et qui était originaire d'Arras. Ce Maciot avait bien connu l'évêque Thierry d'Hirson. Or l'évêque Thierry, en ses dernières années, avait une amie de cœur et de couche, une certaine Jeanne de Division, de vingt bonnes années plus jeune que lui, et qui se plaignait assez haut maintenant des ennuis que lui causait la comtesse Mahaut, depuis la mort de l'évêque. Si Monseigneur voulait entendre cette dame de Division...

Robert d'Artois constata, une fois de plus, qu'on s'instruit beaucoup auprès des gens de petite réputation. Certes, les mains du sergent Maciot n'étaient pas celles auxquelles on eût pu confier le plus sûrement sa bourse ; mais l'homme savait de fort intéressantes choses. Vêtu de neuf, et remonté d'un cheval bien gras, il fut expédié vers le nord.

Rentré à Paris au mois de mars, Robert se frottait les mains et affirmait que du nouveau allait se produire en Artois. Il parlait d'actes royaux dérobés jadis par l'évêque Thierry, pour le compte de Mahaut. Une femme au visage encapuchonné passa plusieurs fois la porte de son cabinet, et il eut avec elle de longues conférences secrètes. On le voyait de semaine en semaine plus confiant, plus joyeux, et annonçant avec plus de certitude la prochaine confusion de ses ennemis.

Au mois d'avril, la cour d'Angleterre, cédant aux recommandations du pape, envoyait de nouveau à Paris l'évêque Orleton, avec une suite de soixante-douze personnes, seigneurs, prélats, docteurs, clercs et valets, pour négocier la formule d'hommage. C'était un vrai traité qu'on se disposait à conclure.

Les affaires d'Angleterre n'étaient pas au plus haut. Lord Mortimer n'avait guère accru son prestige en se faisant conférer la pairie et en obligeant le Parlement à siéger sous la menace de ses troupes. Il avait dû réprimer une révolte armée des barons unis autour d'Henri de Lancastre au Tors-Col, et il éprouvait de grandes difficultés à gouverner.

Au début de mai mourut le brave Gaucher de Châtillon, à l'entrée de sa quatre-vingtième année. Il était né sous Saint Louis, et avait exercé vingt-sept ans la charge de connétable. Sa rude voix avait souvent changé le sort des batailles et prévalu dans les conseils royaux.

Le 26 mai, le jeune roi Edouard III, ayant dû emprunter, comme l'avait fait son père, cinq mille livres aux banquiers lombards afin de couvrir les frais de son voyage, s'embarquait à Douvres pour venir prêter hommage à son cousin de France.

Ni sa mère Isabelle, ni Lord Mortimer ne l'accompagnaient, craignant trop, s'ils s'étaient absentés, que le pouvoir ne passât en d'autres mains. Un souverain de seize ans, confié à la surveillance de deux évêques, allait donc affronter la plus impressionnante cour du monde.

Car l'Angleterre était faible, divisée, et la France était tout. Il n'était pas de nation plus puissante que celle-ci dans l'univers chrétien. Ce royaume prospère, nombreux en hommes, riche d'industries, comblé par l'agriculture, mené par une administration encore compétente et par une noblesse encore active, semblait le plus enviable ; et le roi trouvé qui le gouvernait depuis un an, ne récoltant que des succès, était bien le plus envié de tous les rois de la terre.

V

LE GÉANT AUX MIROIRS

Il voulait se montrer mais également se voir. Il voulait que sa belle épouse, la comtesse, que ses trois fils, Jean, Jacques, et Robert, dont l'aîné, à huit ans, promettait déjà de devenir grand et fort, il voulait que ses écuyers, les valets de sa chambre et tout son hôtel qu'il avait amené avec lui de Paris, le contemplassent bien dans l'éclat de sa splendeur ; mais il désirait aussi s'apparaître et s'admirer.

A ce faire, il avait demandé tous les miroirs trouvables dans les bagages de son escorte, miroirs d'argent poli, ronds comme des assiettes, miroirs à manche, miroirs de vitre sur feuille d'étain, coupés à l'octogone dans un cadre de vermeil, et il les avait fait suspendre, les uns auprès des autres, à la tapisserie de la chambre qu'il occupait[7]. L'évêque d'Amiens serait bien content lorsqu'il verrait son beau tapis à images lacéré par les clous qu'on avait plantés dedans ! Mais qu'importait ! Un prince de France pouvait se permettre cela. Mgr Robert d'Artois, seigneur de Conches et comte de Beaumont-le-Roger, souhaitait se contempler dans son costume de pair qu'il portait pour la première fois.

Il tournait, virait, avançait de deux pas, reculait, mais ne parvenait à saisir sa propre image que par fragments, comme les morceaux découpés d'un vitrail : à gauche, la garde d'or de la longue épée et, un peu plus haut, à droite, un morceau de poitrine où, sur la cotte de soie, étaient brodées ses armes ; ici l'épaule à laquelle s'accrochait par un fermail étincelant le grand manteau de pair, et près du sol les franges de la longue tunique retroussée par les éperons d'or ; et puis, tout au sommet, la couronne de pair à huit fleurons égaux, monumentale, sur laquelle il avait fait sentir tous les rubis achetés à la vente de feu la reine Clémence.

« Allons, je suis dignement vêtu, déclara-t-il. C'eût été pitié vraiment que je ne fusse pas pair, car la robe m'en sied bien. »

La comtesse de Beaumont, elle-même en tenue d'apparat, semblait ne partager qu'à demi l'orgueilleuse allégresse de son époux.

« Etes-vous sûr, Robert, demanda-t-elle d'une voix soucieuse, que cette dame arrive à temps ?

— Mais certes, mais certes, répondit-il. Et si même elle n'arrive pas ce matin, je n'en vais pas moins clamer ma requête, et je présenterai les pièces demain. »

La seule gêne qu'éprouvait Robert en son beau costume lui venait d'avoir à le porter par la chaleur d'un été précoce. Il suait sous ce harnois d'or, de velours et de soies épaisses, et bien qu'il se fût baigné le matin aux étuves, il commençait de répandre un fort parfum de fauve.

Par la fenêtre, ouverte sur un ciel éclatant de lumière, on entendait les cloches de la cathédrale sonnant à la volée et dominant le bruit que peut faire dans une ville le train de cinq rois et de leurs cours.

Ce 6 juin de l'an 1329, en effet, cinq rois étaient présents à Amiens. De mémoire de chancelier, on ne se souvenait pas de pareille entrevue. Pour recevoir l'hommage de son jeune cousin d'Angleterre, Philippe VI avait tenu à inviter ses parents ou alliés, les rois de Navarre, de Bohême, et de Majorque, ainsi que le comte de Hainaut, le duc d'Athènes et tous les pairs, ducs, comtes, évêques, barons et maréchaux.

Six mille chevaux du côté français, et six cents du

côté anglais. Ah ! Charles de Valois n'aurait pas désavoué son fils, ni son gendre Robert d'Artois, s'il avait pu voir cette assemblée !

Le nouveau connétable, Raoul de Brienne, pour son entrée en fonctions, avait eu la charge d'organiser le logement. Il s'en était tiré au mieux, mais il avait maigri de cinq livres.

Le roi de France occupait, avec sa famille, le palais épiscopal dont une aile avait été réservée à Robert d'Artois.

Le roi d'Angleterre était installé à la Malmaison[8], les autres rois dans les maisons bourgeoises. Les serviteurs dormaient dans les couloirs, les écuyers campaient autour de la ville avec les chevaux et les trains de bagages.

Une foule innombrable était venue de la province proche, des comtés voisins, et même de Paris. Les badauds passaient les nuits sous les porches.

Tandis que les chanceliers des deux royaumes discutaient une dernière fois des termes de l'hommage et pour tomber d'accord, au bout de leurs palabres, sur l'impossibilité d'arriver à rien de précis, toute la noblesse d'Occident, depuis six jours, s'amusait de joutes et de tournois, de spectacles joués, de jongleries, de danses, et festoyait en de fantastiques ripailles qui, servies dans les vergers des palais, commençaient au grand soleil pour s'achever aux étoiles.

Des hortillonnages de l'Amiénois arrivaient, par barques plates poussées à la perche sur les étroits canaux, des monceaux d'iris, de renoncules, de jacinthes et de lis qu'on déchargeait sur les quais du marché d'eau pour aller les répandre dans les rues, les cours et les salles où devaient passer les rois[9]. La ville était saturée du parfum de toutes ces fleurs écrasées, de ce pollen qui collait aux semelles et qui se mêlait à la forte odeur des chevaux et de la foule.

Et les vivres ! Et les vins ! Et les viandes ! Et les farines ! Et les épices ! On poussait les troupeaux de bœufs, de moutons et de porcs vers les abattoirs qui fonctionnaient en permanence ; d'incessants charrois apportaient dans les cuisines des palais daims, cerfs, sangliers, chevreuils, lièvres, et tous les poissons de la mer, les esturgeons, les saumons, les bars, et la pêche de rivière, les longs brochets, les brèmes, les tanches, les écrevisses, et toutes les volailles, les plus fins chapons, les plus grasses oies, les faisans aux couleurs vives, les cygnes, les hérons en leur blancheur, les paons ocellés. Partout les tonneaux étaient en perce.

Quiconque arborait la livrée d'un seigneur, fût-ce le dernier laquais, faisait l'important. Les filles étaient folles. Les marchands italiens étaient venus de toutes parts à cette foire fabuleuse qu'organisait le roi. Les façades d'Amiens disparaissaient sous les soieries, les brocarts, les tapis pendus aux fenêtres, pour pavoiser.

Il y avait trop de cloches, de fanfares et de cris, trop de palefrois et de chiens, trop de victuailles et de breuvages, trop de princes, trop de voleurs, trop de putains, trop de luxe et trop d'or, trop de rois ! La tête en éclatait.

Le royaume se grisait de se contempler en sa puissance comme Robert d'Artois se grisait de lui-même, devant ses miroirs.

Lormet, son vieux serviteur, vêtu de neuf lui aussi, mais quand même bougon dans toute cette fête... oh ! pour peu de chose, parce que Gillet de Nelle prenait trop de place dans la maison, parce qu'on ne cessait de voir de nouveaux visages autour du maître... s'approcha de Robert et lui dit à mi-voix :

« La dame que vous attendez est là. »

Le géant se retourna d'un bloc.

« Conduis-la-moi », répondit-il.

Il adressa un long clin d'œil à la comtesse sa femme, puis, à grands gestes, poussa son monde vers la porte en criant :

« Sortez tous, formez-vous en cortège dans la cour. »

Il resta seul un moment, devant la fenêtre, regardant la foule massée aux abords de la cathédrale

pour admirer les entrées et contenue avec peine par
un cordon d'archers. Les cloches, là-haut, continuaient leur vacarme ; une odeur de gaufres chaudes
montant d'un éventaire s'était mêlée à l'air, brusquement ; les rues alentour étaient pleines ; et l'on voyait
à peine miroiter le canal du Hocquet tant les barques
s'y touchaient.

Robert d'Artois se sentait triomphant, et il le serait
davantage encore tout à l'heure, quand il s'avance-
rait vers son cousin Philippe, dans la cathédrale, et
prononcerait certaines paroles qui ne manqueraient
pas de faire trembler de surprise les rois, les ducs et
barons assemblés. Et chacun ne s'en repartirait pas
aussi joyeux qu'il était venu. A commencer par sa
chère tante Mahaut et par le duc bourguignon.

Ah ! certes, Robert allait bien étrenner son costume de pair ! Vingt ans et plus de lutte opiniâtre
recevraient ce jour leur récompense. Et pourtant,
dans cette grande joie orgueilleuse qui l'habitait, il
reconnaissait comme une fissure, un regret. D'où ce
sentiment pouvait-il lui venir, alors que tout lui souriait, que tout se conformait à ses souhaits ? Soudain
il comprit : l'odeur des gaufres. Un pair de France,
qui va réclamer le comté de ses pères, ne peut descendre dans la rue, en couronne à huit fleurons, pour
manger une gaufre. Un pair de France ne peut plus
gueuser, se mêler à la multitude, pincer le sein des
filles et, le soir, brailler entre quatre ribaudes, comme
il le faisait lorsqu'il était pauvre et qu'il avait vingt
ans. Cette nostalgie le rassura. « Allons, se dit-il, le
sang n'est pas encore éteint ! »

La visiteuse se tenait près de la porte, intimidée,
et n'osant troubler les méditations d'un seigneur
coiffé d'une aussi grosse couronne.

C'était une femme d'environ trente-cinq ans, à
visage triangulaire et pommettes pointues. Le cha-
peron rabattu d'une cape de voyage cachait à demi
ses cheveux nattés, et sa respiration soulevait sa poitrine, fort ronde et pleine, sous la guimpe de lin
blanc.

« Mâtin ! il ne s'ennuyait pas, l'évêque ! » pensa Robert quand il s'aperçut de sa présence.

Elle fléchit un genou dans un geste de révérence. Il étendit sa large main gantée et chargée de rubis.

« Donnez, fit-il.

— Je ne les ai point, Monseigneur », répondit la femme.

Le visage de Robert changea d'expression.

« Comment, vous n'avez point les pièces ? s'écria-t-il. Vous m'aviez assuré que vous me les porteriez aujourd'hui !

— J'arrive du château d'Hirson, Monseigneur, où je me suis introduite le jour d'hier, en compagnie du sergent Maciot. Nous sommes allés au coffre de fer scellé dans le mur, pour l'ouvrir avec les fausses clefs.

— Et alors ?

— Il avait déjà été visité. Nous l'avons trouvé vide.

— Fort bien, belle nouvelle ! dit Robert dont les joues pâlirent un peu. Voici un grand mois que vous me lanternez. "Monseigneur, je puis vous remettre les actes qui vous rendront la possession de votre comté ! Je sais où ils sont muchés. Donnez-moi une terre et des revenus, je vous les porterai la semaine prochaine." Et puis la semaine passe et une autre encore... "Les Hirson se tiennent au château ; je ne puis y paraître quand ils sont là." "A présent j'y suis allée, Monseigneur, mais la clef que j'avais n'était point la bonne. Patientez un peu..." Et le jour enfin que je dois présenter les deux pièces au roi...

— Les trois, Monseigneur : le traité de mariage du comte Philippe, votre père, la lettre du comte Robert, votre grand-père, et celle de Mgr Thierry.

— Mieux encore ! les trois ! Vous arrivez pour me dire tout niaisement : "Je ne les ai point ; le coffre était vide !" Et vous pensez que je vais vous croire ?

— Mais demandez au sergent Maciot qui m'accompagnait ! Ne voyez-vous pas, Monseigneur, que j'en ai encore plus grand meschef que vous ? »

Un méchant soupçon passa dans le regard de Robert d'Artois qui, changeant de ton, demanda :

« Dis-moi, la Divion, ne serais-tu pas en train de me truffer ? Cherches-tu à me soutirer davantage, ou bien m'aurais-tu trahi pour Mahaut ?

— Monseigneur ! Qu'allez-vous imaginer ! s'écria la femme au bord des larmes. Quand toute la peine et le dénuement où je suis me viennent de la comtesse Mahaut qui m'a volée de tout ce que mon cher seigneur Thierry m'avait laissé par son testament ! Ah ! je lui souhaite bien autant de mal que vous pouvez le faire, à Madame Mahaut ! Pensez, Monseigneur : douze ans je fus la bonne amie de Thierry, à cause de quoi beaucoup de gens me montraient du doigt. Pourtant, un évêque, c'est un homme tout pareillement aux autres ! Mais les gens ont de la méchanceté... »

La Divion recommençait son histoire que Robert avait déjà entendue au moins trois fois. Elle parlait vite ; sous des sourcils horizontaux, son regard semblait tourné en dedans comme chez les êtres qui ruminent sans cesse leurs propres affaires et ne sont attentifs à rien d'autre qu'à eux-mêmes.

Forcément, elle ne pouvait rien espérer de son mari dont elle s'était séparée pour vivre dans la maison de l'évêque Thierry. Elle reconnaissait que son mari s'était montré plutôt accommodant, peut-être parce qu'il avait, lui, cessé de bonne heure d'être un homme... Monseigneur comprenait ce qu'elle voulait dire. C'était pour la mettre à l'abri du besoin, en remerciement de toutes les bonnes années qu'elle lui avait données, que l'évêque Thierry l'avait inscrite sur son testament pour plusieurs maisons, somme en or et revenus. Mais il se méfiait de Madame Mahaut qu'il était obligé de nommer exécutrice testamentaire.

« Elle m'a toujours vue de mauvais œil, à cause de ce que j'étais plus jeune qu'elle, et qu'autrefois Thierry, c'est lui-même qui me l'a confié, avait dû passer par sa couche. Il savait bien qu'elle me jouerait méchamment quand il ne serait plus là, et que tous les Hirson, qui sont contre moi, à commencer par la Béatrice, la plus mauvaise, qui est demoiselle de parage de Mahaut, s'arrangerait pour me chasser de la maison et me priver de tout. »

Robert n'écoutait plus l'intarissable bavarde. Il avait posé sur un coffre sa lourde couronne et réfléchissait en frottant ses cheveux roux. Sa belle machination s'écroulait. « La plus petite pièce probante, mon frère, et j'autorise aussitôt l'appel des jugements de 1309 et 1318, lui avait dit Philippe VI. Mais comprends que je ne puis faire à moins, quelque volonté que j'aie de te servir, sans me déjuger devant Eudes de Bourgogne, avec les conséquences que tu devines. » Or ce n'était pas une petite pièce, mais des pièces massues, les actes même que Mahaut avait fait disparaître afin de capter l'héritage d'Artois, qu'il s'était targué de fournir !

« Et dans quelques minutes, dit-il, je dois être à la cathédrale, pour l'hommage.

— Quel hommage ? demanda la Division.

— Celui du roi d'Angleterre, voyons !

— Ah ! c'est donc cela qu'il y a si grande presse dans la ville que je ne pouvais avancer. »

Elle ne voyait donc rien, cette sotte, tout occupée à remâcher ses infortunes personnelles, elle ne se rendait compte ni ne s'informait de rien !

Robert se demanda s'il n'avait pas été bien léger en accordant crédit aux dires de cette femme, et si les pièces, le coffre d'Hirson, la confession de l'évêque avaient jamais existé autrement qu'en imagination. Et Maciot l'Allemant, était-il dupe lui aussi, ou bien de connivence ?

« Dites le vrai, la femme ! Jamais vous n'avez vu ces lettres.

— Mais si, Monseigneur ! s'écria la Division pressant des deux mains ses pommettes pointues. C'était au château d'Hirson, le jour que Thierry se sentit malade, avant de se faire transporter en son hôtel d'Arras. "Ma Jeannette, je veux te prémunir contre Madame Mahaut, comme je m'en suis prémuni moi-même, il m'a dit. Les lettres scellées qu'elle a fait retraire des registres pour dérober Mgr Robert, elle les croit toutes brûlées. Mais ce sont celles des registres de Paris qui sont allées au feu, devant elle. Les copies gardées au registre d'Artois"... ce sont les paroles de Thierry, Monseigneur... "je lui ai assuré les avoir fait ardoir, mais je les ai conservées ici, et j'y ai joint une lettre de moi." Et Thierry m'a conduite au coffre caché dans un creux du mur de son cabinet, et il m'a fait lire les feuilles toutes chargées de sceaux, que même je n'en pouvais croire mes yeux ni que pareilles vilenies fussent possibles. Il y avait aussi huit cents livres en or dans le coffre. Et il m'a remis la clef au cas qu'il lui survînt malheur.

— Et lorsque vous êtes allée pour la première fois à Hirson...

— J'avais confondu la clef avec une autre ; je l'ai perdue, c'est sûr. Vraiment la calamité s'acharne sur moi ! Quand tout commence d'aller mal... »

Et brouillonne, de plus ! Elle devait dire la vérité. On ne s'invente pas aussi bête lorsqu'on veut tromper. Robert l'aurait volontiers étranglée, si cela avait pu servir à quelque chose.

« Ma visite a dû donner l'éveil, ajouta-t-elle ; on a découvert le coffre et forcé les verrous. C'est la Béatrice, à coup sûr... »

La porte s'entrouvrit et Lormet passa la tête. Robert le renvoya, d'un geste de la main.

« Mais après tout, Monseigneur, reprit Jeanne de Divion comme si elle cherchait à racheter sa faute, ces lettres, on pourrait aisément les refaire, ne croyez-vous pas ?

— Les refaire ?

— Dame, puisqu'on sait ce qu'il y avait dedans ! Moi je le sais bien, je puis vous répéter, presque parole pour parole, la lettre de Mgr Thierry. »

Le regard absent, l'index tendu pour ponctuer les phrases, elle commença de réciter :

« — Je me sens grandement coupable de ce que j'ai tant cette chose celée que les droits de la comté d'Artois appartiennent à Mgr Robert, par les convenances qui furent faites au mariage de Mgr Philippe d'Artois et de Madame Blanche de Bretagne, convenances établies en double paire de lettres scellées, desquelles lettres j'en ai une, et l'autre fut retraite des registres de la cour par l'un de nos grands seigneurs.... Et toujours j'ai eu vouloir qu'après la mort de Madame la comtesse, à qui pour complaire et sur les ordres de laquelle j'ai agi, si Dieu la rappelait avant moi, je rendrai audit Mgr Robert ce que je détenais... »

La Division égarait ses clefs, mais pouvait se souvenir d'un texte qu'elle avait lu une fois. Il y a des cervelles construites de la sorte ! Et elle proposait à Robert, comme chose la plus naturelle au monde, de faire des faux. Elle n'avait visiblement aucun sens du bien et du mal, n'établissait aucune distinction entre le moral et l'immoral, l'autorisé et l'interdit. Etait moral ce qui lui convenait. En quarante-deux ans de vie, Robert avait commis presque tous les péchés possibles : il avait tué, menti, dénoncé, pillé, violé. Mais user de faux en écriture, cela ne lui était pas encore arrivé.

« Il y a aussi l'ancien bailli de Béthune, Guillaume de la Planche, qui doit se souvenir et pourrait nous aider, car il était clerc chez Mgr Thierry en ce temps-là.

— Où est-il, cet ancien bailli ? demanda Robert.

— En prison. »

Robert haussa les épaules. De mieux en mieux ! Ah ! il avait commis une erreur à se trop presser. Il aurait dû attendre de tenir les documents, et non pas se contenter de promesses. Mais aussi, il y avait cette occasion de l'hommage, que le roi lui-même lui avait conseillé de saisir...

Le vieux Lormet, de nouveau, passa la tête par l'entrebâillement de la porte.

« Oui ! je sais, lui cria Robert avec impatience. Il y a juste la place à traverser.

— C'est que le roi s'apprête à descendre, dit Lormet d'un ton de reproche.

— Bon, je viens. »

Le roi, après tout, n'était que son beau-frère, et roi parce que lui, Robert, avait fait le nécessaire. En cette chaleur ! Il se sentait ruisseler sous son manteau de pair.

Il s'approcha de la fenêtre, regarda la cathédrale aux deux tours inégales et ajourées. Le soleil frappait de biais la grande rosace de vitraux. Les cloches continuaient de sonner, couvrant les rumeurs de la foule.

Le duc de Bretagne, suivi de son escorte, montait les marches du porche central.

Ensuite, à vingt pas d'intervalle, s'avançait d'une démarche boiteuse le duc de Bourbon, la traîne de son manteau soulevée par deux écuyers.

Puis s'approchait le cortège de Mahaut d'Artois. Elle pouvait avoir le pas ferme, aujourd'hui, la dame Mahaut ! Plus haute que la plupart des hommes, et le visage fort rouge, elle saluait le peuple, de petites inclinations de tête, d'un air impérial. C'était elle la voleuse, la menteuse, l'empoisonneuse de rois, la criminelle qui soustrayait les actes scellés aux registres royaux ! Si près de la confondre, de remporter sur elle, enfin, la victoire à laquelle il travaillait depuis vingt ans, Robert allait-il être forcé de renoncer... et pour quoi ? pour une clef égarée par une concubine d'évêque ? Est-ce que, contre les méchants, il ne convient pas d'user des mêmes méchancetés ? Doit-on se montrer si regardant sur le choix des procédés quand il s'agit de faire triompher le bon droit ?

A y bien penser, si Mahaut avait en sa possession les pièces retrouvées dans le coffre forcé du château d'Hirson — et à supposer qu'elle ne les eût pas immédiatement détruites comme tout portait à le croire — elle était bien empêchée de jamais les produire, ou de faire allusion à leur existence, puisque ces pièces constituaient la preuve de sa culpabilité. Elle serait bien prise, Mahaut, si on venait lui opposer des lettres toutes pareilles aux documents disparus ! Que n'avait-il la journée devant lui pour pouvoir réfléchir, s'informer davantage... Il fallait qu'avant une heure il eût décidé, et tout seul.

« Je vous reverrai, la femme ; mais tenez-vous coite », dit-il.

De fausses écritures, tout de même, c'était gros risque...

Il reprit sa monumentale couronne, s'en coiffa, jeta un regard aux miroirs qui lui renvoyèrent son image éclatée en trente morceaux. Puis il partit pour la cathédrale.

VI

L'HOMMAGE ET LE PARJURE

« Fils de roi ne saurait s'agenouiller devant fils de comte ! »

Cette formule, c'était un souverain de seize ans qui, tout seul, l'avait trouvée et imposée à ses conseillers pour qu'eux-mêmes l'imposassent aux légistes de France.

« Voyons, Monseigneur Orleton, avait dit le jeune Edouard III en arrivant à Amiens ; l'an passé vous étiez ici pour soutenir que j'avais plus de droits au trône de France que mon cousin Valois, et vous accepteriez à présent que je me jette à terre devant lui ? »

Peut-être parce qu'il avait souffert, pendant son enfance, d'assister aux désordres dus à l'indécision et à la faiblesse de son père, Edouard III, pour la première fois qu'il était livré à lui-même, voulait qu'on revînt à des principes clairs et sains. Et pendant ces six jours passés à Amiens, il avait tout fait remettre en cause.

« Mais Lord Mortimer tient beaucoup à la paix avec la France, disait John Maltravers.

— My Lord sénéchal, l'interrompait Edouard, vous êtes ici pour me garder, je pense, non pour me commander. »

Il éprouvait une aversion mal déguisée pour le baron à longue figure qui avait été le geôlier et, bien certainement, l'assassin d'Edouard II. D'avoir à subir la surveillance et même, pour mieux dire, l'espionnage de Maltravers, indisposait fort le jeune souverain, qui reprenait :

« Lord Mortimer est notre grand ami, mais il n'est pas le roi, et ce n'est point lui qui va rendre l'hommage. Et le comte de Lancastre qui préside au Conseil de régence, et seul de ce fait peut prendre décisions en mon nom, ne m'a point instruit, avant mon départ, de rendre indistinctement n'importe quelle sorte d'hommage. Je ne rendrai point l'hommage-lige. »

L'évêque de Lincoln, Henri de Burghersh, chancelier d'Angleterre, lui aussi du parti Mortimer, mais moins inféodé que ne l'était Maltravers et de plus brillant esprit, ne pouvait, en dépit du tracas causé, qu'approuver ce souci du jeune roi de défendre sa dignité, en même temps que les intérêts de son royaume.

Car non seulement l'hommage-lige obligeait le vassal à se présenter sans armes ni couronne, mais encore il impliquait, par le serment prononcé à genoux, que le vassal devenait, par premier devoir, *l'homme* de son suzerain.

« Par premier devoir, insistait Edouard, Adonc, mes Lords, s'il survenait, tandis que nous avons guerre en Ecosse, que le roi de France me veuille requérir pour sa guerre à lui, en Flandre, en Lombardie ou ailleurs, je devrais tout quitter pour venir le joindre, faute de quoi il aurait droit de saisir mon duché. Cela ne se peut. »

Un des barons de l'escorte, Lord Montaigu, fut saisi d'une grande admiration pour un prince qui faisait montre d'une sagesse si précoce, et d'une non moins précoce fermeté. Montaigu avait vingt-huit ans.

« Je pense que nous allons avoir un bon roi, déclarait-il. J'ai plaisir à le servir. »

Désormais, on le vit toujours auprès d'Edouard III, lui fournissant conseil et appui.

Et finalement le roi de seize ans l'avait emporté. Les conseillers de Philippe de Valois, eux aussi, voulaient la paix et surtout qu'on en finît de ces discussions. L'essentiel n'était-il pas que le roi d'Angleterre fût venu ? On n'avait pas assemblé le royaume et la moitié de l'Europe pour que l'entrevue se soldât par un échec.

« Soit, qu'il rende l'hommage simple, avait dit Philippe VI à son chancelier, comme s'il ne s'était agi que de régler une figure de danse ou une entrée en tournoi. Je lui donne raison ; à sa place, je ferais sans doute de même. »

C'est pourquoi, dans la cathédrale emplie de seigneurs jusqu'au plus profond des chapelles latérales, Edouard III s'avançait à présent, l'épée au flanc, le manteau brodé de lions tombant à longs plis de ses épaules, et ses cils blonds baissés sous la couronne. L'émotion ajoutait à la pâleur habituelle de son visage. Son extrême jeunesse était plus frappante sous ces lourds ornements. Il y eut un moment où toutes les femmes dans l'assistance, le cœur étreint de tendresse, furent amoureuses de lui.

Deux évêques et dix barons le suivaient.

Le roi de France, en manteau semé de lis, était assis dans le chœur, un peu plus haut que les autres rois, reines et princes souverains qui l'entouraient et formaient comme une pyramide de couronnes. Il se leva, majestueux et courtois, pour accueillir son vassal qui s'arrêta à trois pas de lui.

Un grand rai de soleil, traversant les vitraux, venait les toucher comme une épée céleste.

Messire Miles de Noyers, chambellan, maître au Parlement et maître à la Chambre aux deniers, se détacha des pairs et grands officiers et se plaça entre les deux souverains. C'était un homme d'une soixantaine d'années, au visage sérieux, et que ni son office ni ses vêtements d'apparat ne semblaient impressionner. D'une voix forte et bien posée, il dit :

« Sire Edouard, le roi notre maître et puissant seigneur n'entend point vous recevoir ici pour toutes les choses qu'il tient et se doit de tenir en Gascogne et en Agenais, comme les tenait et devait tenir le roi Charles IV, et qui ne sont point contenues dans l'hommage. »

Alors Henri de Burghersh, chancelier d'Edouard, s'approcha pour faire pendant à Miles de Noyers et répondit :

« Sire Philippe, notre maître et seigneur le roi d'Angleterre, ou tout autre pour lui et par lui, n'entend renoncer à nul droit qu'il doit avoir en la duché de Guyenne et ses appartenances, et entend qu'aucun droit nouveau ne soit, par cet hommage, acquis au roi de France. »

Telles étaient les formules de compromis, ambiguës à souhait, sur lesquelles on s'était mis d'accord, et qui, ne précisant rien, ne réglaient rien. Chaque mot comportait un sous-entendu.

Du côté français, on voulait signifier que les terres de confins, saisies sous le règne précédent pendant la campagne commandée par Charles de Valois, resteraient directement rattachées à la couronne de France. Ce n'était que la confirmation d'un état de fait.

Pour l'Angleterre, les termes « tout autre pour lui ou par lui » étaient une allusion à la minorité du roi et à l'existence du Conseil de régence ; mais le « par lui » pouvait également concerner, dans l'avenir, les attributions du sénéchal en Guyenne, ou de tout autre lieutenant royal. Quant à l'expression « aucun droit nouveau », elle constituait un entérinement des droits acquis jusqu'à ce jour, c'est-à-dire y compris le traité de 1327. Mais ce n'était pas dit explicitement.

Ces déclarations, comme celles généralement de tous traités de paix ou d'alliance depuis le début des âges et entre toutes nations, dépendaient entièrement pour leur application du bon ou du mauvais vouloir des gouvernements. Pour l'heure, la présence des deux princes face à face témoignait d'un désir réciproque de vivre en bonne harmonie.

Le chancelier Burghersh déroula un parchemin où pendait le sceau d'Angleterre et lut, au nom du vassal :

— « *Sire, je deviens votre homme de la duché de Guyenne et de ses appartenances que je clame tenir de vous comme duc de Guyenne et pair de France, selon la forme des paix faites entre vos devanciers et les nôtres, et selon ce que nous et nos ancêtres, rois d'Angleterre et ducs de Guyenne, avons fait pour la même duché envers vos devanciers, rois de France.* »

Et l'évêque tendit à Miles de Noyers la cédule qu'il venait de lire, et dont la rédaction était fort écourtée par rapport à l'hommage-lige.

Miles de Noyers dit alors en réponse :

« Sire, vous devenez homme du roi de France, mon seigneur, pour la duché de Guyenne et ses appartenances que vous reconnaissez tenir de lui, comme duc de Guyenne et pair de France, selon la forme des paix faites entre ses devanciers, rois de France, et les vôtres, et selon ce que vous et vos ancêtres, rois d'Angleterre et ducs de Guyenne, avez fait pour la même duché envers ses devanciers, rois de France. »

Tout cela pourrait fournir belle matière à procédure le jour qu'on cesserait d'être d'accord.

Edouard III dit alors :

« En vérité. »

Miles de Noyers confirma par ces mots :

« Le roi notre Sire vous reçoit, sauves ses protestations et retenues dessus dites. »

Edouard franchit les trois pas qui le séparaient de son suzerain, se déganta, remit ses gants à Lord Montaigu, et, tendant ses mains fines et blanches, les posa dans les larges paumes du roi de France. Puis les deux rois échangèrent un baiser de bouche.

On s'aperçut alors que Philippe VI n'avait pas à beaucoup se pencher pour atteindre le visage de son jeune cousin. La différence entre eux était surtout de corpulence. Le roi d'Angleterre, qui avait encore à grandir, serait sûrement lui aussi de belle taille.

Les cloches se remirent à sonner dans la plus haute tour. Et chacun se sentait content. Pairs et dignitaires s'adressaient des hochements de tête satisfaits. Le roi Jean de Bohême, sa belle barbe châtaine étalée sur la poitrine, avait une attitude noblement rêveuse. Le comte Guillaume le Bon et son frère Jean de Hainaut échangeaient des sourires avec les seigneurs anglais. Une bonne chose, en vérité, se trouvait accomplie.

Pourquoi se disputer, s'aigrir, se menacer, porter plainte devant les Parlements, confisquer les fiefs, assiéger les villes, se battre méchamment, dépenser or, fatigue et sang de chevaliers, quand, avec un peu de bon vouloir, chacun mettant du sien, on pouvait si bien s'accorder ?

Le roi d'Angleterre avait pris place sur le trône préparé pour lui, un peu au-dessous de celui du roi de France. Il ne restait plus qu'à entendre messe.

Pourtant Philippe VI paraissait attendre quelque chose encore et, tournant la tête vers ses pairs, cherchait du regard Robert d'Artois dont la couronne dépassait de haut toutes les autres.

Robert avait les yeux mi-clos. Il essuyait de son gant rouge la sueur qui lui coulait des tempes, encore qu'il fît dans la cathédrale une bienfaisante fraîcheur. Mais le cœur lui battait vite en cet instant. Et n'ayant pas pris garde que son gant déteignait, il avait comme une traînée de sang sur la joue.

Brusquement il se leva de sa stalle. Sa décision était prise.

« Sire, s'écria-t-il en s'arrêtant devant le trône de Philippe, puisque tous vos vassaux sont ici assemblés... »

Miles de Noyers et l'évêque Burghersh, quelques instants auparavant, avaient parlé à voix ferme et claire, audible dans tout l'édifice. Or, on eut l'impression, quand Robert ouvrit la bouche, que des oisillons avaient gazouillé avant lui.

« ... et puisqu'à tous vous devez votre justice, continua-t-il, justice je viens vous demander.

— Monseigneur de Beaumont, mon cousin, par qui vous a-t-il été fait tort ? demanda gravement Philippe VI.

— Il m'a été fait tort, Sire, par votre vassale dame Mahaut de Bourgogne qui tient indûment, par cautèle et félonie, les titres et possessions de la comté d'Artois qui me reviennent par droits de mes pères. »

On entendit alors une voix presque aussi forte s'écrier :

« Allons, cela devait bien arriver ! »

C'était Mahaut d'Artois qui venait de parler.

Il y avait eu quelques mouvements de surprise dans l'assistance, mais non de stupeur. Robert agissait comme le comte de Flandre l'avait fait le jour du sacre. Il semblait que l'usage s'établît à présent, quand un pair se jugeait lésé, qu'il exprimât sa plainte en ces sortes d'occasions solennelles, et avec, visiblement, l'accord préalable du roi.

Le duc Eudes de Bourgogne interrogeait du regard sa sœur la reine de France, laquelle lui répondait de même, et par geste des mains ouvertes, pour lui faire comprendre qu'elle était la première étonnée et ne se trouvait au courant de rien.

« Mon cousin, dit Philippe, pouvez-vous produire pièces et témoignages pour certifier votre droit ?

— Je le puis, dit fermement Robert.

— Il ne le peut, il ment ! » s'écria Mahaut qui quitta les stalles et vint rejoindre son neveu devant le roi.

Comme ils se ressemblaient, Robert et Mahaut, sous leurs couronnes et leurs manteaux identiques, animés de la même fureur, et le sang affluant à leurs encolures de taureau ! Mahaut portait, elle aussi, le long de son flanc de géante guerrière, le grand glaive de pair de France à garde d'or. Mère et fils, ils eussent sans doute moins sûrement montré l'évidence de leur parenté.

« Ma tante, dit Robert, niez-vous donc que le traité de mariage du noble comte Philippe d'Artois, mon père, me faisait, moi, son premier hoir à naître, héritier de l'Artois, et que vous avez profité de mon enfance, quand mon père fut mort, pour me dépouiller ?

— Je nie tout ce que vous dites, méchant neveu qui me voulez honnir.

— Niez-vous qu'il y ait eu traité de mariage ?

— Je le nie ! » hurla Mahaut.

Alors un vaste murmure de réprobation s'éleva de l'assistance, et même on entendit distinctement le vieux comte de Bouville, ancien chambellan de Philippe le Bel, pousser un « Oh ! » scandalisé. Sans que chacun eût les mêmes raisons que Bouville, curateur au ventre de la reine Clémence lors de la naissance de Jean Ier le Posthume, de connaître les capacités de Mahaut dans le mensonge et son aplomb dans le crime, il était flagrant qu'elle niait l'évidence. Un mariage entre un fils d'Artois, prince à la fleur de lis[10], et une fille de Bretagne n'avait pu se conclure sans un contrat ratifié par les pairs de l'époque et par le roi. Le duc Jean de Bretagne le disait à ses voisins. Cette fois Mahaut passait les bornes. Qu'elle continuât, comme elle l'avait fait dans ses deux procès, d'exciper de la vieille coutume d'Artois, laquelle jouait en sa faveur par suite du décès prématuré de son frère, soit ! mais non de nier qu'il y ait eu contrat. Elle confirmait tous les soupçons, et d'abord celui d'avoir fait disparaître les pièces.

Philippe VI s'adressa à l'évêque d'Amiens.

« Monseigneur, veuillez porter jusqu'à nous les Saints Evangiles et les présenter au plaignant... »

Il prit un temps et ajouta :

« ... ainsi qu'à la défenderesse. »

Et quand ce fut fait :

« Acceptez-vous l'un comme l'autre, mon cousin, ma cousine, d'assurer vos dires par serment prononcé sur les Très Saints Evangiles de la Foi, pardevant nous, votre suzerain, et les rois nos parents, et tous vos pairs ici assemblés ? »

Il était vraiment majestueux, Philippe, en prononçant cela, et son fils, le jeune prince Jean, âgé de dix ans, le considérait les yeux écarquillés, le menton un peu pendant, avec une admiration éperdue. Mais la reine de France, Jeanne la Boiteuse, avait un mauvais pli cruel de chaque côté de la bouche, et ses doigts tremblaient. La fille de Mahaut, Jeanne la Veuve, l'épouse de Philippe le Long, mince et sèche, était devenue aussi blanche de visage que sa blanche robe de reine-douairière. Et blême aussi, la petite-fille de Mahaut, la jeune duchesse de Bourgogne, tout comme le duc Eudes, son époux. On eût dit qu'ils allaient s'élancer pour retenir Mahaut de jurer. Toutes les têtes se tendaient, dans un grand silence.

« J'accepte ! dirent d'une même voix et Mahaut et Robert.

— Dégantez-vous », leur dit l'évêque d'Amiens.

Mahaut portait des gants verts, que la chaleur avait également fait déteindre. Si bien que les deux mains énormes qui se tendirent au-dessus du Saint Livre étaient l'une rouge comme le sang et l'autre verte comme le fiel.

« Je jure, prononça Robert, que la comté d'Artois est mienne et que je produirai lettres et témoignages qui établiront mes droits et possessions.

— Mon beau neveu, s'écria Mahaut, osez-vous jurer que telles lettres vous les avez jamais vues ou possédées ? »

Yeux gris dans yeux gris, mentons carrés chargés de graisse, et presque visage contre visage, ils se défiaient. « Gueuse, pensa Robert, c'est donc bien toi qui les as volées. » Et comme, en de telles circonstances, il faut être déterminé, il répondit clairement :

« Oui, je le jure. Mais vous, ma belle tante, osez-vous jurer que telles lettres n'ont point existé, et que vous n'en avez jamais eu connaissance ni possession en vos mains ?

— J'en fais serment », répondit-elle avec une égale détermination et en regardant Robert avec une égale haine.

Aucun d'eux n'avait pu vraiment marquer un point sur l'autre. La balance demeurait immobile, avec, dans chaque plateau, le poids du faux serment qu'ils s'étaient obligés mutuellement à prononcer.

« Dès demain, commissaires seront nommés pour mener enquête et éclairer ma justice. Qui a menti sera châtié par Dieu ; qui a dit vrai sera établi dans son droit », dit Philippe en faisant signe à l'évêque d'emporter l'Evangile.

Dieu n'est pas obligé d'intervenir directement pour punir le parjure, et le Ciel peut rester muet. Les mauvaises âmes recèlent en elles-mêmes la suffisante semence de leur propre malheur.

DEUXIÈME PARTIE

LES JEUX DU DIABLE

I

LES TÉMOINS

Toute jeunette, et pas plus grosse encore que le pouce, une poire pendait hors de l'espalier.

Sur le banc de pierre, trois personnages étaient assis ; le vieux comte de Bouville, au centre, qu'on interrogeait, et à sa droite, le chevalier de Villebresme, commissaire du roi, et de l'autre côté le notaire Pierre Tesson qui prenait la déposition par écrit.

Le notaire Tesson portait bonnet de clerc sur un énorme crâne en dôme d'où tombaient des cheveux plats ; il avait le nez pointu, le menton exagérément long et effilé, et son profil faisait penser au premier quartier de la lune.

« Monseigneur, dit-il avec grand respect, puis-je à présent vous lire votre témoignage ?

— Faites, messire, faites », répondit Bouville.

Et sa main se dirigea, tâtonnante, vers le petit fruit vert dont il éprouva la dureté. « Le jardinier aurait dû veiller à rattacher la branche », pensa-t-il.

Le notaire se pencha vers l'écritoire posée sur ses genoux et commença :

« *Le dix-septième jour du mois de juin de l'an 1329, nous, Pierre de Villebresme, chevalier...* »

Le roi Philippe VI n'avait pas laissé les choses traîner. Deux jours après l'esclandre d'Amiens et les serments prononcés dans la cathédrale, il avait nommé une commission pour instruire l'affaire ; et moins d'une semaine après le retour de la cour à Paris, l'enquête était déjà commencée.

« ... *et nous, Pierre Tesson, notaire du roi, sommes venus ouïr...*

— Maître Tesson, dit Bouville, êtes-vous le même Tesson qui se trouvait précédemment attaché à l'hôtel de Mgr Robert d'Artois ?

— Le même, Monseigneur...

— Et à présent vous voici notaire du roi ? Fort bien, fort bien, je vous en complimente... »

Bouville se redressa un peu, croisa les mains par-dessus son ventre rond. Il était vêtu d'une vieille robe de velours, trop longue et démodée, comme on en portait au temps de Philippe le Bel, et qu'il usait dans son jardin.

Il se tournait les pouces, trois fois dans un sens, trois fois dans l'autre. La journée serait belle et chaude, mais la matinée gardait encore quelque trace des fraîcheurs de la nuit...

« ... *sommes venus ouïr haut et puissant seigneur le comte Hugues de Bouville, et l'avons entendu en le verger de son hôtel sis non loin le Pré-aux-Clercs...*

— Comme le voisinage a changé depuis que mon père a fait construire cette demeure, dit Bouville. En ce temps-là, depuis l'abbaye Saint-Germain-des-Prés jusqu'à Saint-André-des-Arts, il n'y avait guère que trois hôtels : celui de Nesle, sur le bord de la rivière, celui de Navarre, en retrait, et le second séjour des comtes d'Artois qui leur servait de campagne, car autour ce n'étaient encore que prés et champs... Et voyez à présent comme tout s'est bâti !... Toutes les fortunes neuves ont voulu s'établir de ce côté ; les chemins sont devenus rues. Jadis, par-dessus mon mur, je ne voyais que des herbages ; et maintenant, par le peu de lumière que mes yeux ont encore, je n'aperçois que des toits. Et le bruit ! Le bruit qui se fait dans ce quartier ! On se croirait tout juste au cœur de la Cité. Si j'avais encore un peu d'âge devant moi, je vendrais cette maison et ferais bâtir ailleurs. Mais en est-il seulement question... »

Et sa main s'éleva de nouveau, hésitante, vers la petite poire verte au-dessus de lui. Attendre la maturité d'un fruit, c'était bien tout le temps d'espérance auquel il osait encore prétendre, et le plus long projet qu'il s'autorisât. Il perdait la vue depuis de nombreux mois déjà. Le monde, les êtres, les arbres ne lui apparaissaient plus que comme au travers d'un mur d'eau. On a été actif et important, on a voyagé, siégé aux conseils royaux et participé à de grands événements ; et l'on finit dans son jardin, la pensée ralentie et la vue brouillée, seul et presque oublié, sauf lorsque les gens plus jeunes ont à faire appel à vos souvenirs...

Maître Pierre Tesson et le chevalier de Villebresme échangèrent un regard de lassitude. Ah ! ce n'était pas un témoin aisé que le vieux comte de Bouville dont le propos s'égarait sans cesse sur des banalités vagues ; or, il était homme trop noble et trop vieux pour qu'on pût le brusquer. Le notaire reprit :

« ... *lequel nous a déclaré, de sa voix, les choses ci-après écrites, à savoir : que lorsqu'il était chambellan de notre Sire Philippe le Bel avant que celui-ci ne devînt roi, il eut connaissance du traité de mariage conclu entre feu Mgr Philippe d'Artois et Madame Blanche de Bretagne, et qu'il eut ledit traité entre les mains, et qu'audit traité il était précisément inscrit que la comté d'Artois irait par droit d'héritage audit Mgr Philippe d'Artois et, après lui, à ses hoirs mâles, issus dudit mariage...* »

Bouville agita la main :

« Je n'ai point assuré cela. J'ai eu le traité en main, comme je vous l'ai dit et comme je l'ai indiqué à Mgr Robert d'Artois lui-même quand il m'est venu visiter l'autre jour, mais je n'ai point souvenance, en toute conscience, de l'avoir lu.

— Et pourquoi, Monseigneur, auriez-vous tenu ce traité devers vous, si ce n'était point pour le lire ? demanda le sire de Villebresme.

— Pour le porter au chancelier de mon maître, afin qu'il le scellât, car le traité fut revêtu, cela je m'en souviens bien, du sceau de tous les pairs dont mon maître Philippe le Bel était, en tant que premier fils de la couronne.

— Ceci est à noter, Tesson, dit Villebresme. Tous les pairs ont apposé leur sceau... Sans même avoir lu la pièce, Monseigneur, vous saviez bien que l'héritage d'Artois y était assuré au comte Philippe et à ses hoirs mâles ?

— Je l'ai ouï dire, répondit Bouville, et ne puis rien certifier d'autre. »

La manière qu'avait ce jeune Villebresme de lui faire déclarer plus qu'il ne voulait l'irritait un peu. Il n'était pas né, ce garçon, et son père était encore bien loin de l'engendrer, quand s'étaient passés les faits sur lesquels il enquêtait ! Les voilà bien, ces petits officiers royaux, tout gonflés de leur charge neuve. Un jour ils se retrouveraient, eux aussi, vieux et seuls, contre l'espalier de leur jardin... Oui, Bouville se souvenait de ces choses inscrites au traité de mariage de Philippe d'Artois. Mais quand en avait-il entendu parler pour la première fois ? Au moment du mariage même, en 1282, ou bien quand le comte Philippe était mort, en 98, de ses blessures reçues à la bataille de Furnes ? Ou bien encore après que le vieux comte Robert II eut été tué à la bataille de Courtrai, en 1302, ayant survécu de quatre ans à son fils, d'où le procès entre sa fille Mahaut et son petit-fils Robert III l'actuel...

On demandait à Bouville de fixer un souvenir qui pouvait se placer à un quelconque moment sur une période de plus de vingt ans. Et ce n'étaient pas seulement le notaire Tesson et ce sire de Villebresme qui étaient venus lui presser la cervelle, mais Mgr Robert d'Artois lui-même, plein de courtoisie et de révérence, il fallait en convenir, mais tout de même parlant fort, s'agitant beaucoup et écrasant les fleurs du jardin sous ses bottes.

« Alors rectifions de la sorte, dit le notaire ayant

corrigé son texte : *... et qu'il eut ledit traité entre les mains, mais ne le tint que peu, et aussi se souvient qu'il fut scellé du sceau des douze pairs ; et encore que le comte de Bouville nous a déclaré avoir ouï dire, alors, qu'audit traité était précisément inscrit que la comté d'Artois...* »

Bouville approuva de la tête. Il aurait préféré qu'on supprimât ce petit « alors », « ouï dire, alors... » que le notaire avait introduit dans sa phrase. Mais il était fatigué de lutter. Et un mot a-t-il tellement d'importance ?

« *... irait à ses hoirs mâles issus dudit mariage ; et encore nous a certifié que le traité fut bien placé aux registres de la cour, et encore tient pour vrai qu'il fut soustrait plus tard auxdits registres par manœuvres de malice et sur l'ordre de Madame Mahaut d'Artois...*

— Je n'ai point dit cela non plus, fit Bouville.

— Vous ne l'avez point dit sous cette forme, Monseigneur, répondit Villebresme, mais cela ressort de votre déposition. Reprenons ce que vous avez certifié : d'abord que le traité de mariage a existé ; secondement que vous l'avez vu, troisièmement qu'il fut mis aux registres...

— ... revêtu du sceau des pairs... »

Villebresme échangea un nouveau regard lassé avec le notaire.

« ... revêtu du sceau des pairs, répéta-t-il pour faire plaisir au témoin. Vous certifiez encore que ce traité excluait de l'héritage la comtesse Mahaut, et qu'il disparut des registres de sorte qu'il ne put être produit au procès qu'intenta Mgr Robert d'Artois à sa tante. Qui pensez-vous donc qui l'ait fait soustraire ? Croyez-vous que ce soit le roi Philippe le Bel qui en ait donné l'ordre ? »

La question était perfide. N'avait-on pas dit bien souvent que Philippe le Bel, pour avantager la belle-mère de ses deux derniers fils, avait rendu en sa faveur un jugement de complaisance ? Bientôt on irait prétendre que c'était Bouville lui-même qui avait été chargé de faire disparaître les pièces !

« Ne mêlez pas, messire, la mémoire du roi le Bel, mon maître, à un acte si vilain », répondit-il avec dignité.

Par-dessus les toits et les frondaisons, les cloches sonnèrent au clocher de Saint-Germain-des-Prés. Bouville pensa que c'était l'heure à laquelle on lui apportait une écuelle de fromage caillé ; son physicien lui avait recommandé d'en prendre trois fois par jour.

« Donc, reprit Villebresme, il faut bien que le traité ait été enlevé à l'insu du roi... Et qui pouvait avoir intérêt à ce qu'il fût dérobé, sinon la comtesse Mahaut ? »

Le jeune commissaire tapota du bout des doigts la pierre du banc ; il n'était pas mécontent de sa démonstration.

« Oh ! certes, fit Bouville, Mahaut est capable de tout. »

Sur ce point, sa conviction ne datait pas de la veille. Il savait Mahaut coupable de deux crimes, et bien autrement graves qu'un vol de parchemins. Elle avait tué, assurément, le roi Louis X ; elle avait tué, sous ses yeux à lui, Bouville, un enfant de cinq jours qu'elle pensait être le petit roi posthume... et toujours pour garder sa comté d'Artois. Vraiment, c'était un souci bien sot que de se faire à son sujet scrupule d'exactitude ! Elle avait volé le contrat de mariage de son frère, certainement, ce contrat dont elle avait le front de nier, et par serment, qu'il eût jamais existé ! L'horrible femme... A cause d'elle, le véritable héritier des rois de France grandissait loin de son royaume, dans une petite ville d'Italie, chez un marchand lombard qui le croyait son fils... Allons ! Il ne fallait pas penser à cela. Bouville avait naguère versé ce secret, qu'il était seul à détenir, dans l'oreille papale. Ne plus y penser, jamais... de peur d'être tenté d'en parler. Et puis, que ces enquêteurs s'en aillent, au plus vite !

« Vous avez raison, laissez ce que vous avez écrit, dit-il. Où dois-je signer ? »

Le notaire tendit la plume à Bouville. Celui-ci distinguait mal le bord du papier. Son paraphe sortit un peu de la feuille. On l'entendit encore marmonner :

« Dieu finira bien par lui faire expier ses fautes, avant de la remettre à la garde du diable. »

Un peu de poudre à sécher fut répandue sur sa signature. Le notaire replaça feuilles et écritoire dans son sac de cuir noir ; puis les deux enquêteurs se levèrent pour prendre congé. Bouville les salua de la main sans se lever. Ils n'avaient pas fait cinq pas qu'ils n'étaient plus pour lui que deux ombres vagues se dissolvant derrière le mur d'eau.

L'ancien chambellan agita une clochette posée à côté de lui, pour réclamer son lait caillé. Diverses pensées le tracassaient. Comment son maître vénéré, le roi Philippe le Bel, au rendu de son jugement pour l'Artois, avait-il pu oublier l'acte qu'il avait auparavant ratifié, comment ne s'était-il pas soucié de la disparition de cette pièce ? Ah ! les meilleurs rois ne commettent pas seulement de belles actions...

Bouville se disait aussi qu'il irait un prochain jour faire visite au banquier Tolomei, afin de s'informer de Guccio Baglioni... et de l'enfant... mais sans insister, comme par une politesse de conversation. Le vieux Tolomei ne bougeait presque plus de son lit. C'étaient les jambes, chez lui, qui étaient prises. La vie s'en va ainsi ; pour l'un c'est l'oreille qui se ferme, pour l'autre les yeux qui s'éteignent, ou les membres qui cessent de se mouvoir. On compte le passé en années, mais on n'ose plus penser l'avenir qu'en mois ou en semaines.

« Vivrai-je encore quand ce fruit sera mûr, et le pourrai-je cueillir ? » songeait le comte de Bouville en regardant la poire de l'espalier.

Messire Pierre de Machaut, seigneur de Montargis, était un homme qui ne pardonnait jamais les injures, même aux morts. Le trépas de ses ennemis ne suffisait pas à apaiser ses ressentiments.

Son père, pourvu d'un haut emploi au temps du

Roi de fer, en avait été destitué par Enguerrand de
Marigny, et la fortune de la famille en avait gravement souffert. La chute du tout-puissant Enguerrand
avait été pour Pierre de Machaut une revanche personnelle ; le grand jour de sa vie restait celui où,
comme écuyer du roi Louis Hutin, il avait conduit
Mgr de Marigny au gibet. Conduit, c'était manière de
dire ; accompagné, plutôt, et pas au premier rang,
mais parmi nombre de dignitaires plus importants
que lui. Toutefois, les années passant, ces seigneurs
l'un après l'autre étaient décédés, ce qui permettait
à messire Pierre de Machaut, chaque fois qu'il racontait ce trajet mémorable, de s'avancer d'une place
dans la hiérarchie du cortège.

D'abord il s'était contenté d'avoir défié des yeux
messire Enguerrand debout sur sa charrette et de lui
avoir bien prouvé par son visage que quiconque nui-
sait aux Machaut, si élevé fût-il, bientôt en recueillait
malheur.

Ensuite, le souvenir embellissant les choses, il
assurait que Marigny, pendant cette ultime promenade, non seulement l'avait reconnu mais encore
s'était adressé à lui en disant tristement :

« Ah ! c'est vous, Machaut ! Vous triomphez à présent ; je vous ai nui, je m'en repens. »

Aujourd'hui, après quatorze ans écoulés, il semblait qu'Enguerrand de Marigny allant à son supplice
n'ait eu de paroles que pour Pierre de Machaut et,
de la prison jusqu'à Montfaucon, ne lui eût rien celé
de l'état de sa conscience.

Petit, les sourcils gris joints au-dessus du nez, la
jambe raidie par une mauvaise chute en tournoi,
Pierre de Machaut continuait de faire soigneusement
graisser des cuirasses qu'il n'endosserait plus jamais.
Il était vaniteux autant que rancunier, et Robert
d'Artois le savait bien qui avait pris la peine d'aller
le visiter deux fois pour qu'il lui parlât justement de
cette fameuse chevauchée auprès de la charrette de
messire Enguerrand.

« Eh bien ! contez donc tout cela aux commis-

saires du roi qui viendront vous demander témoignage sur mon affaire, avait dit Robert. Les avis d'un
homme aussi preux que vous l'êtes sont choses
d'importance ; vous éclairerez le roi et vous acquer-
rez grande gratitude de sa part comme de la mienne.
Vous a-t-on jamais pensionné pour les services que
votre père et vous-même rendîtes au royaume ?

— Jamais. »

Quelle injustice ! Alors que tant d'intrigants, de
bourgeois, de parvenus, s'étaient fait mettre pendant
les derniers règnes sur la liste des dons de la cour,
comment avait-on pu oublier un homme d'aussi
grande vertu que messire de Machaut ? Oubli volontaire, à n'en pas douter, et inspiré par la comtesse
Mahaut qui avait toujours eu partie liée avec Enguerrand de Marigny !

Robert d'Artois veillerait personnellement à ce que
cette iniquité fût réparée.

Si bien que lorsque le chevalier de Villebresme,
toujours flanqué du notaire Tesson, se présenta chez
l'ancien écuyer, celui-ci ne mit pas moins de zèle à
répondre aux questions que le commissaire à les
poser.

L'interrogatoire eut lieu dans un jardin voisin,
comme c'était l'usage de justice, les dépositions
devant être faites en lieu ouvert et à l'air libre.

A entendre Pierre de Machaut, on eût cru que
l'exécution de Marigny s'était passée l'avant-veille.

« Ainsi, disait Villebresme, vous étiez, messire,
devant la charrette quand le sire Enguerrand en fut
descendu auprès du gibet ?

— Je suis monté dans la charrette, répondit
Machaut, et d'ordre du roi Louis X je demandai au
condamné de quelles fautes de gouvernement il voulait s'accuser avant de comparaître devant Dieu. »

En réalité, c'était Thomas de Marfontaine qui avait
été chargé de cet office, mais Thomas de Marfontaine était mort depuis longtemps...

« Et Marigny continua de se donner pour innocent
de toutes les fautes qui lui avaient été reprochées pen-

dant son procès ; il reconnut néanmoins... ce sont ses propres paroles où l'on retrouve bien sa fourberie... "avoir pour des causes justes accompli des actions injustes". Alors je lui demandai quelles étaient ces actions, et il m'en cita plusieurs, comme d'avoir destitué mon père, le sire de Montargis, et aussi d'avoir soustrait aux registres royaux le traité de mariage du feu comte d'Artois afin de servir l'intérêt de Madame Mahaut et de ses filles, les brus du roi.

— Ah ! c'est donc lui qui fit accomplir ce retrait ? Il s'en est accusé ! s'écria Villebresme. Voilà qui est important. Notez, Tesson, notez. »

Le notaire n'avait pas besoin de cet encouragement et grattait son papier avec entrain. Le bon témoin que ce sire de Machaut !

« Et savez-vous, messire, demanda Tesson prenant à son tour la parole, si le sire Enguerrand fut payé pour cette forfaiture ? »

Machaut eut une légère hésitation et ses sourcils gris se froncèrent.

« Certes, il le fut, répondit-il. Car je lui demandai encore s'il était vrai qu'il eût reçu, comme on le disait, quarante mille livres de Madame Mahaut pour lui faire gagner son procès devant le roi. Et Enguerrand baissa la tête en signe d'assentiment et de grande honte, et il me répondit : "Messire de Machaut, priez Dieu pour moi", ce qui était bien un aveu. »

Et Pierre de Machaut croisa les bras d'un air de mépris triomphant.

« A présent tout est bien clair », dit Villebresme avec satisfaction.

Le notaire transcrivait les derniers points de la déposition.

« Avez-vous entendu déjà beaucoup de témoins ? demanda l'ancien écuyer.

— Quatorze, messire, et il nous en reste le double à entendre, dit Villebresme. Mais nous sommes huit commissaires et deux notaires à nous partager la besogne. »

II

LE PLAIDEUR CONDUIT L'ENQUÊTE

Le cabinet de travail de Mgr d'Artois était décoré de quatre grandes fresques pieuses, assez platement peintes, où l'ocre et le bleu dominaient, quatre figures de saints « pour inspirer confiance », disait le maître du lieu. A droite, saint Georges terrassait le dragon ; en face, saint Maurice, autre patron des chevaliers, se dressait en cuirasse et cotte azurée ; sur le mur du fond, saint Pierre tirait de la mer ses inépuisables filets ; sainte Madeleine, patronne des pécheresses, vêtue seulement de ses cheveux d'or, occupait la dernière paroi. C'était surtout vers ce mur-là que Mgr Robert aimait à porter les yeux.

Les poutres du plafond étaient pareillement peintes d'ocre, de jaune et de bleu, avec, de place en place, les blasons d'Artois, de Beaumont et de Valois. Des tables couvertes de brocarts, des coffres où traînaient des armes somptueuses, et de lourdes torchères de fer doré meublaient la pièce.

Robert se leva de son grand siège et rendit au notaire les minutes des dépositions qu'il venait de parcourir.

« Fort bien, fort bonnes pièces, déclara-t-il, surtout le dire du sire de Machaut qui paraît très spontané, et complète tout à propos celui du comte de Bouville. Décidément vous êtes habile homme, maître Tesson de la Chicane, et je ne regrette point de vous avoir élevé là où vous êtes. Sous votre face de Carême jeûné, il se cache plus d'astuce que dans la tête creuse de bien des maîtres du Parlement. Il faut reconnaître que Dieu vous a doté d'assez de place pour loger votre cervelle. »

Le notaire eut un sourire obséquieux et inclina son crâne démesuré, coiffé du bonnet qui ressemblait à un énorme chou noir. Les compliments moqueurs de Mgr d'Artois dissimulaient peut-être quelque promesse d'avancement.

« Est-ce là toute la récolte ? Avez-vous d'autres nouvelles à me donner pour ce jour ? ajouta Robert. Où en sommes-nous avec l'ancien bailli de Béthune ? »

La procédure est une passion, comme le jeu. Robert d'Artois ne vivait plus que pour son procès, ne pensait, n'agissait qu'en fonction de sa cause. Cette quinzaine-là, la seule affaire de son existence était de se procurer des témoignages. Son esprit y travaillait de l'aube au soir, et même la nuit il se réveillait, tiré du rêve par une inspiration soudaine, pour sonner son valet Lormet qui arrivait tout somnolent et rechignant, et lui demander :

« Vieux ronfleur, ne m'as-tu pas parlé l'autre jour d'un certain Simon Dourin ou Dourier, qui fut clerc de plume chez mon grand-père ? Sais-tu si l'homme vit toujours ? Tâche demain à t'en enquérir. »

A la messe, qu'il entendait chaque jour par convenance, il se surprenait à prier Dieu pour le succès de son procès. De la prière, il revenait tout naturellement à ses machinations, et se disait, pendant l'Evangile :

« Mais ce Gilles Flamand, qui fut autrefois écuyer de Mahaut et qu'elle a chassé pour quelque méfait... Voilà un homme, peut-être, qui pourrait témoigner pour moi. Il ne faut pas que j'oublie cela. »

On ne l'avait jamais vu plus assidu aux travaux du Conseil ; il passait chaque jour plusieurs heures au Palais et donnait l'impression de s'employer ferme aux tâches du royaume ; mais c'était seulement pour

garder prise sur son beau-frère Philippe VI, se rendre
indispensable et veiller à ce qu'on ne nommât aux
emplois que des gens de son choix. Il suivait de fort
près les arrêts de justice afin d'y puiser l'idée de
quelque manœuvre. De tout le reste, il se moquait.

Qu'en Italie Guelfes et Gibelins continuassent à
s'entre-déchirer, qu'Azzo Visconti ait fait assassiner
son oncle Marco et barricadé la ville de Milan contre
les troupes de l'empereur Louis de Bavière, tandis
qu'en revanche Vérone, Vicence, Padoue, Trévise, se
soustrayaient à l'autorité du pape protégé par la
France, Mgr d'Artois le savait, l'entendait, mais n'y
songeait qu'à peine.

Qu'en Angleterre le parti de la reine se trouvât en
difficulté, et que l'impopularité de Roger Mortimer
devînt chaque jour plus grande, Mgr d'Artois haus-
sait les épaules. L'Angleterre, ces jours-là, ne l'intéressait pas, non plus que les lainiers des Flandres
qui, pour les avantages de leur commerce, multi-
pliaient les ententes avec les compagnies anglaises.

Mais que maître Andrieu de Florence, chanoine-
trésorier de Bourges, fût pourvu d'un nouveau béné-
fice ecclésiastique, ou que le chevalier de Villebresme
passât à la Chambre aux deniers, ah ! voilà qui était
chose importante et ne pouvait supporter sursis !
C'est que maître Andrieu, avec le sire de Villebresme,
était des huit commissaires nommés pour instruire
le procès d'Artois.

Ces commissaires, Robert les avait désignés à Philippe VI et pratiquement choisis... « Si l'on prenait
Bouchart de Montmorency ? il nous a toujours loya-
lement servis... Si l'on prenait Pierre de Cugnières ?
voilà un homme avisé que chacun s'accorde à respecter... » De même pour les notaires, dont ce Pierre Tesson depuis vingt ans attaché d'abord à l'hôtel de
Valois, puis à la maison de Robert.

Jamais Pierre Tesson ne s'était senti si important ;
jamais il n'avait été traité avec tant de familière amitié, comblé d'autant de pièces d'étoffes pour les robes
de son épouse, et de petits sacs d'or pour lui-même.

Néanmoins il était fatigué, parce que Robert harcelait son monde et que la vitalité de cet homme était tout bonnement épuisante.

D'abord Mgr Robert était presque toujours debout. Sans arrêt il arpentait son cabinet, entre les hautes figures de saints. Maître Tesson ne pouvait décemment s'asseoir en présence de si grand personnage qu'un pair de France. Or, les notaires ont l'habitude de travailler assis. Maître Tesson peinait donc à soutenir son sac de cuir noir qu'il n'osait poser sur les brocarts, et dont il extrayait les pièces l'une après l'autre ; il redoutait d'achever ce procès avec un mal de reins pour la vie.

« J'ai vu, dit-il répondant à la question de Robert, l'ancien bailli Guillaume de la Planche, qui est présentement détenu au Châtelet. La dame de Divion était allée le visiter auparavant ; il a bien témoigné comme nous l'attendions. Il demande que vous n'oubliiez point de parler à messire Miles de Noyers pour sa grâce, car son affaire est mauvaise et il risque fort d'être pendu[11].

— Je veillerai à ce qu'on le relâche ; qu'il dorme tranquille. Et Simon Dourier, l'avez-vous entendu ?

— Je ne l'ai pas entendu encore, Monseigneur, mais je l'ai approché. Il est prêt à déclarer par-devant les commissaires qu'il était présent le jour de 1302 où le comte Robert II, votre grand-père, peu avant de défunter, dicta la lettre qui confirmait votre droit à l'héritage d'Artois.

— Ah ! Fort bien, fort bien.

— Je lui ai promis aussi qu'il serait repris dans votre hôtel et pensionné par vous.

— Pourquoi en avait-il été chassé ? » demanda Robert.

Le notaire esquissa le geste courbe de quelqu'un qui met de l'argent dans sa poche.

« Bah ! s'écria Robert, il est vieux à présent, il a eu le temps de se repentir ! Je lui donnerai cent livres l'an, le logement, et les draps.

— Manessier de Lannoy confirmera que les lettres

soustraites furent brûlées par Madame Mahaut... Sa maison, comme vous le savez, allait être vendue pour payer ses dettes aux Lombards ; il vous a grande grâce de lui avoir conservé un toit.

— Je suis bon ; cela ne se sait pas assez, dit Robert. Mais vous ne m'apprenez rien sur Juvigny, l'ancien valet d'Enguerrand ? »

Le notaire baissa le nez d'un air coupable.

« Je n'en obtiens rien, dit-il ; il refuse ; il prétend qu'il ne sait pas, qu'il ne se souvient plus.

— Comment ! s'écria Robert, je suis allé moi-même au Louvre, où il est pensionné pour faire bien peu, et je lui ai parlé ! Et il s'obstine à ne pas se souvenir ? Voyez donc si on ne peut le mettre un peu à la question. La vue des tenailles l'aidera peut-être à dire la vérité.

— Monseigneur, répondit le notaire tristement, on tourmente les prévenus, mais pas encore les témoins.

— Alors apprenez-lui que, si la mémoire ne lui revient pas, ses gages seront supprimés. Je suis bon ; encore faut-il qu'on m'y aide. »

Il saisit un chandelier de bronze qui pesait bien quinze livres et le fit sauter, tout en marchant, d'une main dans l'autre.

Le notaire pensa à l'injustice divine qui accorde tant de force musculaire à des gens qui ne l'emploient que pour s'amuser, et si peu aux pauvres notaires qui ont leur lourd sac de cuir noir à porter.

« Ne craignez-vous pas, Monseigneur, si vous supprimez à Juvigny ses gages, qu'il ne puisse les retrouver de la main de la comtesse Mahaut ? »

Robert s'arrêta.

« Mahaut ? s'écria-t-il, mais elle ne peut plus rien ; elle se terre, elle a peur. L'a-t-on vue à la cour ces temps-ci ? Elle ne bouge plus, elle tremble, elle sait qu'elle est perdue.

— Dieu vous entende, Monseigneur, Dieu vous entende. Certes, nous gagnerons ; mais cela n'ira pas sans encore quelques petites traverses... »

Tesson hésitait à continuer, non tant par crainte de

ce qu'il avait à dire qu'à cause du poids du sac. Encore cinq ou dix minutes à rester debout.

« J'ai été avisé, reprit-il, que nos gens d'enquête sont suivis en Artois, et nos témoins visités par d'autres que par nous. En outre, ces temps-ci, il y a eu certain va-et-vient de messagers entre l'hôtel de Madame Mahaut et Dijon. On a vu sa porte passée par divers chevaucheurs à la livrée de Bourgogne... »

Mahaut cherchait à resserrer ses liens avec le duc Eudes, c'était chose bien claire. Or, le parti de Bourgogne disposait à la cour de l'appui de la reine.

« Oui, mais moi j'ai le roi, dit Robert. La gueuse perdra, Tesson, je vous l'affirme.

— Il faudrait quand même produire les pièces, Monseigneur, parce que sans pièces... A des dires on peut toujours opposer d'autres dires... Le plus tôt sera le mieux. »

Il avait de personnelles raisons pour insister. A inspirer tant de témoignages, voire à les extorquer par achat ou menaces, un notaire peut faire sa fortune, mais il risque aussi le Châtelet, et même la roue... Tesson ne souhaitait guère prendre la place de l'ancien bailli de Béthune.

« Elles viennent, vos pièces, elles viennent ! Elles arrivent, je vous dis ! Croyez-vous que ce soit si facile de les obtenir ?... A propos, Tesson, dit soudain Robert en désignant de l'index le sac de cuir noir, vous avez noté dans le témoignage du comte de Bouville que le traité de mariage avait été scellé par les douze pairs. Pourquoi avez-vous noté cela ?

— Parce que le témoin l'a dit, Monseigneur.

— Ah oui... C'est très important, dit Robert songeur.

— Pourquoi donc, Monseigneur ?

— Pourquoi ? Parce que j'attends l'autre copie du traité, celle des registres d'Artois, qui doit m'être remise... et pour fort cher, d'ailleurs... Si les noms des douze pairs n'y figuraient pas, la pièce ne serait point bonne. Quels étaient les pairs en ce temps-là ? Pour les ducs et comtes, c'est chose facile ; mais les pairs d'Eglise, quels étaient-ils ? Voyez comme il faut être attentif à tout. »

Le notaire regarda Robert avec un mélange d'inquiétude et d'admiration.

« Savez-vous, Monseigneur, que si vous n'aviez pas été si grand sire, vous eussiez fait le meilleur notaire qui soit au royaume ? Sans offense, je dis cela sans offense, Monseigneur ! »

Robert sonna pour qu'on raccompagnât son visiteur.

A peine le notaire se fut-il retiré que Robert sortit par une petite porte ménagée entres les hanches de la Madeleine — un jeu de décoration qui l'amusait fort — et courut à la chambre de son épouse. En ayant chassé les dames de parage, il dit :

« Jeanne, ma bonne amie, ma chère comtesse, faites savoir à la Divion d'interrompre l'écriture du traité de mariage : il y faut le nom des douze pairs de l'an 82. Les savez-vous ? Eh bien, moi non plus ! Où peut-on se les procurer sans donner l'éveil ? Ah ! que de temps perdu ! que de temps perdu ! »

La comtesse de Beaumont, de ses beaux yeux bleus limpides, contemplait son mari ; un vague sourire éclairait son visage. Son géant avait encore trouvé quelque motif d'agitation. Très calmement elle dit :

« A Saint-Denis, mon doux époux, à Saint-Denis, aux registres de l'abbaye. Nous y relèverons sûrement les noms des pairs. Je vais y envoyer frère Henry, mon confesseur, comme s'il voulait faire quelque recherche savante... »

Une expression de tendresse amusée, de gratitude joyeuse, passa sur le large visage de Robert.

« Savez-vous, ma mie, dit-il en s'inclinant avec une grâce pesante, que si vous n'étiez pas si haute dame, vous eussiez fait le meilleur notaire du royaume ? »

Ils se sourirent, et dans les yeux de Robert la comtesse de Beaumont, née Jeanne de Valois, lut la promesse qu'il visiterait son lit le soir.

III

LES FAUSSAIRES

On croit toujours, lorsqu'on s'engage sur le chemin du mensonge, que le trajet sera court et facile ; on franchit aisément et même avec un certain plaisir les premiers obstacles ; mais bientôt la forêt s'épaissit, la route s'efface, se ramifie en sentiers qui vont se perdre dans des marécages ; chaque pas bute, s'enfonce ou s'enlise ; on s'irrite ; on se dépense en démarches vaines dont chacune constitue une nouvelle imprudence.

A première vue, rien de plus simple que de contrefaire un vieux document. Une feuille de vélin jaunie au soleil et usée dans la cendre, la main d'un clerc soudoyé, quelques sceaux appliqués sur des lacets de soie : voilà qui ne semble requérir que peu de temps et des dépenses modiques.

Pourtant, Robert d'Artois avait dû renoncer, provisoirement, à faire reconstituer le contrat de mariage de son père. Et cela, non seulement à cause de la recherche du nom des douze pairs, mais aussi parce qu'il fallait que l'acte fût rédigé en latin et que n'importe quel clerc n'était pas apte à fournir la formule utilisée naguère dans les traités des mariages princiers. L'ancien aumônier de la reine Clémence de Hongrie, instruit de ces matières, tardait à fournir l'entrée et l'issue de lettre ; on n'osait trop le presser de peur que la démarche ne prît un air suspect.

Il y avait aussi la question des sceaux.

« Faites-les copier par un graveur de coins, d'après d'anciens cachets », avait dit Robert.

Or, les graveurs de sceaux étaient assermentés ; celui de la cour, interrogé, avait déclaré qu'on ne pouvait imiter exactement un sceau, que deux coins jamais n'étaient identiques, et qu'une cire scellée d'un faux coin se reconnaissait aisément aux yeux des experts. Quant aux coins originaux, ils étaient toujours détruits à la mort de leur propriétaire.

Donc il fallait se procurer d'anciens actes pourvus des cachets dont on avait besoin, détacher ceux-ci, ce qui n'était pas opération aisée, et les reporter sur la fausse pièce.

Robert conseilla à la Division de rassembler ses efforts sur un document moins difficile et qui présentait une égale importance.

Le 28 juin 1302, avant de partir pour l'ost de Flandre, où il devait périr percé de vingt coups de lance, le vieux comte Robert II avait mis ses affaires en ordre et confirmé par lettre les dispositions qui assuraient à son petit-fils l'héritage du comté d'Artois.

« Et cela est vrai, tous les témoins l'affirment ! disait Robert à sa femme. Simon Dourier se rappelle même quels vassaux de mon grand-père étaient présents, et de quels bailliages on apposa les sceaux. Ce n'est rien d'autre que la vérité que nous ferons éclater là ! »

Simon Dourier, ancien notaire du comte Robert II, fournit la teneur de la déclaration, autant que sa mémoire la pouvait restituer. L'écriture en fut faite par un clerc de la comtesse de Beaumont, nommé Dufour ; mais le texte de Dufour avait trop de ratures, et puis sa main se reconnaissait.

La Division alla en Artois porter ce texte à un certain Robert Rossignol, qui avait été clerc de Thierry d'Hirson, et qui recopia la lettre, non avec une plume d'oie, mais avec une plume de bronze, pour mieux déguiser son écriture.

Ce Rossignol, à qui l'on offrit en récompense un voyage à Saint-Jacques-de-Compostelle où il avait promis de se rendre en accomplissement d'un vœu de santé, avait un gendre appelé Jean Oliette qui s'entendait assez bien à détacher les sceaux. Cette famille décidément était pleine de ressources ! Oliette enseigna son savoir à la dame de Divion.

Celle-ci revient à Paris, s'enferme avec Mme de Beaumont et une seule servante, Jeannette la Mesquine[12] ; et voilà les trois femmes s'exerçant, à l'aide d'un rasoir chauffé et d'un crin de cheval trempé dans une liqueur spéciale qui l'empêchait de casser, à détacher les cachets de cire de vieux documents. On partageait le sceau, en deux ; puis on chauffait l'une des moitiés et on la réappliquait sur l'autre, en prenant entre elles les lacets de soie ou la queue de parchemin de la nouvelle pièce. Enfin on cuisait un peu le bord de la cire pour faire disparaître la trace de la coupure.

Jeanne de Beaumont, Jeanne de Divion et Jeanne la Mesquine se firent ainsi la main sur plus de quarante sceaux ; elles ne travaillaient jamais deux fois au même endroit, se cachant tantôt dans une chambre de l'hôtel d'Artois, tantôt à l'hôtel de l'Aigle, ou encore en des demeures de campagne.

Robert pénétrait parfois dans la pièce, pour jeter un coup d'œil sur l'opération.

« Alors mes trois Jeanne sont au labeur ! » lançait-il avec bonne humeur.

C'était la comtesse de Beaumont qui, des trois, était la plus habile.

« Doigts de femme, doigts de fée », disait Robert en baisant courtoisement la main de son épouse.

Le tout n'était pas de savoir détacher les sceaux ; encore fallait-il se procurer ceux dont on avait besoin.

Le sceau de Philippe le Bel était aisé à trouver ; il existait partout des actes royaux. Robert se fit confier par l'évêque d'Evreux une lettre concernant sa seigneurie de Conches, pièce qu'il avait à consulter, prétendit-il, et qu'il ne rendit jamais.

En Artois, la Division mit ses amis Rossignol et Oliette, ainsi que deux autres mesquines, Marie la Blanche et Marie la Noire, à rechercher les anciens cachets de bailliages et de seigneuries.

Bientôt tous les sceaux furent réunis, sauf un seul, le plus important, celui du feu comte Robert II. La chose pouvait paraître absurde, mais c'était ainsi : tous les actes de famille étaient enfermés aux registres d'Artois, sous la garde des clercs de Mahaut, et Robert, mineur lors de la mort de son grand-père, n'en détenait aucun.

La Division, grâce à une sienne cousine, approcha un personnage nommé Ourson le Borgne, qui possédait une patente du feu comte, scellée avec « lacs de foi », et qui paraissait disposé à s'en défaire moyennant trois cents livres. Mme Jeanne de Beaumont avait bien dit qu'on achetât la pièce à n'importe quel prix ; mais la Division ne possédait pas tant d'argent en Artois ; et messire Ourson le Borgne, méfiant, n'acceptait pas de se défaire de sa patente contre seules promesses.

La Division, à bout de ressources, se souvint d'avoir un mari qui vivait assez benoîtement dans la châtellenie de Béthune. Il ne lui avait jamais montré trop d'aigre jalousie, et maintenant que l'évêque Thierry était mort... Elle recourut à lui. Sans doute, c'étaient beaucoup de gens, à présent, mis dans la confidence ; mais il fallait bien en passer par là. Le mari ne voulut pas prêter d'argent, mais consentit à se défaire d'un bon cheval sur lequel il avait été en tournoi et que la Division fit accepter à messire Ourson en complément de gages, lui laissant également les quelques bijoux qu'elle avait sur elle.

Ah ! elle se dépensait, la Division ! Elle ne ménageait ni son temps, ni sa peine, ni ses démarches, ni ses voyages. Ni sa langue. Et puis elle faisait attention à ne plus rien égarer ; elle dormait la tête sur ses clefs.

La main crispée par l'angoisse, elle découpa au

rasoir le sceau du feu comte Robert. Un sceau qui coûtait trois cents livres ! Et comment retrouver le semblable si par malheur il allait se briser ?

Mgr Robert s'impatientait un peu, parce que tous les témoins, maintenant, étaient entendus, et que le roi lui demandait, fort aimablement, et par marque d'intérêt, si les pièces dont il avait juré l'existence seraient bientôt présentées.

Encore deux jours, encore un jour de patience ; Mgr Robert allait être content !

IV

LES INVITÉS DE REUILLY

Robert d'Artois, pendant la saison chaude, et quand le service du royaume ou les soucis de son procès lui en laissent le temps, aime à passer les fins de semaine à Reuilly, dans un château qui appartient à sa femme par héritage Valois.

Les prairies et les forêts entretiennent une agréable fraîcheur autour de cette demeure. Robert garde là son oisellerie de chasse. La maisonnée est nombreuse, car beaucoup de jeunes nobles, avant d'obtenir la chevalerie, se placent chez Robert pour y être écuyers, sommeliers, ou valets de sa chambre. Qui ne parvient pas à entrer dans la maison du roi s'efforce d'être attaché à celle du comte d'Artois, se fait recommander par des parents influents et, une fois accepté, cherche à se distinguer par son zèle. Tenir la bride du cheval de Monseigneur, lui tendre le gant de cuir sur lequel se posera son faucon muscadin, apporter son couvert à table, incliner sur ses puissantes mains l'aiguière à eau, c'est s'avancer un peu dans la hiérarchie de l'Etat ; venir secouer son oreiller, au matin, pour l'éveiller, c'est presque secouer l'oreiller du Bon Dieu, puisque Monseigneur, chacun s'accorde à le dire, fait à la cour la pluie et le beau temps.

Ce samedi du début de septembre, il a invité à Reuilly quelques seigneurs de ses amis dont le sire de Brécy, le chevalier de Hangest et l'archidiacre d'Avranches, et même le vieux comte de Bouville, à demi aveugle, qu'il a fait prendre en litière. Pour ceux qui voulaient se lever matin, il a offert une petite chasse au vol.

A présent ses hôtes sont réunis dans la salle de justice où lui-même, en vêtements de campagne, se tient familièrement assis dans son grand faudesteuil. La comtesse de Beaumont, son épouse, est présente, et aussi le notaire Tesson qui a posé sur une table son écritoire et ses plumes.

« Mes bons sires, mes amis, dit-il, j'ai requis votre compagnie afin que vous me portiez conseil. »

Les gens sont toujours flattés qu'on requière leur avis... Les jeunes écuyers nobles présentent aux invités les breuvages d'avant repas, les vins aux aromates, les dragées épicées, et les amandes émondées sur des coupes de vermeil. Ils sont attentifs à ne faire ni bruit ni faute en leur service ; ils ouvrent tout grands leurs yeux ; ils se préparent des souvenirs ; ils diront plus tard : « J'étais ce jour-là chez Mgr Robert ; il y avait le comte de Bouville qui avait été chambellan du roi Philippe le Bel... »

Robert parle posément, sérieusement : une certaine dame de Divion, qu'il ne connaît que peu, s'est venue proposer pour lui remettre une lettre qu'elle tient, avec d'autres, de l'évêque Thierry d'Hirson... dont elle était la douce amie, confie-t-il en baissant un peu la voix. La Divion demande argent, naturellement ; ces femmes-là sont toutes de même sorte ! Mais le document semble d'importance. Toutefois, avant de l'acquérir, Robert veut s'assurer qu'on ne le gruge pas, que cette lettre est bonne, qu'elle peut servir comme pièce à son procès et que ce n'est pas là quelque œuvre de faussaire fabriquée seulement pour lui soutirer monnaie. C'est pourquoi il a convié ses amis, qui sont d'avis sage et plus habiles que lui en matière d'écrits, à examiner la pièce.

De temps en temps Robert lance un coup d'œil à sa femme pour s'assurer de l'effet produit. Jeanne incline la tête, imperceptiblement ; elle admire la grosse malice de son époux, et comme ce géant retors joue bien les naïfs quand il veut tromper. Il fait l'inquiet, le soupçonneux... Les autres ne vont pas manquer d'approuver si bonne lettre ; ayant approuvé ils ne se dédiront plus de leur opinion, et à travers les milieux de la cour et du Parlement se répandra la nouvelle que Robert tient en main la preuve de son droit.

« Faites entrer cette dame Divion », dit Robert avec un air sévère.

Jeanne de Divion apparaît, bien provinciale, bien modeste ; de la guimpe de lin sort son visage triangulaire, aux yeux cernés d'ombre. Elle n'a pas besoin de contrefaire l'intimidée ; elle l'est. Elle sort d'une grande bourse d'étoffe un parchemin roulé d'où pendent plusieurs sceaux, et le remet à Robert qui le déploie, le considère un moment, puis le passe au notaire.

« Examinez les sceaux, maître Tesson. »

Le notaire vérifie l'attache des lacets de soie, incline sur le vélin son énorme bonnet noir et son profil en croissant de lune.

« C'est bien le sceau du feu comte votre grand-père, Monseigneur, dit-il d'un ton convaincu.

— Voyez, mes bons sires », dit Robert.

On se transmet le document de main en main. Le sire de Brécy confirme que les sceaux des bailliages d'Arras et de Béthune sont excellents ; le comte de Bouville approche la pièce de ses yeux fatigués ; il ne distingue que la tache verte au bas de la lettre ; il palpe la cire, douce sous le doigt, et les larmes s'échappent de ses paupières :

« Ah ! murmure-t-il, le sceau de cire verte de mon bon maître Philippe le Bel ! »

Et il y a un moment de grand attendrissement, un instant de silence où l'on respecte les longs souvenirs de ce vieux serviteur de la couronne.

La Division, qui se tient en retrait contre un mur,

échange un regard discret avec la comtesse de Beaumont.

« A présent, lisez-nous cela, maître Tesson », commande Robert.

Et le notaire, ayant repris le parchemin, commence :

« *Nous, Robert de France, pair et comte d'Artois...* »
Les formules initiales ont la tournure habituelle ; l'assistance écoute avec calme.

« *... et ci déclarons en présence des seigneurs de Saint-Venant, de Saint-Paul, de Waillepayelle, chevaliers, qui scelleront de leurs sceaux, et de maître Thierry d'Hirson, mon clerc...* »
Quelques regards se sont portés vers la Divion qui baisse le nez.

« Habile, habile, d'avoir mentionné l'évêque Thierry, pense Robert ; cela authentifie les témoignages sur son rôle ; tout cela s'enchaîne bien. »

« *... que lors du mariage de notre fils Philippe nous lui avons fait investiture de notre comté, nous en réservant la jouissance notre vie durant, et que notre fille Mahaut y a consenti et qu'elle a renoncé à ladite comté...* »

— Ah ! mais c'est chose capitale, cela, s'écrie Robert. C'est plus que je n'attendais. Jamais nul ne m'avait dit que Mahaut eût consenti ! Vous voyez, mes amis, quelle est sa vilenie !... Continuez, maître Tesson. »

Les assistants sont fort impressionnés. On hoche la tête, on se regarde... Oui, la pièce est d'importance.

« *... et à présent que Dieu a rappelé à lui notre cher et bien-aimé fils le comte Philippe, demandons à notre seigneur le roi, s'il nous vient qu'à la guerre Dieu fasse sa volonté de nous, que notre seigneur le roi veille à ce que les hoirs de notre fils n'en soient pas déshérités.* »

Les têtes continuent d'approuver avec dignité ; le chevalier de Hangest, qui est du Parlement, écarte les mains, en direction de Robert, d'un geste qui signifie : « Monseigneur, votre procès est gagné. »

Le notaire achève :

« *... et avons ceci scellé de notre sceau, en notre hôtel d'Arras, le vingt-huitième jour de juin de l'an de grâce treize cent vingt-deux.* »

Robert ne peut réprimer un sursaut. La comtesse de Beaumont pâlit. La Division, contre son mur, se sent mourir.

Ils ne sont pas les seuls à avoir entendu *treize cent vingt-deux*. Dans l'auditoire les têtes se sont tournées avec surprise vers le notaire qui lui-même donne quelques signes d'affolement.

« Vous avez lu treize cent vingt-deux ? demande le chevalier de Hangest. C'est treize cent *et* deux que vous voulez dire, l'année de la mort du comte Robert ? »

Maître Tesson voudrait bien pouvoir s'accuser d'un lapsus ; mais le texte est là, sous ses yeux, portant clairement *treize cent vingt-deux*. Et l'on va demander à revoir la pièce. Comment cela a-t-il pu se produire ? Ah ! Mgr Robert va être d'une humeur ! Et lui-même, Tesson, dans quelle affaire s'est-il laissé engager. Au Châtelet... c'est au Châtelet que tout cela va finir !

Il fait ce qu'il peut pour réparer le désastre ; il bredouille :

« Il y a un vice d'écriture... Mais oui, bien sûr, c'est treize cent *et deux* qu'il faut lire... »

Et prestement, il trempe sa plume dans l'encre, rature, biffe quelques lettres, rétablit la date correcte.

« Est-ce bien à vous de corriger ainsi ? lui dit le chevalier de Hangest d'un ton un peu choqué.

— Mais oui, Messire, dit le notaire ; il y a deux points marqués sous le mot, et c'est l'habitude des notaires de corriger les mots mal écrits sous lesquels des points sont mis...

— Cela est vrai », confirme l'archidiacre d'Avranches.

Mais l'incident a détruit toute la belle impression produite par la lecture.

Robert appelle un écuyer, lui commande à l'oreille

de faire hâter le repas, et puis s'efforce de ranimer la conversation :

« En somme, maître Tesson, pour vous la lettre est bonne ?

— Certes, Monseigneur, certes, s'empresse de répondre Tesson.

— Et pour vous aussi, messire l'archidiacre ?

— Je la pense bonne.

— Peut-être, dit le sire de Brécy d'une voix amicale, devriez-vous la faire comparer avec d'autres lettres du feu comte d'Artois, de la même année...

— Et le moyen, mon bon, répond Robert, le moyen de comparer quand ma tante Mahaut tient tout en ses registres ! Je crois la pièce bonne. On n'invente pas pareilles choses ! Moi-même je n'en savais pas tant, et particulièrement que Mahaut eût renoncé. »

A ce moment une sonnerie de trompes résonne dans la cour. Robert frappe dans ses mains.

« On corne l'eau, Messeigneurs ! Passons à nous laver les doigts, et allons dîner. »

Il écumait en arpentant la chambre de la comtesse son épouse, et le plancher tremblait sous son pas.

« Et vous l'avez lue ! Et Tesson l'a lue ! Et la Divion l'a lue ! Et personne, personne de vous n'a été capable de voir ce malheureux *vingt-deux* qui risque de faire crouler tout notre édifice !

— Mais vous-même, mon ami, répond calmement Jeanne de Beaumont, vous avez lu et relu cette lettre, et vous en étiez fort satisfait il me semble.

— Eh oui ! je l'ai lue, et moi non plus je n'ai pas vu ce vice ! Lire des yeux et lire de voix, ce n'est pas la même chose. Et pouvais-je penser qu'on allait commettre pareille sottise ! Il a fallu que cet âne de notaire... Et l'autre âne qui a écrit la lettre... comment s'appelle-t-il celui-là ? Rossignol ?... Cela se prétend capable de rédiger une pièce, cela vous extrait plus d'argent qu'il n'en faut pour bâtir, et ce n'est même pas capable de tracer la bonne date ! Je vais le faire saisir ce Rossignol, pour qu'on le fouette jusqu'au sang !

— Il vous faudra le faire prendre à Saint-Jacques, mon ami, où il est en pèlerinage avec vos deniers.

— A son retour, alors !

— Ne craignez-vous pas qu'il parle un peu trop haut pendant qu'on le fouettera ? »

Robert haussa les épaules.

« Heureux encore que la chose se soit passée ici, et non en lecture devant le Parlement ! Il vous faudra veiller davantage, ma mie, pour les autres pièces, à ce que de telles erreurs ne se commettent plus. »

Mme de Beaumont trouvait injuste que la colère de son époux se tournât contre elle. Elle déplorait l'erreur tout autant que lui, s'en attristait également, mais après tout le mal qu'elle s'était donné, après s'être écorché les mains à couper la cire de tant de sceaux, elle estimait que Robert eût pu se contenir et ne pas la traiter en coupable.

« Après tout, Robert, pourquoi vous acharnez-vous tant à ce procès ? Pourquoi risquez-vous et me faites risquer, ainsi qu'à tant de personnes de votre entourage, d'être un jour convaincus de mensonge et de faux ?

— Ce ne sont pas des mensonges, ce ne sont pas des faux ! hurla Robert. C'est le vrai que je veux faire éclater aux yeux de tous, alors qu'on s'est obstiné à le cacher !

— Soit, c'est le vrai, dit-elle ; mais un vrai, avouez-le, qui a mauvaise apparence. Craignez, sous de tels habits, qu'on ne le reconnaisse pas ! Vous avez tout, mon ami ; vous êtes pair du royaume, frère du roi par moi qui suis sa sœur, et tout-puissant en son Conseil ; vos revenus sont larges, et ce que je vous ai apporté par dot et héritage fait votre fortune enviable par tous. Que ne laissez-vous l'Artois ! Ne pensez-vous pas que nous avons assez joué à un jeu qui peut nous coûter fort cher ?

— Ma mie, vous raisonnez bien mal et je m'étonne de vous entendre, vous si sage d'ordinaire, parler de la sorte. Je suis premier baron de France, mais un baron sans terre. Mon petit comté de Beaumont, qui ne m'a été donné qu'en compensation, est domaine de la couronne : je ne l'exploite pas, on m'en sert les revenus. On m'a élevé à la pairie, vous venez de le dire vous-même, parce que le roi est votre frère ; or, Dieu puisse nous le garder longtemps, mais un roi n'est pas éternel. Nous en avons vu suffisamment passer ! Que Philippe vienne à mourir, est-ce moi qui aurai la régence ? Que sa mâle boiteuse d'épouse, qui me hait et qui vous hait, s'appuie sur la Bourgogne pour régenter, serai-je aussi puissant, et le Trésor me paiera-t-il toujours mes revenus ? Je n'ai point d'administration, je n'ai point de justice, je n'ai pas vraiment de grands vassaux, je ne peux point tirer de ma terre des hommes à moi qui me doivent toute obéissance et que je puisse placer aux emplois. Qui nantit-on des charges aujourd'hui ? Des gens venus de Valois d'Anjou, du Maine, des apanages et fiefs du bon Charles, votre père. Où puisé-je mes propres serviteurs ? Parmi ceux-là ? Je vous le répète, je n'ai rien. Je ne puis lever de bannières assez nombreuses qui fassent trembler devant moi. La puissance vraie ne se compte qu'au nombre de châtellenies qu'on commande et dont on peut tirer des hommes de guerre. Ma fortune ne repose que sur moi, sur mes bras, sur la place que j'occupe au Conseil ; mon crédit n'est fondé que sur la faveur, et la faveur ne tient que ce que Dieu le veut. Nous avons des fils ; eh bien ! pensez à eux, ma mie, et comme il n'est pas bien sûr qu'ils aient hérité ma cervelle, je voudrais bien leur laisser la couronne d'Artois... qui est leur dot par juste héritage ! »

Il n'en avait jamais dit aussi long sur ses pensées profondes, et la comtesse de Beaumont, oubliant ses griefs du moment précédent, voyait son mari lui apparaître sous un jour nouveau, non plus seulement comme le colosse rusé dont les intrigues l'amusaient, le mauvais sujet capable de toutes les coquineries, le trousseur de toutes filles qu'elles fussent nobles, bourgeoises ou servantes, mais comme un vrai grand seigneur, raisonnant les lois de sa condition. Charles de Valois, lorsque autrefois il courait après un royaume ou une couronne d'empereur, et cherchait pour ses filles des alliances souveraines, justifiait ses actes par de semblables soucis.

A ce moment un écuyer frappa à la porte : la dame de Divion demandait à parler au comte, de toute urgence.

« Que me veut-elle encore, celle-là ? Elle ne craint donc pas que je l'écrase ? Faites-la venir. »

La Divion apparut, hagarde, porteuse d'une très mauvaise nouvelle. Ses deux mesquines en Artois, Marie la Blanche et Marie la Noire, celles qui l'avaient aidée à acheter plusieurs des sceaux de la fausse lettre, se trouvaient en prison, appréhendées par les sergents de la comtesse Mahaut.

V

MAHAUT ET BÉATRICE

« Que le diable vous fasse sécher les entrailles à tous, mauvaises gens que vous êtes ! criait la comtesse Mahaut. Comment ? je fais saisir ces deux femmes, par lesquelles on pouvait tout savoir, et pas plus tôt elles sont prises, voici qu'on les relâche ? »

La comtesse Mahaut, en son château de Conflans sur la Seine, près de Vincennes, venait d'apprendre, quelques minutes plus tôt, que les deux servantes de la Division, arrêtées sur son ordre par le bailli d'Arras, avaient été libérées. Sa colère était grande et « les mauvaises gens » auxquels ses malédictions s'adressaient n'étaient représentés pour l'heure que par la seule Béatrice d'Hirson, sa demoiselle de parage, sur laquelle elle déchargeait sa fureur. Le bailli d'Arras était un oncle de Béatrice, un frère cadet de feu l'évêque Thierry.

« Ces mesquines, Madame... n'ont été relâchées que sur un ordre du roi, présenté par deux sergents d'armes, répondit calmement Béatrice.

— Allons donc ! le roi se moque bien de deux servantes qui tiennent cuisine dans un faubourg d'Arras ! Elles ont été relâchées sur l'ordre de mon Robert qui a couru chez le roi pour obtenir leur élargissement. A-t-on seulement pris le nom des sergents ? S'est-on assuré qu'ils étaient bien des officiers royaux ?

— Ils se nomment Maciot l'Allemant et Jean Le Servoisier, Madame..., répondit Béatrice avec la même calme lenteur.

— Deux sergents d'armes de Robert ! Je connais ce Maciot l'Allemant ; il est de ceux que mon gueux de neveu emploie à tous ses méchants coups. Et d'abord, comment Robert a-t-il été averti que les servantes de la Divion avaient été prises ? demanda Mahaut en jetant sur sa dame de parage un regard chargé de soupçon.

— Mgr Robert a gardé beaucoup d'intelligences en Artois... vous ne l'ignorez pas, Madame.

— Je souhaite, dit Mahaut, qu'il n'en ait pas trouvé parmi les gens qui me touchent de près... Mais c'est déjà me trahir que de mal me servir, et je suis trahie de toutes parts. Ah ! depuis la mort de Thierry, on dirait que vous n'avez plus de cœur pour moi. Des ingrats ! Je vous ai tous couverts de mes bienfaits ; depuis quinze ans je te traite comme ma propre fille... »

Béatrice d'Hirson abaissa ses longs cils noirs et regarda vaguement le dallage. Son visage ambré, lisse, aux lèvres bien ourlées, ne trahissait aucun sentiment, ni humilité ni révolte, simplement une certaine fausseté par cet abaissement des cils extraordinairement longs derrière lesquels s'abritait le regard.

« ... Ton oncle Denis, dont j'ai fait mon trésorier pour complaire à Thierry, me gruge et me dérobe ! Où sont les comptes des cerises de mon verger qu'il a vendues cet été sur le marché de Paris ? Un jour viendra où j'exigerai contrôle de ses registres ! Vous avez tout, terres, maisons, châteaux achetés avec les profits que vous faites sur moi ! Ton oncle Pierre, un niais, que je nomme bailli, pensant que d'être si sot au moins il me sera fidèle, le voilà qui n'est plus même capable de tenir closes les portes de mes prisons ! On en sort comme on veut, comme d'une auberge ou d'un bordeau !

— Mon oncle pouvait-il refuser, Madame... devant le cachet du roi ?

— Et les quatre jours qu'elles ont passés en geôle, qu'ont-elles dit ces servantes de mauvaise putain ? Les a-t-on fait parler ? Ton oncle les a-t-il soumises à la question ?

— Mais, Madame, dit Béatrice toujours de la même voix lente, il ne le pouvait sans ordre de justice. Voyez ce qui est advenu à votre bailli de Béthune... »

D'un geste de sa grande main tavelée, Mahaut balaya l'argument.

« Non, vous ne me servez plus avec cœur, dit-elle, ou plutôt vous m'avez toujours mal servie ! »

Mahaut vieillissait. L'âge marquait son corps de géante ; un rude duvet blanc croissait sur ses joues qui s'empourpraient au moindre mécontentement ; la montée du sang lui découpait alors comme une bavette rouge sur la gorge. Au cours de l'année précédente elle avait connu plusieurs graves altérations de santé. Cette période lui était funeste, de toutes les manières.

Depuis son parjure d'Amiens et la constitution de la commission d'enquête, son caractère s'aigrissait, jusqu'à devenir odieux. De plus, son esprit se fatiguait ; elle mettait un peu toutes choses sur le même plan. La grêle avait-elle gâté les roses qu'elle faisait cultiver par milliers dans ses jardins, ou bien quelque accident était-il survenu aux machines hydrauliques qui alimentaient les cascades artificielles de son château d'Hesdin ? Sa colère s'abattait, comme tempête, sur les jardiniers, sur les ingénieurs, sur les écuyers, sur Béatrice.

« Et ces peintures, faites il n'y a pas dix ans ! criait-elle en montrant les fresques de la galerie de Conflans... Quarante-huit livres parisis, je les ai payées à cet imagier que ton oncle Denis avait fait venir de Bruxelles, et qui m'avait bien garanti qu'il emploierait les couleurs les plus fines[13] ! Pas même dix ans, et regarde donc ! L'argent des heaumes se ternit déjà et le bas de l'image est tout écaillé. Est-ce là bon travail honnête, je te le demande ? »

Béatrice s'ennuyait. La suite de Mahaut était nombreuse, mais composée seulement de gens âgés. Mahaut se tenait à présent assez éloignée de la cour de France qui était toute soumise à l'influence de Robert. Là-bas, à Paris, à Saint-Germain, autour du roi *trouvé*, c'étaient sans cesse joutes, tournois et fêtes, pour l'anniversaire de la reine, pour le départ du roi de Bohême, ou même sans raison, simplement pour se donner plaisirs. Mahaut n'y allait guère ou ne faisait que de brèves apparitions quand son rang de pair du royaume l'y obligeait. Elle n'était plus d'âge à danser caroles ni d'humeur à regarder les autres se divertir, surtout dans une cour où on la traitait si mal. Elle ne prenait même plus d'agrément à séjourner à Paris, en son hôtel de la rue Mauconseil ; elle vivait retraite entre les hauts murs de Conflans, ou bien à Hesdin qu'elle avait dû remettre en état après les dévastations exercées par Robert en 1316.

Tyrannique depuis qu'elle n'avait plus d'amant — le dernier avait été l'évêque Thierry d'Hirson qui se partageait entre elle et la Division, d'où la haine que Mahaut vouait à cette femme — et redoutant d'être saisie de malaises nocturnes, elle obligeait Béatrice à dormir au bout de sa chambre où stagnaient des odeurs accumulées de vieillesse, de pharmacie et de mangeaille. Car Mahaut dévorait toujours autant, à toute heure saisie des mêmes fringales monstrueuses ; les tentures, les tapis sentaient le civet, la venaison, le brouet à l'ail. De fréquentes indigestions l'obligeaient à appeler mires, physiciens, barbiers et apothicaires ; les potions et bouillons d'herbes succédaient aux viandes marinées. Ah ! où était le bon temps où Béatrice aidait Mahaut à empoisonner les rois !

Béatrice elle-même commençait à ressentir le poids des années. Sa jeunesse s'achevait. Trente-trois ans, c'est l'âge où toutes les femmes, même les plus perverses, contemplent les deux versants de leur vie, songent avec nostalgie aux saisons écoulées, et avec inquiétude aux saisons à venir. Béatrice était toujours belle et s'en assurait dans les yeux des hommes, ses miroirs préférés. Mais elle savait aussi qu'elle ne possédait plus absolument ce teint de fruit doré qui avait fait l'attrait de ses vingt ans ; l'œil très sombre, et qui ne laissait presque pas paraître de blanc entre les cils, était moins brillant au réveil ; la hanche s'alourdissait un peu. C'était maintenant que les jours ne se devaient point perdre.

Mais comment, avec cette Mahaut qui l'obligeait à coucher dans sa chambre, comment s'échapper pour rejoindre un amant de rencontre ou pour aller, à minuit, en quelque maison secrète, assister à une messe vaine et trouver, dans les pratiques du sabbat, les épices du plaisir ?

« Où es-tu à rêver ? lui cria brusquement la comtesse.

— Je ne suis pas à rêver, Madame..., répondit-elle en ramenant sur Mahaut son regard coulant ; je songe seulement que vous pourrez avoir meilleure fille que moi pour vous servir... Je pense à me marier. »

C'était là savante méchanceté dont l'effet se manifesta sans retard.

« Beau parti que tu feras ! s'écria Mahaut. Ah ! il sera bien pourvu, celui qui te prendra pour femme et qui pourra rechercher ton pucelage dans le lit de tous mes écuyers, avant que d'aller aussi y gagner ses cornes !

— A l'âge que j'ai, Madame, et où vous m'avez tenue fille pour vous servir... pucelage est plutôt malheur que vertu. C'est de toute façon chose plus commune que les maisons et les biens que j'apporterai à un mari.

— Si tu les gardes, ma fille ! Si tu les gardes ! Car ils ont été tondus sur mon dos ! »

Béatrice sourit, et son regard noir à nouveau se voila.

« Oh !... Madame, dit-elle avec une extrême douceur, vous n'iriez point retirer vos bienfaits à qui vous a servie en choses si secrètes... et que nous avons accomplies ensemble ? »

Mahaut la regarda avec haine.

Béatrice savait lui rappeler les cadavres royaux qui dormaient entre elles, les dragées du Hutin, le poison sur les lèvres du petit Jean Ier... et elle savait aussi comment la scène finirait, par une montée de sang au visage de la comtesse, par la bavette rouge marquée sur son cou bovin.

« Tu ne te marieras pas ! Tiens, tiens, vois le mal que tu me fais, à me tenir tête, et sois contente, dit Mahaut en se laissant choir sur un siège. Le sang me monte aux oreilles qui sont toutes sonnantes ; il va falloir encore me faire saigner.

— Ne serait-ce, Madame, de manger trop qui vous oblige à vous faire tirer tant de sang ?

— Je mangerai ce qui me plaît, hurla Mahaut, et quand il me plaît ! Je n'ai pas besoin d'une ignorante comme toi pour décider ce qui m'est bon. Va me chercher du fromage anglais ! Et du vin ! Et ne tarde pas ! »

Il ne restait plus de fromage anglais aux resserres ; le dernier arrivage était épuisé.

« Qui l'a mangé ? On me vole ! Alors qu'on m'apporte un pâté en croûte ! »

« Eh oui ! c'est cela. Bourre-toi, et crève ! » pensait Béatrice en déposant le plateau.

Mahaut saisit une large tranche, à pleine main, et y mordit. Mais le craquement qu'elle entendit, et qui lui résonna dans le crâne, n'était pas seulement celui de la croûte ; elle venait de se casser une dent, une dent de plus.

Ses yeux, gris et injectés, s'élargirent un peu. Elle demeura immobile quelques instants, la tranche de pâté d'une main, un verre de vin dans l'autre, et la bouche ouverte avec une incisive, rompue au collet, qui s'était mise horizontale, contre la lèvre. Elle posa le verre, détacha sans peine la partie brisée de la dent. Elle mesurait de la langue la place vide sous la gencive, et tâtait la surface râpeuse, blessante de la racine. En même temps, elle contemplait entre ses gros doigts le petit morceau d'ivoire jauni, noir à la brisure, ce fragment d'elle-même qui l'abandonnait.

Mahaut releva les yeux parce que Béatrice, devant elle, était en train de pouffer. Les bras croisés sur la taille, les épaules agitées, la demoiselle de parage ne pouvait plus contenir son fou rire. Avant qu'elle ait eu le temps de reculer, Mahaut fut sur elle et la gifla à la volée, par deux fois. Le rire de Béatrice s'arrêta net ; derrière les longs cils, les prunelles noires étincelèrent d'un éclat méchant, puis s'éteignirent aussitôt.

Ce soir-là, quand Béatrice aida la comtesse à se dévêtir, il semblait que la paix fût rétablie entre elles. Mahaut, revenue à son obsession, expliquait à Béatrice :

« Comprends-tu pourquoi je tenais tant à ce qu'on questionnât ces deux femmes ? Je suis certaine que la Divion aide Robert à fabriquer de fausses pièces, et je voudrais qu'on la prît la main dans le sac. »

Elle suçait machinalement son chicot que le barbier avait limé.

Béatrice, depuis la double gifle, mûrissait un projet.

« Puis-je, Madame... vous proposer un conseil ? Accepteriez-vous de l'ouïr ?

— Mais oui, ma fille, parle, parle. Je suis vive, j'ai la main leste ; mais j'ai confiance en toi, tu le sais bien.

— Eh bien ! Madame, tout le mal vient de l'héritage de mon oncle Thierry... et de ce que vous n'avez point voulu payer ce qu'il laissait à la Divion. Une mauvaise créature, certes, et qui ne méritait pas tant ! Mais vous vous êtes fait là une ennemie qui tenait certains secrets de la bouche de mon oncle... et qui est en train de les vendre à Mgr Robert. C'est une chance encore que j'aie pu vider à temps le coffre d'Hirson... où mon oncle serrait certains de vos papiers ! Voyez quel usage en aurait pu faire cette mauvaise femme... Un peu d'argent et de terre que vous lui eussiez donné... et le bec lui était scellé.

— Eh oui ! dit Mahaut, j'ai peut-être eu tort. Mais avoue que cette ribaude qui s'en va se chauffer dans les draps d'un évêque, se fait encore porter au testament comme si elle était épouse légitime... Eh oui ! j'ai peut-être eu tort... »

Béatrice aidait Mahaut à ôter sa chemise de jour. La géante levait ses énormes bras, découvrant aux aisselles une triste toison blanche ; la graisse formait bosse sur sa nuque, comme sur l'échine des bœufs ; la mamelle était lourde, affaissée, monstrueuse.

« Elle est vieille, pensait Béatrice, elle va mourir... mais quand ? Jusqu'à son dernier jour, je vais vêtir et dévêtir ce vilain corps et user toutes mes nuits auprès... Et lorsqu'elle sera morte, que m'arrivera-t-il ? Mgr Robert va sans doute gagner, avec l'appui du roi... La maison de Mahaut sera dispersée... »

Quand elle eut passé autour de Mahaut la chemise de nuit, Béatrice reprit :

« Si vous faisiez offrir à cette Divion de lui payer le legs qu'elle réclame... et même quelque chose en sus, vous la ramèneriez sans doute dans votre parti ; et, si elle a servi à votre neveu pour de mauvaises besognes, vous pourriez connaître lesquelles... et en tirer avantage.

— C'est peut-être sagesse ce que tu dis là, répondit Mahaut. Mon comté vaut bien de dépenser un millier de livres, même pour payer le péché. Mais comment l'approcher, cette catin ? Elle loge à l'hôtel de Robert qui doit la faire de près surveiller... et même la caresser un peu à l'occasion, car il n'a guère de dégoût. Il ne faudrait pas que la démarche fût éventée.

— Je m'offre, Madame, à aller la voir et à lui parler. Je suis la nièce de Thierry. Il pourrait m'avoir confié pour elle quelque volonté... »

Mahaut regarda attentivement le visage calme, presque souriant, de sa demoiselle de parage.

« Tu risques gros, dit-elle. Si jamais Robert l'apprend...

— Je sais, Madame... je sais ce que je risque ; mais le péril n'est point pour m'effrayer, dit Béatrice en ramenant sur la comtesse, qui s'était couchée, la couverture brodée.

— Allons, tu es une bonne fille, dit Mahaut. La joue ne te brûle pas trop ?

— Si, Madame, toujours... pour vous servir... »

VI

BÉATRICE ET ROBERT

Lormet l'avait reçue à la petite porte de l'hôtel, celle qu'empruntaient les fournisseurs, comme si la visiteuse avait été une quelconque fripière ou brodeuse venue livrer une commande. D'ailleurs, vêtue d'une pèlerine de léger drap gris dont le capuchon lui couvrait les cheveux, Béatrice d'Hirson ne se distinguait en rien d'une ordinaire bourgeoise.

Elle avait immédiatement reconnu le vieux serviteur personnel de Mgr d'Artois ; mais elle n'en avait pas montré d'étonnement, pas plus qu'elle n'en témoignait à traverser les deux cours, les bâtiments de service, et à voir qu'on la conduisait vers les appartements seigneuriaux.

Lormet allait devant, le souffle un peu bruyant, et se retournait de temps en temps pour jeter par-dessus l'épaule un regard défiant sur cette fille trop belle, à la démarche glissante et balancée, et qui ne paraissait nullement intimidée.

« Qu'ont à faire ici les gens de Mahaut ? bougonnait intérieurement Lormet. Quel plat de sa façon cette gueuse vient-elle cuire à nos fourneaux ? Ah ! Mgr Robert est bien imprudent de lui avoir laissé franchir l'huis ! La dame Mahaut sait bien comment agir ; ce n'est pas la plus laide de ses femmes qu'elle lui dépêche ! »

Un couloir voûté, une tapisserie, une porte basse

qui tourna sur des gonds bien huilés, et Béatrice vit, aux trois murs, saint Georges dardant sa lance, saint Maurice appuyé sur son glaive et saint Pierre tirant ses filets.

Mgr Robert se tenait debout au milieu de la pièce, les jambes largement écartées, les bras croisés sur le poitrail et le menton posé sur le col.

Béatrice abaissa ses longs cils, et se sentit parcourue d'un délectable frémissement de crainte et de satisfaction mêlées.

« Vous ne vous attendiez point à me voir, je pense, dit Robert d'Artois.

— Oh ! si, Monseigneur..., répondit Béatrice de sa voix lente ; c'était bien vous que j'espérais approcher. »

Elle avait fait le nécessaire pour cela, et si peu déguisé, pendant une semaine, ses émissaires auprès de la Division que tout l'hôtel devait être averti.

La réponse surprit un peu Robert.

« Alors, que venez-vous faire ? M'annoncer la mort de ma tante Mahaut ?

— Oh ! non, Monseigneur... Madame Mahaut s'est seulement cassé une dent.

— Belle nouvelle, dit Robert, mais qui ne me paraît pas valoir le dérangement. Vous envoie-t-elle en messagère ? Voit-elle qu'elle a perdu sa cause et veut-elle à présent traiter avec moi ? Je ne traiterai pas !

— Oh ! non, Monseigneur... Madame Mahaut ne veut pas traiter puisqu'elle sait qu'elle gagnera.

— Elle gagnera ? En vérité ! Contre cinquante-cinq témoins, tous accordés pour reconnaître les vols et tromperies commis à mon endroit ? »

Béatrice sourit.

« Madame Mahaut en aura bien soixante, Monseigneur, pour prouver que vos témoins disent faux, et qui auront été payés le même prix...

— Ah ça ! la belle ; est-ce pour me narguer que vous êtes entrée ici ? Les témoins de votre maîtresse ne vaudront rien parce que les miens appuient de bonnes pièces, que je montrerai.

— Ah ! vraiment, Monseigneur ? dit Béatrice d'un

ton faussement respectueux. Alors c'est que Madame Mahaut se trompe sur la raison de la grande recherche de sceaux qui se fait en Artois, ces temps-ci... pour votre maison.

— On recherche des sceaux, dit Robert irrité, parce qu'on recherche toutes pièces anciennes, et que mon nouveau chancelier veille à mettre ordre en mes registres.

— Ah ! vraiment, Monseigneur..., répéta Béatrice.

— Mais ce n'est pas à vous de m'interroger ! C'est moi qui vous demande ce que vous cherchez ici. Vous venez soudoyer mes gens ?

— Nul besoin, Monseigneur, puisque je suis parvenue jusqu'à vous.

— Mais que me voulez-vous, à la parfin ? » s'écriat-il.

Béatrice parcourait la pièce du regard. Elle vit la porte par laquelle elle était entrée, et qui s'ouvrait dans le ventre de la Madeleine. Elle eut un léger rire.

« Est-ce par cette chatière que passent toujours les dames que vous recevez ? »

Le géant commençait à s'énerver. Cette voix traînante, ironique, ce rire bref, ce regard noir qui brillait un instant et s'éteignait aussitôt derrière les longs cils recourbés, tout cela le troublait un peu.

« Prends garde, Robert, se disait-il, c'est là garce fameuse et qu'on ne doit pas t'envoyer pour ton bien ! »

Il la connaissait de longue date, la demoiselle Béatrice ! Ce n'était pas la première fois qu'elle le provoquait. Il se rappelait comment à l'abbaye de Chaalis, sortant d'un conseil nocturne autour du roi Charles IV à propos des affaires d'Angleterre, il avait trouvé Béatrice qui l'attendait sous les arches du cloître de l'hôtellerie. Et bien d'autres fois encore... A chaque rencontre, c'était le même regard attaché au sien, le même mouvement onduleux des hanches, le même soulèvement de poitrine. Robert n'était pas homme que la fidélité ligotait ; un tronc d'arbre habillé d'un jupon l'eût fait sortir de sa route. Mais cette fille, qui était à Mahaut et pour toutes besognes, lui avait toujours inspiré la prudence.

« Ma belle, vous êtes sûrement bien gueuse, mais peut-être également êtes-vous avisée. Ma tante croit qu'elle gagnera sa cause ; mais vous, l'œil plus ouvert, vous vous dites déjà qu'elle la perdra. Sans doute pensez-vous que le bon vent va cesser de souffler du côté de Conflans, et qu'il serait temps de se faire bien voir de ce Monseigneur Robert dont on a tant médit, auquel on a si grandement nui, et dont la main risque d'être lourde le jour de la vengeance. N'est-ce pas cela ? »

Il marchait de long en large selon son habitude. Il portait une cotte courte qui lui moulait la panse ; les énormes muscles de sa cuisse tendaient l'étoffe de ses chausses. Béatrice, à travers ses cils, ne cessait de l'observer, depuis la rousse chevelure jusqu'aux souliers.

« Comme il doit peser lourd ! » pensait-elle.

« Mais on n'acquiert pas mes faveurs par un sourire, sachez-le, continuait Robert. A moins que vous n'ayez grand besoin de monnaie et quelque secret à me vendre ? Je récompense si l'on me sert, mais je suis sans pitié si l'on veut me truffer !

— Je n'ai rien à vous vendre, Monseigneur.

— Alors, demoiselle Béatrice, pour votre gouverne et salut, sachez que vous aurez avantage à prendre au large des portes de mon hôtel, quel que soit le prétexte à vous en approcher. Mes cuisines sont bien gardées, mes plats sont éprouvés, mon vin est essayé avant qu'on me le verse. »

Béatrice se passa sur les lèvres la pointe de la langue, comme si elle goûtait une liqueur savoureuse.

« Il redoute que je ne l'empoisonne », se disait-elle.

Oh ! qu'elle s'amusait, et qu'elle avait peur à la fois. Et Mahaut, pendant ce temps, qui la croyait occupée à circonvenir la Division ! Oh ! l'admirable moment ! Béatrice avait l'impression de tenir au creux de sa main plusieurs lacs invisibles et mortels. Encore fallait-il les bien assujettir.

Elle rabattit en arrière son capuchon, dénoua le cordon du col et ôta sa pèlerine. Ses cheveux sombres, épais, étaient tordus en tresse autour des oreilles. Sa robe de marbré, fort échancrée sur la poitrine, montrait la naissance généreuse des seins. Robert, qui aimait les femmes plantureuses, ne put s'empêcher de penser que Béatrice avait gagné en beauté depuis leur dernière rencontre.

Béatrice étala sa pèlerine sur le dallage de façon qu'elle couvrît la moitié d'un rond. Robert eut un regard de surprise.

« Que faites-vous donc là ? »

Elle ne répondit pas, tira de son aumônière trois plumes noires qu'elle posa sur le haut de la pèlerine, les croisant pour former comme une petite étoile ; puis elle se mit à tourner, décrivant de l'index un cercle imaginaire et murmurant des paroles incompréhensibles.

« Mais que faites-vous ? répéta Robert.

— Je vous ensorcelle... Monseigneur », répondit tranquillement Béatrice, comme si c'était la chose la plus naturelle du monde, ou tout au moins la chose la plus coutumière pour elle.

Robert éclata de rire. Béatrice le regarda et lui prit la main comme pour l'amener à l'intérieur du cercle. La main de Robert se retira.

« Vous avez peur, Monseigneur ? » dit Béatrice en souriant.

Voilà bien la force des femmes ! Quel seigneur eût osé dire au comte Robert d'Artois qu'il avait peur sans recevoir un poing énorme sur la face ou une épée de vingt livres en travers du crâne ? Et voici qu'une vassale, une chambrière, vient rôder autour de son hôtel, se fait conduire jusqu'à lui, occupe son temps à lui conter des sornettes... « Mahaut a perdu une dent... Je n'ai pas de secret à vous vendre... » étend son manteau sur le carrelage et lui déclare en belle face qu'il a peur !

« Vous semblez avoir toujours craint de vous approcher de moi, continua Béatrice. Le jour que je vous vis

pour la première fois, il y a bien longtemps, à l'hôtel
de Madame Mahaut... quand vous vîntes lui annoncer
que ses filles allaient être jugées... peut-être ne vous
souvenez-vous pas... déjà, vous vous étiez détourné de
moi. Et souventes fois depuis... Non, Monseigneur, ne
me faites point croire que vous auriez peur ! »

Sonner Lormet, lui ordonner d'éloigner cette
moqueuse ; n'était-ce pas ce que la sagesse conseillait à Robert, sans perdre davantage de temps ?

« Et que cherches-tu, avec ta chape, ton cercle, et
tes trois plumes ? demanda-t-il. A faire apparaître le
Diable ?

— Mais oui, Monseigneur... », dit Béatrice.

Il haussa les épaules devant cette gaminerie et, par
jeu, avança dans le cercle.

« Voilà qui est fait, Monseigneur. C'est tout juste
ce que je voulais. Parce que c'est vous, le Diable... »

Quel homme résiste à ce compliment-là ? Robert
eut cette fois un vrai rire, un rire de gorge satisfait.
Il prit le menton de Béatrice entre le pouce et l'index.

« Sais-tu que je pourrais te faire brûler comme sorcière ?

— Oh ! Monseigneur... »

Elle se tenait contre lui, la tête levée vers les larges
mâchoires piquées de poils rouges ; elle percevait
son odeur de sanglier forcé. Elle était tout émue de
danger, de trahison, de désir et de satanisme.

Une ribaude, une ribaude bien franche, comme
Robert les aimait ! « Qu'est-ce que je risque ? » se
dit-il.

Il la saisit aux épaules, l'attira contre lui.

« C'est le neveu de Madame Mahaut, son neveu qui
lui souhaite tant de mal », pensait Béatrice tandis
qu'elle perdait souffle contre sa bouche.

VII

LA MAISON BONNEFILLE

L'Evêque Thierry d'Hirson, de son vivant, possédait à Paris, dans la rue Mauconseil, un hôtel jouxte celui de la comtesse d'Artois, et qu'il avait agrandi en achetant la maison d'un de ses voisins nommé Julien Bonnefille. Ce fut cette maison, reçue en héritage, que Béatrice proposa à Robert d'Artois comme abri de leurs rencontres.

La promesse de s'ébattre en compagnie de la dame de parage de Mahaut, à côté de l'hôtel de Mahaut, dans une maison payée sur les deniers de Mahaut, et qui, de surcroît, gardait le nom de maison Bonnefille, il y avait en tout cela de quoi satisfaire le penchant naturel de Robert pour la farce. Le sort organise parfois de ces amusements...

Néanmoins, Robert, dans les débuts, n'en usa qu'avec une extrême prudence. Bien qu'il fût lui-même propriétaire, dans la même rue, d'un hôtel où il ne résidait pas mais qu'il venait visiter de temps à autre, il préférait ne se rendre à la maison Bonnefille que le soir tombé. En ces quartiers proches de la Seine, où les voies étroites étaient encombrées d'une foule dense et lente, un seigneur tel que Robert d'Artois, de stature si reconnaissable et escorté d'écuyers, ne pouvait passer inaperçu. Robert attendait donc la chute du jour. Il se faisait toujours accompagner de Gillet de Nelle et de trois serviteurs, choisis parmi les plus discrets et surtout les plus forts. Gillet était la cervelle de cette garde et les trois valets à poings d'assommeurs se plaçaient aux issues de la maison Bonnefille, sans livrée, comme de quelconques badauds.

Au cours des premières entrevues, Robert refusa de boire le vin aux épices que Béatrice lui offrait. « La donzelle peut bien avoir été chargée de m'enherber », se disait-il. Il ne se dévêtait qu'à regret de son surcot doublé d'une fine maille de fer, et, tout le temps du plaisir, gardait l'œil vers le coffre où il avait posé sa dague.

Béatrice se délectait de lui voir pareilles craintes. Ainsi, elle, petite bourgeoise d'Artois, fille non mariée à trente ans passés, et qui avait roulé dans toutes sortes de draps, pouvait inspirer crainte à un tel colosse et un si puissant pair de France ?

L'aventure avait pour Béatrice, plus encore que pour Robert, tout le piment de la perversité. Dans la maison de son oncle l'évêque ! Et avec le mortel ennemi de Madame Mahaut à laquelle, pour excuser ses absences, Béatrice devait conter sans cesse de nouvelles fables... La Division était réticente... Elle ne céderait pas d'un coup et ce serait folie que de lui verser forte somme pour laquelle elle pourrait ne vendre qu'un gros mensonge... Non, il fallait la voir souvent, lui extirper, bribe par bribe, les intrigues du mauvais Mgr Robert, lui faire livrer le nom des témoins de complaisance, et ensuite vérifier ses dires, aller trouver le sieur Juvigny, au Louvre, ou Michelet Guéroult, le valet du notaire Tesson. Ah ! tout cela n'allait pas sans peine, ni temps ni monnaie... « Il conviendrait, Madame, de donner une pièce d'étoffe à ce clerc, pour sa femme ; sa langue se déliera... M'autorisez-vous à vous prendre quelques livres ? »

Et le plaisir de regarder Madame Mahaut dans les yeux, de lui sourire, et de penser : « Il y a moins de douze heures, je m'offrais toute dépouillée à messire votre neveu ! »

A voir sa demoiselle de parage tant se dépenser à

son service, Mahaut la rabrouait moins, lui montrait de nouveau de l'affection et ne lui ménageait pas les gâteries. Pour Béatrice c'était une occasion doublement exquise que de jouer Mahaut tout en s'appliquant à conquérir Robert. Car on ne saurait prétendre avoir conquis un homme parce qu'on a passé une heure avec lui au même lit, pas plus qu'on n'est le maître d'un fauve parce qu'on l'a acheté et qu'on l'observe à travers les grilles de la cage.

La possession ne fait pas le pouvoir.

On n'est le maître, vraiment, que lorsqu'on a si bien travaillé le fauve qu'il se couche à la voix, rentre les griffes, et qu'un regard lui sert de barreaux.

Les défiances de Robert étaient pour Béatrice comme autant de griffes à limer. En toute sa carrière de chasseresse elle n'avait jamais eu l'occasion de piéger si grand gibier, et réputé si féroce que c'en était proverbe.

Le jour où Robert consentit à accepter de la main de Béatrice un gobelet de grenache, elle connut sa première victoire : « J'aurais pu donc y mettre du poison, et il l'aurait bu... »

Et quand une fois il s'endormit, pareil à l'ogre des fabliaux, alors elle éprouva le sentiment du triomphe. Le géant avait au cou une démarcation nette, là où se fermait la robe ou la cuirasse ; la teinte brique du visage tanné par le grand air s'arrêtait brusquement, et, au-dessous, commençait la peau blanche, tavelée de taches de son et couverte aux épaules de poils roux comme la soie des porcs. Cette ligne semblait à Béatrice la marque toute tracée pour le tranchant d'une hache ou le fil d'un poignard.

Les cheveux couleur de cuivre, frisés en rouleaux sur les joues, s'étaient déplacés et laissaient apparaître une oreille petite, délicatement ourlée, enfantine, attendrissante. « On pourrait, pensait Béatrice, dans cette petite oreille, enfoncer un fer jusqu'à la cervelle... »

Robert se réveilla en sursaut, au bout de quelques minutes, avec inquiétude.

« Eh bien ! Monseigneur... je ne t'ai pas tué », dit-elle en riant.

Son rire découvrait une gencive rouge sombre.

Comme pour la remercier, il relança au jeu. Il lui fallait avouer qu'elle l'y secondait bien, inventive, sournoise, peu ménagère de soi, jamais rechigneuse, et criant fort sa joie. Robert qui, pour avoir troussé toutes sortes de cottes, soie, lin ou chanvre, se croyait grand maître en ribauderie, devait reconnaître qu'il avait trouvé là plus forte partie.

« Si c'est au sabbat, ma petite mie, lui disait-il, que tu as appris toutes ces galanteries, on devrait davantage y envoyer pucelles ! »

Car Béatrice lui parlait souvent du sabbat et du Diable. Cette fille lente et molle en apparence, ondoyante de démarche, traînante en sa parole, ne révélait qu'au lit sa vraie violence, de même que son discours ne devenait rapide et animé que lorsqu'il s'agissait de démons ou de sorcellerie.

« Pourquoi donc ne t'es-tu jamais mariée ? lui demandait Robert. Les époux n'ont pas dû manquer à se proposer, surtout si tu leur as donné tel avant-goût du mariage...

— Parce que le mariage se fait à l'église, et que l'église m'est mauvaise. »

Agenouillée sur le lit, les mains aux genoux, l'ombre au creux du ventre, Béatrice, les cils bien ouverts, disait :

« Tu comprends, Monseigneur, les prêtres et les papes de Rome et d'Avignon n'enseignent pas la vérité. Il n'y a pas un seul Dieu ; il y en a deux, celui de la lumière et celui des ténèbres, le prince du Bien et le prince du Mal. Avant la création du monde, le peuple des ténèbres s'est révolté contre le peuple de la lumière ; et les vassaux du Mal, pour pouvoir vraiment exister, puisque le Mal est le néant et la mort, ont dévoré une partie des principes du Bien. Et parce que les deux forces du Bien et du Mal étaient en eux, ils ont pu créer le monde et engendrer les hommes où les deux principes sont mêlés et toujours en bataille, et où le Mal dirige, puisque c'est l'élément du peuple d'origine. Et l'on voit bien qu'il y a deux principes puisqu'il y a l'homme et la femme, faits comme toi et comme moi, de manière diverse, poursuivait-elle avec un sourire avide. Et c'est le Mal qui chatouille nos ventres et les pousse à se joindre... Or, les gens dans lesquels la nature du Mal est plus forte que la nature du Bien doivent honorer Satan et faire pacte avec lui pour être heureux et triompher en leurs affaires ; et ils ne doivent rien faire pour le Seigneur du Bien qui leur est adverse. »

Cette étrange philosophie, qui puait fortement le soufre, et où traînaient des bribes mal digérées de manichéisme, d'impurs éléments de doctrines cathares, mal transmis et mal compris, avait plus d'adeptes que les gens au pouvoir ne le croyaient. Béatrice ne représentait pas un cas isolé ; mais pour Robert, dont l'esprit n'avait jamais effleuré ce genre de problème, elle entrouvrait les portes d'un monde mystérieux ; il était surtout fort admiratif d'entendre de tels raisonnements dans la bouche d'une femme.

« Tu as plus de cervelle que je n'aurais cru. Qui donc t'a appris tout cela ?

— D'anciens Templiers, répondit-elle.

— Ah ! les Templiers ! Certes, ils connaissaient beaucoup de choses...

— Vous les avez détruits.

— Pas moi, pas moi ! s'écria Robert. Philippe le Bel et Enguerrand, les amis de Mahaut... Mais Charles de Valois et moi-même nous étions opposés à leur destruction.

— Ils sont restés puissants par magie ; tous les maux survenus depuis lors au royaume sont arrivés à cause du pacte que les Templiers ont fait avec Satan, parce que le pape les avait condamnés.

— Les malheurs du royaume, les malheurs du royaume..., disait Robert peu convaincu. Certains ne sont-ils pas l'œuvre de ma tante plutôt que celle du Diable ? Car c'est elle qui a expédié mon cousin

Hutin, et son fils ensuite. N'y aurais-tu pas mis un peu la main ? »

Il revenait souvent sur cette question, mais, chaque fois, Béatrice esquivait. Ou bien elle souriait, vaguement, comme si elle n'avait pas entendu ; ou bien elle répondait à côté.

« Mahaut ne sait pas... elle ne sait pas que j'ai fait pacte avec le Diable... Sûrement elle me chasserait... »

Et elle repartait aussitôt d'un débit rapide sur ses sujets favoris, sur la messe vaine, l'opposé, la négation de la messe chrétienne, qu'on devait célébrer à minuit, dans un souterrain, et près d'un cimetière de préférence. L'idole avait une tête à deux visages ; on se servait d'hosties noires que l'on consacrait en prononçant trois fois le nom de Belzébuth. Si l'officiant pouvait être un prêtre renégat, ou un moine défroqué, cela n'en valait que mieux.

« Le Dieu d'en haut est failli ; il a promis la félicité et ne donne que malheur aux créatures qui le servent ; il faut obéir au dieu d'en bas. Tiens, Monseigneur, si tu veux que les pièces de ton procès soient renforcées par le Diable, fais-les traverser d'un fer rouge dans le coin de la feuille, et qu'il y demeure un trou marqué d'un peu de brûlure. Ou bien encore, souille la page d'une petite tache d'encre étalée en forme de croix où la branche du haut finisse comme une main... Je sais comment il faut faire. »

Mais Robert, lui non plus, ne se livrait pas tout à fait ; et bien que Béatrice dût être la première à savoir que les pièces qu'il se targuait de posséder étaient des faux, jamais il ne se serait laissé aller à en convenir.

« Si tu veux prendre tout pouvoir sur un ennemi et qu'il agisse à sa perte par volonté maligne, lui confia-t-elle un jour, il faut que tu le fasses frotter aux aisselles, au revers des oreilles et à la plante des pieds d'un onguent fait de fragments d'hosties et de poudre d'os d'un petit enfant sans baptême, cela mêlé à du rut d'homme répandu sur le dos d'une femme pendant la messe vaine, et du sang mensuel de cette femme[14]...

— Je serais plus sûr, répondit Robert, si, à une bonne ennemie que j'ai, on versait la poudre à faire mourir les rats et les bêtes puantes... »

Béatrice feignit de ne pas réagir. Mais l'idée lui fit passer des ondes chaudes sous la peau. Non, il ne fallait pas qu'elle répondît tout de suite à Robert. Il ne fallait pas qu'il sût qu'elle était déjà consentante... Est-il meilleur pacte qu'un crime pour lier à jamais deux amants ?

Car elle l'aimait. Elle ne se rendait pas compte que, cherchant à le piéger, c'était elle qui entrait en dépendance. Elle ne vivait plus que pour le moment où elle le rejoignait, pour ne vivre ensuite que de se souvenir et à nouveau d'attendre. Attendre ce poids de deux cents livres, et cette odeur de ménagerie que Robert dégageait, surtout dans l'ébat amoureux, et ce grondement de félin qu'elle lui tirait de la gorge.

Il existe plus de femmes qu'on ne pense qui ont le goût du monstre. Les nains de la cour, Jean le Fol et les autres, le savaient bien qui ne pouvaient suffire à leurs conquêtes ! Même une anomalie accidentelle est objet de curiosité et, partant, de désir. Un chevalier borgne par exemple, rien que pour l'envie de soulever le carreau d'étoffe noire qui lui couvre une partie du visage. Robert, à sa manière, tenait du monstre.

La pluie d'automne s'égouttait sur les toits. Les doigts de Béatrice s'amusaient à suivre les renflements d'une panse gigantesque.

« D'abord toi, Monseigneur, disait-elle, tu n'as besoin de rien pour obtenir ce que tu veux, ni besoin d'être instruit d'aucune science... Tu es le Diable lui-même. Le Diable ne sait pas qu'il est le Diable... »

Il rêvassait, repu, le menton en l'air, écoutant cela...

Le Diable a des yeux qui brûlent comme la braise, d'immenses griffes au bout des doigts pour lacérer les chairs, une langue partagée en deux, et un souffle

de fournaise s'échappe de sa bouche. Mais le Diable
pouvait avoir aussi le poids et l'odeur de Robert. Elle
était amoureuse de Satan. Elle était la femelle du
Diable et on ne l'en séparerait jamais...

Un soir que Robert d'Artois, venant de la maison
Bonnefille, rentrait à son hôtel, sa femme lui présenta le fameux traité de mariage, enfin rédigé, et
auquel il ne manquait plus que les sceaux.

Robert, l'ayant examiné, s'approcha de la cheminée, et, d'un geste négligent, mit le tisonnier dans les
braises ; puis, quand la pointe fut rouge, il en troua
le coin d'une des feuilles qui se mit à grésiller.

« Que faites-vous, mon ami ? demanda Madame
de Beaumont.

— Je veux seulement, dit Robert, m'assurer que
c'est du bon vélin. »

Jeanne de Beaumont considéra un instant son
mari, puis lui dit doucement, presque maternelle :

« Vous devriez bien, Robert, vous faire couper les
ongles... Quelle est cette mode neuve que vous avez
de les porter si longs ? »

VIII

RETOUR À MAUBUISSON

Il arrive que toute une machination longuement ourdie soit compromise dès l'origine par une faille de raisonnement.

Robert s'aperçut soudain que les catapultes qu'il avait si bien montées pouvaient se casser au moment de tirer, faute de sa part d'avoir songé à un ressort premier.

Il avait certifié au roi son beau-frère, et juré solennellement sur les Ecritures, que ses titres d'héritage existaient ; il avait fait établir des lettres aussi semblables que possible aux documents disparus ; il avait provoqué de nombreux témoignages pour étayer la validité de ces écrits. Toutes les chances semblaient donc rassemblées pour que ses preuves fussent agréées sans discussion.

Mais il existait une personne qui savait, elle, indubitablement, que les actes étaient faux : Mahaut d'Artois, puisqu'elle avait brûlé les vrais actes, ceux d'abord des registres de Paris, dérobés quelque vingt ans plus tôt grâce à des complaisances dans l'entourage de Philippe le Bel, et puis, tout récemment, les copies récupérées dans le coffre de Thierry d'Hirson.

Or, si un faux peut passer pour authentique aux yeux des gens favorablement prévenus et qui n'ont jamais eu connaissance des originaux, il n'en va pas de même pour qui est averti de la falsification.

Certes, Mahaut n'irait pas déclarer : « Ces pièces sont mensongères parce que j'ai jeté au feu les bonnes » ; mais, sachant les pièces frauduleuses, elle allait tout mettre en œuvre pour le démontrer ; on pouvait sur ce point lui faire confiance ! L'arrestation des mesquines de la Divion constituait une alerte probante. Trop de personnes déjà avaient participé à la fabrication pour qu'il ne s'en trouvât pas quelqu'une capable de trahir par peur, ou par appât du gain.

Si une erreur s'était glissée, comme le malheureux « 1322 » à la place de « 1302 » dans la lettre lue à Reuilly, Mahaut ne manquerait pas de la déceler. Les sceaux pouvaient sembler parfaits mais Mahaut en exigerait le contre-examen minutieux. Et puis, le feu comte Robert II avait, comme tous les princes, l'habitude de faire mentionner dans ses actes officiels le nom du clerc qui les avait écrits. Evidemment, pour les fausses lettres, on s'était gardé de cette précision. Or, telle omission sur une seule pièce pouvait passer, mais sur quatre qu'on allait présenter ? Mahaut aurait beau jeu à faire ouvrir les registres d'Artois : « Comparez, dirait-elle, et parmi toutes les lettres scellées par mon père, cherchez donc la main d'un de ses clercs qui ressemble à ces écritures-là ! »

Robert en était venu à la conclusion que ses pièces, qui avaient en son esprit valeur de vérité, ne pouvaient être utilisées que lorsque la personne qui avait fait disparaître les originaux aurait elle-même disparu. Autrement dit, son procès n'était gagné qu'à la condition que Mahaut fût morte. Ce n'était plus un souhait mais une nécessité.

« Si Mahaut venait à trépasser, dit-il un jour à Béatrice d'un air songeur, les deux mains sous la tête et regardant le plafond de la maison Bonnefille... oui, si elle trépassait, je pourrais fort bien te faire entrer en mon hôtel comme dame de parage de mon épouse... Puisque je recueillerais l'héritage d'Artois, on comprendrait que je reprenne certaines gens de la maison de ma tante. Et ainsi je pourrais t'avoir toujours auprès de moi... »

L'hameçon était gros, mais lancé vers un poisson qui avait la bouche ouverte.

Béatrice n'entretenait pas de plus douce espérance. Elle se voyait habitant l'hôtel de Robert, y tramant ses intrigues, maîtresse d'abord secrète, puis avouée, car ce sont là choses que le temps installe... Et qui sait ? Mme de Beaumont, comme toute créature humaine, n'était pas éternelle. Certes, elle avait sept ans de moins que Béatrice et jouissait d'une santé qui semblait excellente ; mais quel triomphe, justement, pour une femme plus âgée, de supplanter une cadette ! Est-ce qu'un envoûtement bien accompli ne pourrait pas d'ici quelques années, faire de Robert un veuf ? L'amour ôte tout frein à la raison, toute limite à l'imagination. Béatrice se rêvait par moments comtesse d'Artois, en manteau de pairesse...

Et si le roi, comme cela pouvait aussi survenir, trépassait, et que Robert devînt régent ? En chaque siècle, il existe des femmes petitement nées qui se haussent ainsi jusqu'au premier rang, par le désir qu'elles inspirent à un prince, et parce qu'elles ont des grâces de corps et une habileté de tête qui les rendent supérieures, par droit naturel, à toutes les autres. Les dames empérières de Rome et de Constantinople, à ce que racontaient les romans des ménestrels, n'étaient pas toutes nées sur les marches d'un trône. Dans la société des puissants de ce monde, c'est allongée qu'une femme s'élève le plus vite...

Béatrice mit, pour se laisser ferrer, juste le temps nécessaire à bien s'assurer prise sur celui qui la voulait prendre. Il fallut que Robert, pour la convaincre, s'engageât assez, et qu'il lui eût dix fois certifié qu'elle entrerait à l'hôtel d'Artois, et les titres et prérogatives dont elle jouirait, et quelle terre lui serait donnée... Oui, alors, peut-être, elle pouvait indiquer un envoûtement qui, par image de cire bien travaillée,

aiguilles plantées et conjurations prononcées, ferait
œuvre nocive sur Mahaut. Mais encore Béatrice feignait d'être traversée d'hésitations, de scrupules ;
Mahaut n'était-elle pas sa bienfaitrice et celle de
toute la famille d'Hirson ?

Agrafes d'or et fermaux de pierreries bientôt
s'accrochèrent au cou de Béatrice ; Robert apprenait
les usages galants. Caressant de la main le bijou
qu'elle venait de recevoir, Béatrice disait que, si l'on
voulait que l'envoûte réussît, le plus sûr et le plus
rapide moyen consistait à prendre un enfant de
moins de cinq ans auquel on faisait avaler une hostie blanche, puis de trancher la tête de l'enfant et d'en
égoutter le sang sur une hostie noire que l'on devait
ensuite, par quelque subterfuge, faire manger à
l'envoûté. Un enfant de moins de cinq ans, cela
requérait-il grand-peine à trouver ? Combien de
familles pauvres, surchargées de marmaille, eussent
consenti à en vendre un !

Robert faisait la grimace ; trop de complications
pour un résultat bien incertain. Il préférait un bon
poison, bien simple, qu'on administre et qui fait son
œuvre.

Béatrice enfin sembla se laisser fléchir, par dévouement à ce diable qu'elle adorait, par impatience de
vivre auprès de lui, à l'hôtel d'Artois, par espérance
de le voir plusieurs fois le jour. Pour lui, elle serait
capable de tout... Elle s'était déjà, depuis une
semaine, procuré telle provision d'arsenic blanc
qu'elle eût pu exterminer le quartier, lorsque Robert
crut triompher en lui faisant accepter cinquante
livres pour en acquérir.

Il fallait maintenant attendre une occasion favorable. Béatrice représentait à Robert que Mahaut
était entourée de physiciens qui accouraient au
moindre malaise de Madame ; les cuisines étaient
surveillées, les échansons diligents... L'entreprise
n'était pas facile.

Et puis, soudain, Robert changea d'avis. Il avait eu
un long entretien avec le roi. Philippe VI, au vu du

rapport des commissaires qui avaient si bien travaillé sous la direction du plaignant et plus que
jamais convaincu du bon droit de son beau-frère, ne
demandait qu'à servir ce dernier. Afin d'éviter un procès d'une conclusion si certaine, mais dont le reten-
tissement ne pouvait être que déplaisant pour la cour
et tout le royaume, il avait résolu de convoquer
Mahaut et de la convaincre de renoncer à l'Artois.

« Elle n'acceptera jamais, dit Béatrice, et tu le sais
aussi bien que moi, Monseigneur...

— Essayons toujours. Si le roi parvenait à lui faire
entendre raison, ne serait-ce pas la meilleure issue ?

— Non... la meilleure issue c'est le poison. »

Car l'éventualité d'un règlement amiable n'arran-
geait nullement les affaires de Béatrice ; son entrée
à l'hôtel de Robert se trouvait reculée. Béatrice
devrait rester dame de parage de la comtesse jusqu'à
ce que celle-ci s'éteignît, Dieu savait quand ! C'était
elle à présent qui voulait presser les choses ; les obstacles, les difficultés par elle-même soulevées, ne
l'effrayaient plus. L'occasion favorable ? Elle en avait
plusieurs chaque jour, ne fût-ce que lorsqu'elle portait à la comtesse Mahaut ses tisanes ou ses méde-
cines.

« Mais puisque le roi la convie dans trois jours à
Maubuisson ? » insistait Robert.

Les deux amants en convinrent de la sorte : ou
bien Mahaut acceptait la proposition royale de se
démettre de l'Artois, et alors on lui laisserait la vie ;
ou bien elle refusait et, dans ce cas, le jour même
Béatrice lui administrerait le poison. Quelle
meilleure opportunité pouvait-on saisir ? Mahaut
prise de malaise en sortant de la table du roi ! Qui
donc oserait soupçonner ce dernier de l'avoir fait
assassiner, ou même le soupçonnant, oserait le dire ?

Philippe VI avait proposé à Robert d'être présent
à l'entrevue de conciliation ; mais Robert refusa.

« Sire mon frère, vos paroles auront plus d'effet si
je ne suis point là ; Mahaut me hait beaucoup, et ma

vue risquerait de l'entêter plutôt que de l'encourager
à se soumettre. »

Il pensait cela sérieusement, mais en outre il voulait, par son absence, se dérober à toute éventuelle
accusation.

Trois jours plus tard, le 23 octobre, la comtesse
Mahaut, cahotée dans sa grande litière toute dorée
et décorée des armes d'Artois, avançait sur la route
de Pontoise. Son seul enfant survivant, la reine
Jeanne, veuve de Philippe le Long, était du voyage.
Béatrice se tenait en face de sa maîtresse sur un
tabouret de tapisserie.

« Que croyez-vous, Madame... que le roi vous
veuille proposer ? disait Béatrice. Si c'est un accommodement... souffrez que je vous donne mon
conseil... je vous engage à refuser. Je vous aurai avant
peu toutes bonnes preuves contre Mgr Robert. La
Division est prête, cette fois, à nous livrer de quoi le
confondre.

— Que ne l'amènes-tu un peu, cette Division qui
t'est devenue si familière et que je ne vois jamais ?
dit Mahaut.

— Cela ne se peut, Madame... elle craint pour sa
vie. Si Mgr Robert l'apprenait, elle n'entendrait pas
messe le matin suivant. Moi-même elle ne me vient
visiter que de nuit à la maison Bonnefille... et toujours escortée de plusieurs valets qui la gardent.
Mais refusez fortement, Madame, refusez ! »

Jeanne la Veuve, en robe blanche, regardait défi-
ler le paysage et se taisait. Ce fut seulement quand
les toits aigus de Maubuisson apparurent au loin,
par-dessus les masses rousses de la forêt, qu'elle
ouvrit la bouche pour dire :

« Vous rappelez-vous, ma mère, il y a quinze
ans... »

Il y avait quinze ans que, sur ce même chemin, en
robe de bure et la tête rasée, elle hurlait son innocence dans le chariot noir qui l'emmenait vers Dourdan. Un autre chariot noir emmenait sa sœur

Blanche et sa cousine Marguerite de Bourgogne vers Château-Gaillard. Quinze ans !

Elle avait été graciée, elle avait retrouvé la tendresse de son époux. Marguerite était morte. Louis X était mort... Jamais Jeanne n'avait posé de questions à Mahaut sur les conditions de la disparition de Louis Hutin et du petit Jean Ier... Et Philippe le Long était devenu roi, pour six ans, et il était mort à son tour. Il semblait à Jeanne qu'elle eût vécu trois vies distinctes ; la première se terminait, loin dans le passé, avec l'atroce journée de Maubuisson ; dans la seconde, elle était couronnée reine de France à Reims, auprès de Philippe ; et puis, dans sa troisième vie, elle devenait cette veuve, entourée d'égards mais éloignée du pouvoir, et assise en ce moment dans la grande litière. Trois vies ; et l'étrange impression d'avoir été trois personnes différentes qui avaient peine à concorder. Sa propre continuité, elle ne la ressentait que par la présence de cette mère imposante, autoritaire, qui l'avait toujours dominée, et à laquelle, depuis l'enfance, elle craignait d'adresser la parole.

Mahaut elle aussi se souvenait...

« Et toujours à cause de ce mauvais Robert, dit-elle ; c'est lui qui avait tout manégé avec cette chienne d'Isabelle dont on me dit que les affaires ne vont pas fort pour l'heure, non plus que celles du Mortimer dont elle est la putain. Ils seront tous châtiés un jour ! »

Chacune suivait sa propre pensée.

« A présent j'ai des cheveux... mais j'ai des rides, murmura la reine veuve.

— Tu auras l'Artois, ma fille », dit Mahaut en lui posant la main sur le genou.

Béatrice contemplait la campagne et souriait aux nuages.

Philippe VI reçut Mahaut courtoisement, mais non sans quelque hauteur, et parla comme il sied à un roi. Il voulait la paix entre ses grands barons ; les pairs, soutiens de la couronne, ne devaient point donner l'exemple de la discorde ni s'offrir au déshonneur public.

« Je ne veux point juger de ce qui s'est accompli sous les précédents règnes, dit Philippe comme s'il jetait un voile d'indulgence sur les agissements anciens de Mahaut. C'est sur l'état présent que je veux statuer. Mes commissaires ont achevé leur besogne ; les témoignages, ma cousine, ne vous sont guère favorables, je ne vous le peux celer. Robert va produire ses pièces...

— Témoignages payés et travaux de faussaires... », grommela Mahaut.

Le repas eut lieu dans la grande salle, celle-là même où autrefois Philippe le Bel avait jugé ses trois brus. « Tout le monde doit y penser », se disait la reine Jeanne la Veuve ; et elle en avait l'appétit coupé. Or, à l'exception de sa mère et d'elle-même, personne ne songeait plus à cet événement lointain dont presque tous les témoins avaient disparu. Tout à l'heure, peut-être, à l'issue du dîner, un vieil écuyer dirait à un autre :

« Vous rappelez-vous, messire, nous étions là, quand Madame Jeanne monta dans le chariot... et voilà qu'elle revient en reine douairière... »

Et le souvenir s'effacerait aussitôt qu'évoqué.

C'est une erreur commune à tous les humains que de croire que leur prochain accorde à leur personne autant d'importance qu'ils lui en attachent eux-mêmes ; les autres, sauf s'ils ont un intérêt particulier à s'en souvenir, oublient vite ce qui nous est arrivé ; et si même ils n'ont pas oublié, leur souvenir ne revêt pas la gravité que nous imaginons.

En un autre lieu peut-être, Mahaut se fût montrée plus accessible aux propositions de Philippe VI. Monarque qui se voulait arbitre, il cherchait l'accommodement. Mais Mahaut, parce qu'elle était à Maubuisson, et que toutes ses haines s'en trouvaient ravivées, ne se sentait pas en humeur de céder. Elle ferait condamner Robert comme faussaire, elle prouverait qu'il était parjure, c'était là son unique pensée.

Obligée de mesurer ses paroles, elle mangeait énormément, par compensation, engloutissant tout ce qu'on lui présentait au plat, et vidant son hanap aussitôt que rempli. La colère autant que le vin lui empourprait le visage. Le roi n'était-il pas en train de lui conseiller, tout bonnement, d'abandonner son comté à Robert, celui-ci s'engageant à verser à sa tante quarante mille livres l'an ?

« Je me fais fort, disait Philippe, d'obtenir là-dessus l'agrément de votre neveu. »

Mahaut pensa : « Si Robert en est à me faire proposer cela par son beau-frère, c'est donc bien qu'il n'est pas très assuré de ses titres et qu'il préfère payer une rente de quarante mille livres l'année plutôt que de montrer ses fausses pièces ! »

« Je refuse, Sire mon cousin, dit-elle, de me dépouiller ainsi ; comme l'Artois m'appartient, votre justice me le conservera. »

Philippe VI la regarda par-dessus son grand nez. Cette obstination à refuser était peut-être dictée à Mahaut par un souci d'orgueil, ou bien par la crainte, en cédant, d'accréditer les accusations... Philippe suggéra une autre solution : Mahaut gardait son comté, ses titres et droits, sa couronne de pair, pour toute sa vie durant, et elle instituait par-devant le roi, en un acte ratifié par les pairs, son neveu Robert comme héritier de l'Artois. Honnêtement, elle n'avait aucune raison de s'opposer à cet arrangement ; son seul fils lui avait été tôt repris par Dieu ; sa fille ici présente était pourvue d'un douaire royal, et ses petites-filles mariées l'une à la Bourgogne, l'autre à la Flandre, la troisième au Viennois. Mahaut pouvait-elle souhaiter mieux ? Quant à l'Artois, il reviendrait un jour à son destinataire naturel.

« Car si votre frère, le comte Philippe, n'était pas mort avant votre père, pouvez-vous nier, ma cousine, que votre neveu, aujourd'hui, serait le tenant de la comté ? Ainsi pour tous deux l'honneur est sauf, et je donne au différend qui vous oppose un juste règlement. »

Mahaut serra les mâchoires et agita la tête en signe de dénégation.

Alors Philippe VI montra quelque irritation et fit hâter le service. Puisque Mahaut en usait ainsi, puisqu'elle lui faisait l'offense de repousser son arbitrage, elle irait au procès... à son gré !

« Je ne vous retiens point à loger, ma cousine, lui dit-il aussitôt les mains lavées ; je ne pense pas que le séjour en ma cour vous soit plaisant. »

C'était la disgrâce, et clairement signifiée.

Avant de reprendre la route, Mahaut alla verser quelques larmes sur la tombe de sa fille Blanche, dans la chapelle de l'abbaye. Elle-même, en ses volontés, avait décidé de se faire enterrer là[15].

« Ah ! Maubuisson, dit-elle, n'est pas une place qui nous aura porté chance. L'endroit ne vaut que pour y dormir morte. »

Tout le long du trajet, elle ne cessa d'exhaler sa colère.

« L'avez-vous entendu, ce grand niais que le mauvais sort nous a baillé pour roi ? Me défaire de l'Artois, tout aisément, à seule fin de lui complaire ! Instituer pour mon héritier ce gros puant de Robert ! Mais la main me sécherait au bout du bras plutôt que de sceller cela ! Faut-il qu'il y ait entre eux long marché de coquinerie et qu'ils se doivent beaucoup l'un à l'autre... Et dire que sans moi, si je n'avais pas si bien déblayé autrefois les avenues du trône...

— Ma mère... », murmura doucement Jeanne la Veuve.

Si elle avait osé exprimer sa pensée, si elle n'avait pas craint d'essuyer une terrible rebuffade, Jeanne eût conseillé à sa mère d'accepter les propositions du roi. Mais cela n'eût servi à rien.

« Jamais, répétait Mahaut, jamais ils n'obtiendront cela de moi. »

Elle venait, sans le savoir, de signer son arrêt de mort, et l'exécuteur était devant elle, dans la litière, qui la regardait à travers des cils noirs.

« Béatrice, dit soudain Mahaut, aide-moi un peu
à me délacer ; j'ai le ventre qui enfle. »

La rage lui avait dérangé la digestion. Il fallut arrêter la litière pour que Madame Mahaut allât se sou-
lager les entrailles dans le premier champ.

« Ce soir, Madame, dit Béatrice, je vous donnerai
de la pâte de coings. »

En arrivant à Paris dans la nuit, à l'hôtel de la rue
Mauconseil, Mahaut se sentait le cœur encore un
peu brouillé, mais elle allait mieux. Elle fit un repas
maigre et se coucha.

IX

LE SALAIRE DES CRIMES

Béatrice attendit que tous les serviteurs fussent endormis. Elle s'approcha du lit de Mahaut, souleva le rideau de tapisserie qu'on fermait pour la nuit. La veilleuse pendue au ciel de lit dispensait une faible lueur bleutée. Béatrice était en chemise et tenait une cuiller à la main.

« Madame, vous avez oublié de prendre votre pâte de coings... »

Mahaut, somnolente, et dont les sens luttaient entre la fureur et la fatigue, dit simplement :

« Ah oui... tu es une bonne fille d'y avoir pensé. »

Et elle avala le contenu de la cuiller.

Deux heures avant l'aurore, elle réveilla son monde à grands appels et fracas de sonnette. On la trouva vomissant au-dessus d'un bassin que Béatrice lui tendait.

Thomas le Miesier et Guillaume du Venat, ses physiciens, aussitôt appelés, se firent conter par le menu la journée de la veille et donner le détail de ce que la comtesse avait mangé ; ils conclurent sans peine à une forte indigestion accompagnée d'un flux de sang causé par le mécontentement.

On envoya chercher le barbier Thomas qui, pour les quinze sols habituels, saigna la comtesse, et la dame Mesgnière, l'herbière du Petit Pont, fournit un clystère aux herbes[16].

Béatrice prit prétexte d'aller chercher un électuaire chez maître Palin, l'épicier, pour s'échapper dans la soirée et rejoindre Robert à trois porches de chez Mahaut, dans la maison Bonnefille.

« C'est chose faite, lui dit-elle.

— Elle est morte ? s'écria Robert.

— Oh ! non... elle va souffrir longuement ! dit Béatrice avec un noir éclat dans le regard. Mais il faudra être prudents, Monseigneur, et nous voir moins souvent ces temps-ci. »

Mahaut mit un mois à mourir.

Béatrice, soir après soir, pincée après pincée, la poussait vers la tombe, et ceci d'autant plus impunément que Mahaut n'avait confiance qu'en elle et ne prenait les remèdes que de sa main.

Après les vomissements qui durèrent trois jours, elle fut atteinte d'un catarrhe de la gorge et des bronches ; elle n'avalait qu'avec une extrême douleur. Les physiciens déclarèrent qu'elle avait été saisie de froid pendant son indigestion. Puis, quand le pouls commença à faiblir, on pensa l'avoir trop saignée ; ensuite sa peau sur tout le corps se couvrit de boutons et de pustules.

Prévenante, attentive, toujours présente, et montrant cette humeur égale et souriante si précieuse aux malades, Béatrice se délectait à contempler les écœurants progrès de son œuvre. Elle n'allait presque plus retrouver Robert ; mais le souci de chercher chaque jour dans quel aliment ou quel remède elle glisserait le poison lui procurait un suffisant plaisir.

Lorsque Mahaut vit ses cheveux tomber, par touffes grises comme du foin mort, alors elle se sut perdue.

« On m'a enherbée, dit-elle tout angoissée à sa demoiselle de parage.

— Oh ! Madame, Madame, ne prononcez point ces mots. C'est chez le roi que vous avez fait votre dernier dîner, avant d'être malade.

— Eh ! c'est bien à cela que je pense », dit Mahaut.

Elle demeurait coléreuse, emportée, houspillant ses physiciens qu'elle accusait d'être des ânes. Elle ne donnait pas signe de se rapprocher de la religion, et accordait plus de souci aux affaires de son comté qu'à celles de son âme. Elle dicta une lettre à sa fille : « Si je venais à trépasser, je vous commande aussitôt de vous rendre auprès du roi et d'exiger de lui rendre l'hommage pour l'Artois avant que Robert ait rien pu tenter... »

Les maux qu'elle endurait ne lui faisaient nullement penser aux souffrances qu'elle avait naguère infligées à autrui ; elle restait jusqu'à la fin une âme égoïste et dure, où même l'approche de la mort ne faisait apparaître aucune ressource de repentir ni d'humaine compassion.

Il lui sembla toutefois nécessaire de se confesser d'avoir tué deux rois, ce qu'elle n'avait jamais avoué à ses confesseurs ordinaires. Elle choisit pour cela de faire appeler un franciscain obscur. Quand le moine sortit, tout pâle, de la chambre, il fut pris en charge par deux sergents qui avaient ordre de le conduire au château d'Hesdin. Les instructions de Mahaut furent mal comprises ; elle avait dit que le moine devait être gardé à Hesdin jusqu'à son trépas ; le gouverneur du château crut qu'il s'agissait du trépas du moine et on le jeta dans une oubliette. Ce fut le dernier crime, involontaire celui-là, de la comtesse Mahaut.

Enfin la malade fut saisie d'atroces crampes qui se manifestèrent d'abord aux orteils, puis dans les mollets ; puis ce furent les avant-bras qui se durcirent. La mort montait.

Le 27 novembre, des chevaucheurs partirent, vers le couvent de Poissy où résidait alors la reine Jeanne la Veuve, vers Bruges, pour prévenir le comte de Flandre, et trois à la suite, dans le cours de la journée, pour Saint-Germain où séjournait le roi en compagnie de Robert d'Artois. Chacun des chevaucheurs dirigés vers Saint-Germain semblait à Béatrice le porteur d'un message d'amour adressé à Robert : la comtesse Mahaut avait reçu les sacrements, la comtesse ne pouvait plus parler, la comtesse était au bord de trépasser...

Profitant d'un moment où elle se trouvait seule auprès de l'agonisante, Béatrice se pencha vers la tête chauve, vers la face pustuleuse qui ne paraissait plus vivre que par les yeux, et prononça très doucement :

« Vous avez été empoisonnée, Madame... par moi... et pour l'amour que j'ai de Mgr Robert. »

La mourante eut un regard d'incrédulité d'abord, puis de haine ; en cet être d'où l'existence fuyait, le dernier sentiment fut le désir de tuer. Oh ! non, elle n'avait à regretter aucun de ses actes ; elle avait eu bien raison d'être méchante puisque le monde n'est peuplé que de méchants ! La pensée qu'elle recevait là, à l'ultime minute, le salaire de ses crimes, ne l'effleura même pas. C'était une âme sans rachat.

Quand sa fille arriva de Poissy, Mahaut lui désigna Béatrice d'un doigt raide et froid qui ne pouvait presque plus bouger ; sa lèvre se contracta ; mais sa voix ne put sortir, et elle rendit la vie dans cet effort.

Aux obsèques qui eurent lieu le 30 novembre, à Maubuisson, Robert eut un maintien pensif et sombre qui surprit. Sa manière eût été davantage d'afficher un air de triomphe. Pourtant son attitude n'était pas feinte. A perdre un ennemi contre lequel on s'est battu vingt ans, on éprouve une sorte de dépouillement. La haine est un lien très fort qui laisse, en se rompant, quelque mélancolie.

Obéissant aux dernières volontés de sa mère, la reine Jeanne la Veuve, dès le lendemain, demandait à Philippe VI que le gouvernement de l'Artois lui fût remis. Avant de répondre, Philippe VI tint à s'en expliquer très franchement avec Robert :

« Je ne puis faire autrement que de déférer à la requête de ta cousine Jeanne, puisque d'après les traités et jugements elle est l'héritière légitime. Mais c'est un consentement de pure forme que je vais donner, et provisoire, jusqu'à ce que nous parvenions à un règlement ou bien que le procès ait lieu... Je t'engage à m'adresser au plus tôt ta propre requête. »

Ce que Robert s'empressa de faire, par une lettre ainsi rédigée : « *Mon très cher et redouté Seigneur, comme je, Robert d'Artois, votre humble comte de Beaumont, ai été longtemps déshérité contre droits et contre toute raison, par plusieurs malices, fraudes et cautèles, de la comté d'Artois, laquelle m'appartient et doit m'appartenir par plusieurs causes bonnes, justes, de nouveau venues à ma connaissance, ainsi vous requiers humblement qu'en mon droit vous me vouliez ouïr...* »

La première fois que Robert revint à la maison Bonnefille, Béatrice crut lui servir un plat de choix en lui faisant le récit, heure par heure, des derniers moments de Mahaut. Il écouta, mais sans témoigner aucun plaisir.

« On dirait que tu la regrettes, dit-elle.

— Non point, non point, répondit Robert, pensivement, elle a bien payé... »

Son esprit était déjà tourné vers le prochain obstacle.

« A présent je puis être dame de parage chez toi. Quand vais-je entrer en ton hôtel ?

— Quand j'aurai l'Artois, répondit Robert. Fais en sorte de rester auprès de la fille de Mahaut ; c'est elle, maintenant, qu'il me faut écarter de ma route. »

Lorsque Madame Jeanne la Veuve, retrouvant un goût des honneurs qu'elle n'avait plus éprouvé depuis la mort de son époux Philippe le Long, et libérée, enfin, à trente-sept ans, de l'étouffante tutelle maternelle, se déplaça en grand appareil pour aller prendre possession de l'Artois, elle fit halte à Roye-en-Vermandois. Là, elle eut envie de boire un gobelet de vin claret. Béatrice d'Hirson dépêcha l'échanson Huppin à en querir. Huppin était plus attentif aux yeux de Béatrice qu'aux devoirs de son service ; depuis quatre semaines il languissait d'amour. Ce fut Béatrice qui apporta le gobelet. Comme elle était cette fois pressée d'en finir, elle n'usa pas d'arsenic mais de sel de mercure.

Et le voyage de Madame Jeanne s'arrêta là.

Ceux qui assistèrent à l'agonie de la reine veuve racontèrent que le mal la saisit vers le milieu de la nuit, que le venin lui coulait par les yeux, la bouche et le nez, et que son corps devint tout taché de blanc et de noir. Elle ne résista pas deux jours, n'ayant survécu que deux mois à sa mère.

Alors la duchesse de Bourgogne, petite-fille de Mahaut, réclama la comté d'Artois.

TROISIÈME PARTIE

LES DÉCHÉANCES

I

LE COMPLOT DU FANTÔME

Le moine avait déclaré s'appeler Thomas Dienhead. Il avait le front bas sous une maigre couronne de cheveux couleur de bière, et tenait les mains cachées dans ses manches. Sa robe de frère prêcheur était d'un blanc douteux. Il regardait à droite et à gauche et avait demandé par trois fois si « my Lord » était seul, et si aucune autre oreille ne risquait d'entendre.

« Mais oui, parlez donc, dit le comte de Kent du fond de son siège, en agitant la jambe avec un rien d'impatience ennuyée.

— My Lord, notre bon Sire le roi Edouard le Second est toujours vivant. »

Edmond de Kent n'eut pas le sursaut qu'on aurait pu attendre, d'abord parce qu'il n'était pas homme à faire montre volontiers de ses émotions, et aussi parce que cette stupéfiante nouvelle lui avait déjà été portée, quelques jours plus tôt, par un autre émissaire.

« Le roi Edouard est tenu secrètement au château de Corfe, reprit le moine ; je l'ai vu et viens vous en fournir témoignage. »

Le comte de Kent se leva, enjamba son lévrier et s'approcha de la fenêtre à petites vitres et croisillons de plomb par laquelle il observa un moment le ciel gris au-dessus de son manoir de Kensington.

Kent avait vingt-neuf ans ; il n'était plus le mince jeune homme qui avait commandé la défense anglaise pendant la désastreuse guerre de Guyenne, en 1324, et dû, faute de troupes, se rendre, dans La Réole assiégée, à son oncle Charles de Valois. Mais bien qu'un peu épaissi, il gardait toujours la même blonde pâleur et la même nonchalance distante qui cachait plus de tendance au songe qu'à la véritable méditation.

Il n'avait jamais entendu chose plus étonnante ! Ainsi son demi-frère Edouard II dont le décès avait été annoncé trois ans plus tôt, qui avait sa tombe à Gloucester — et dont on n'hésitait plus maintenant, dans le royaume, à nommer les assassins — aurait encore été de ce monde ? La détention au château de Berkeley, le meurtre atroce, la lettre de l'évêque Orleton, la culpabilité conjointe de la reine Isabelle, de Mortimer et du sénéchal Maltravers, enfin l'inhumation à la sauvette, tout cela n'aurait été qu'une fable, montée par ceux qui avaient intérêt à ce qu'on crût l'ancien roi décédé, et grossie ensuite par l'imagination populaire ?

Pour la seconde fois, en moins de quinze jours, on venait lui faire cette révélation. La première fois, il avait refusé d'y croire. Mais maintenant il commençait d'être ébranlé.

« Si la nouvelle est vraie, elle peut changer bien des choses au royaume », dit-il sans précisément s'adresser au moine.

Car depuis trois ans l'Angleterre avait eu le temps de s'éveiller de ses rêves. Où étaient la liberté, la justice, la prospérité, dont on avait imaginé qu'elles s'attachaient aux pas de la reine Isabelle et du glorieux Lord Mortimer ? De la confiance qu'on leur avait acordée, des espérances qu'on avait mises en eux, il ne restait rien que le souvenir d'une vaste illusion déçue.

Pourquoi avoir chassé, destitué, emprisonné et — du moins le croyait-on jusqu'à ce jour — laissé assassiner le faible Edouard II soumis à d'odieux favoris, si c'était pour qu'il fût remplacé par un roi mineur, plus faible encore, et dépouillé de tout pouvoir par l'amant de sa mère ?

Pourquoi avoir décapité le comte d'Arundel, assommé le chancelier Baldock, coupé en quatre morceaux Hugh Le Despenser, quand à présent Lord Mortimer gouvernait avec le même arbitraire, pressurait le pays avec la même avidité, insultait, opprimait, terrifiait, ne supportait aucune discussion de son autorité ?

Au moins, Hugh Le Despenser, créature vicieuse et cupide, présentait-il quelques faiblesses sur lesquelles on pouvait agir. Il lui arrivait de céder à la peur ou à l'attrait de l'argent. Roger Mortimer, lui, était un baron inflexible et violent. La Louve de France, comme on appelait la reine mère, avait pour amant un loup.

Le pouvoir corrompt rapidement ceux qui s'en saisissent sans y être poussés, avant tout, par le souci du bien public.

Brave, héroïque même, célèbre pour une évasion sans exemple, Mortimer avait, dans ses années d'exil, incarné les aspirations d'un peuple malheureux. On se rappelait qu'il avait autrefois conquis le royaume d'Irlande pour la couronne anglaise ; on oubliait qu'il s'y était fait la main.

Jamais, en vérité, Mortimer n'avait pensé à la nation dans son ensemble, ni aux besoins de son peuple. Il ne s'était fait le champion de la cause publique qu'autant que cette cause se trouvait confondue pour un moment avec la sienne propre. Il n'incarnait, en vérité, que les griefs d'une certaine fraction de la noblesse. Devenu le maître, il se comportait comme si l'Angleterre tout entière fût passée à son service.

Et d'abord il s'était approprié presque le quart du royaume en devenant comte des Marches, titre et fief qu'il avait fait créer pour lui. Au bras de la reine mère, il menait train de roi, et en usait avec le jeune

Edouard III comme si celui-ci eût été non pas son suzerain mais son héritier.

Lorsque, en octobre 1328, Mortimer avait exigé du Parlement, réuni à Salisbury, la confirmation de son élévation à la pairie, Henri de Lancastre au Tors-Col, doyen de la famille royale, s'était abstenu de siéger. Au cours de la même session, Mortimer avait fait pénétrer ses troupes en armes dans l'enceinte du Parlement, pour mieux appuyer ses volontés. Ce genre de contrainte ne fut jamais du goût des assemblées.

Presque fatalement, la même coalition formée naguère pour abattre les Despenser s'était reconstituée autour des mêmes princes du sang, autour d'Henri Tors-Col, autour des comtes de Norfolk et de Kent, oncles du jeune roi.

Deux mois après l'affaire de Salisbury, Tors-Col, profitant d'une absence de Mortimer et d'Isabelle, réunissait secrètement à Londres, dans l'église Saint-Paul, de nombreux évêques et barons, afin d'organiser un soulèvement armé. Or Mortimer entretenait des espions partout. Avant même que la coalition se fût équipée, il venait ravager avec ses propres troupes la ville de Leicester, premier fief des Lancastre. Henri voulait continuer la lutte ; mais Kent, jugeant l'affaire mal engagée, se dérobait alors, peu glorieusement.

Si Lancastre s'était tiré de ce mauvais pas sans autre dommage qu'une amende, d'ailleurs impayée, de onze mille livres, il le devait à ceci qu'il était premier membre du Conseil de régence et tuteur du roi, et que, par une logique absurde, Mortimer avait besoin de maintenir la fiction juridique de cette tutelle afin de pouvoir faire légalement condamner, pour révolte contre le roi, des adversaires tels que Lancastre lui-même !

Ce dernier avait été envoyé en France, sous le prétexte de négocier le mariage de la sœur du jeune roi avec le fils aîné de Philippe VI. Cet éloignement était une prudente disgrâce ; sa mission durerait longtemps.

Tors-Col absent, Kent se trouvait du coup, et presque malgré lui, le chef des mécontents. Tout refluait vers sa personne ; et lui-même cherchait à effacer sa défection de l'année précédente. Non, ce n'était pas la lâcheté qui l'avait détourné d'agir...

Il pensait à toutes ces choses, confusément, devant la fenêtre de son château de Kensington. Le moine se tenait toujours immobile, les mains dans les manches. Qu'il fût un frère prêcheur, tout comme le premier messager qui lui avait déjà certifié qu'Edouard II n'était pas mort, donnait également à réfléchir au comte de Kent, et l'inclinait à prendre la nouvelle au sérieux, car l'ordre des dominicains était réputé hostile à Mortimer. Or, l'information, si elle était véridique, faisait tomber toutes les présomptions de régicide qui pesaient sur Isabelle et Mortimer. En revanche, elle modifiait complètement la situation du royaume.

Car maintenant le peuple regrettait Edouard II et, passant d'un extrême à l'autre, n'était pas loin d'élever au martyre ce prince dissolu. Si Edouard II vivait encore, le Parlement pourrait fort bien revenir sur ses actes passés, en déclarant qu'ils lui avaient été imposés, et restaurer l'ancien souverain.

Quelles preuves, après tout, possédait-on de sa mort ? Le témoignage des habitants de Berkeley défilant devant la dépouille ? Mais combien d'entre eux avaient-ils vu Edouard II auparavant ? Qui pouvait affirmer qu'on ne leur avait pas montré un autre corps ?... Nul membre de la famille royale ne se trouvait présent aux obsèques mystérieuses en l'abbatiale de Gloucester ; en outre, c'était un cadavre vieux d'un mois, dans une caisse couverte d'un drap noir, qu'on avait descendu au tombeau.

« Et vous dites, frère Dienhead, l'avoir véritablement vu, de vos yeux ? » demanda Kent en se retournant.

Thomas Dienhead regarda de nouveau autour de lui, comme un bon conspirateur, et répondit à voix basse :

« C'est le prieur de notre ordre qui m'a envoyé là-bas ; j'ai gagné la confiance du chapelain qui, pour me permettre l'entrée, m'a obligé de revêtir des habits laïques. Tout un jour je suis resté caché dans un petit bâtiment, à gauche du corps de garde ; au soir on m'a fait pénétrer dans la grand-salle, et là j'ai bien vu le roi attablé, entouré d'un service d'honneur.

— Lui avez-vous parlé ?

— On ne m'a pas laissé l'approcher, dit le frère ; mais le chapelain me l'a montré, de derrière un pilier, et il m'a dit : "C'est lui." »

Kent demeura un moment silencieux, puis demanda :

« Si j'ai besoin de vous, puis-je vous faire querir au couvent des frères prêcheurs ?

— Non point, my Lord, car mon prieur m'a conseillé de ne pas demeurer au couvent, pour le moment. »

Et il donna son adresse, dans Londres, chez un clerc du quartier Saint-Paul.

Kent ouvrit son aumônière et lui tendit trois pièces d'or. Le frère refusa ; il n'avait le droit d'accepter aucun présent.

« Pour les aumônes de votre ordre », dit le comte de Kent.

Alors le frère Dienhead sortit une main de ses manches, s'inclina très bas, et se retira.

Le jour même, Edmond de Kent décidait d'avertir les deux principaux prélats naguère affiliés à la conjuration manquée, Graveson, l'évêque de Londres, et l'archevêque d'York, William de Melton, celui-là même qui avait marié Edouard III et Philippa de Hainaut.

« On m'affirme par deux fois et de sources qui paraissent sûres... », leur écrivait-il.

Les réponses ne se firent pas attendre. Graveson garantissait son appui au comte de Kent en toute action que celui-ci voudrait mener ; quant à l'archevêque d'York, primat d'Angleterre, il envoya son propre chapelain, Allyn, porter promesse de fournir cinq cents hommes d'armes, et même davantage s'il était nécessaire, pour la délivrance de l'ancien roi.

Kent prit alors d'autres contacts, avec Lord de la Zouche notamment, et avec plusieurs seigneurs, tels que Lord Beaumont et Sir Thomas Rosslyn, qui s'étaient réfugiés à Paris afin de se soustraire à la vindicte de Mortimer. Car il y avait de nouveau, en France, un parti d'émigrés.

Ce qui emporta tout fut une communication personnelle et secrète du pape Jean XXII au comte de Kent. Le Saint-Père, ayant appris lui aussi que le roi Edouard II était toujours vivant, recommandait au comte de Kent d'agir pour sa délivrance, absolvant d'avance ceux qui participeraient à l'entreprise « *ab omni pœna et culpa* »... pouvait-on plus clairement dire que tous les moyens seraient bons ?... et même menaçant le comte de Kent d'excommunication s'il négligeait cette tâche hautement pie.

Or ce n'était pas là un message oral, mais une lettre en latin où un éminent prélat du Saint-Siège, dont la signature était assez mal déchiffrable, rapportait fidèlement les paroles prononcées par Jean XXII dans un entretien à ce sujet. La lettre avait été acheminée par un membre de la suite du chancelier Burghersh, évêque de Lincoln, qui venait de rentrer d'Avignon où il était allé négocier, lui aussi, l'hypothétique mariage de la sœur d'Edouard III à l'héritier de France.

Edmond de Kent, fort ému, résolut alors d'aller vérifier sur place toutes ces informations si concordantes, et d'étudier les possibilités d'une évasion.

Il fit chercher le frère Dienhead à l'adresse que celui-ci avait donnée, et, avec une escorte réduite mais sûre, il partit pour le Dorset. On était en février.

Arrivé à Corfe, par un jour de mauvais temps où les bourrasques salées balayaient la presqu'île désolée, Kent fit mander le gouverneur de la forteresse, Sir John Daverill. Celui-ci vint se présenter au comte de Kent, dans l'unique auberge de Corfe, devant

l'église de Saint-Edouard-le-Martyr, le roi assassiné
de la dynastie saxonne.

De haute taille, étroit d'épaules, le front plissé et
la lèvre méprisante, avec une sorte de regret dans la
civilité ainsi qu'il convient à un homme de devoir,
John Daverill s'excusa de ne pouvoir recevoir le
noble Lord au château. Il avait des ordres absolus.

« Le roi Edouard II est-il vivant ou mort ? lui
demanda Edmond de Kent.

— Je ne puis vous le dire.

— C'est mon frère ! Est-ce lui que vous gardez ?

— Je ne suis pas autorisé à parler. Un prisonnier
m'a été confié ; je ne dois révéler ni son nom, ni son
rang.

— Pourriez-vous me laisser entrevoir ce prisonnier ? »

John Daverill fit non de la tête. Un mur, un roc, ce
gouverneur, aussi impénétrable que l'énorme donjon
sinistre défendu par trois vastes enceintes et qui se
dressait sur le haut de la colline, au-dessus du petit
village aux toits de pierres plates. Ah ! Mortimer
choisissait bien ses serviteurs !

Mais il y a des manières de nier qui sont comme
des affirmations. Daverill eût-il fait tel mystère, eût-
il montré pareille inflexibilité, si ce n'avait pas été
l'ancien roi, précisément, qu'il gardait ?

Edmond de Kent usa de son charme, qui était
grand, et d'autres arguments aussi auxquels la
nature humaine n'est pas toujours insensible. Il posa
sur la table une lourde bourse d'or.

« Je voudrais, dit-il, que ce prisonnier fût bien
traité. Ceci est pour améliorer son sort ; il y a là cent
livres esterlins.

— Je puis vous assurer, my Lord, qu'il est bien
traité », dit Daverill à voix basse avec une nuance de
complicité.

Et sans aucune gêne, il mit la main sur la bourse.

« Je donnerais volontiers le double, dit Edmond de
Kent, seulement pour l'apercevoir. »

Daverill eut une dénégation désolée.

« Comprenez, my Lord, qu'il y a en ce château deux cents archers de garde... »

Edmond de Kent se crut un grand homme de guerre en notant intérieurement cette importante précision ; il faudrait en tenir compte, pour l'évasion.

« ... et que si jamais l'un deux parlait, que Madame la reine mère vînt à l'apprendre, elle me ferait décapiter. »

Pouvait-on mieux se trahir, et avouer ce qu'on prétendait cacher ?

« Mais je puis faire passer un message, reprit le gouverneur, car ceci restera entre vous et moi. »

Kent, heureux de voir si vite avancer ses affaires, écrivit la lettre suivante, tandis que les rafales d'un vent mouillé battaient les fenêtres de l'auberge :

« Fidélité et respect à mon très cher frère, s'il vous plaît. Je prie Dieu de tout cœur que vous soyez en bonne santé car les dispositions sont prises pour que vous sortiez bientôt de prison et soyez délivré des maux qui vous accablent. Soyez assuré que j'ai l'appui des plus grands barons d'Angleterre et de toutes leurs forces, c'est-à-dire leurs troupes et leurs trésors. De nouveau vous serez roi ; prélats et barons l'ont juré sur l'Evangile. »

Il tendit la feuille, simplement pliée, au gouverneur.

« Je vous prie de la sceller, my Lord, dit celui-ci ; je ne veux point avoir pu en connaître la teneur. »

Kent se fit apporter de la cire par quelqu'un de sa suite, apposa son cachet, et Daverill cacha le pli sous sa cotte.

« Un message, dit-il, sera parvenu de l'extérieur au prisonnier qui, je pense, le détruira aussitôt. Ainsi... »

Et ses mains firent un geste qui signifiait l'effacement, l'oubli.

« Cet homme, si je sais m'y prendre assez bien, nous ouvrira les portes toutes grandes, le jour venu ; nous n'aurons même pas à livrer bataille », pensait Edmond de Kent.

Trois jours plus tard sa lettre était aux mains de Roger Mortimer qui la lisait en Conseil, à Westminster.

Aussitôt la reine Isabelle, s'adressant au jeune roi, s'écriait, pathétique :

« Mon fils, mon fils, je vous supplie d'agir contre votre plus mortel ennemi qui veut accréditer au royaume la fable que votre père est encore vivant, afin de vous pouvoir déposer et prendre votre place. De grâce, donnez les ordres pour qu'on châtie ce traître pendant qu'il en est temps. »

En fait, les ordres étaient déjà donnés et les sbires de Mortimer galopaient vers Winchester pour arrêter le comte de Kent sur son chemin de retour. Mais ce n'était pas seulement une arrestation que voulait Mortimer ; il exigeait une condamnation spectaculaire. Il avait quelques raisons de se hâter ainsi.

Dans un an, Edouard III allait être majeur ; il manifestait déjà de nombreux signes de son impatience à gouverner. En éliminant Kent, après avoir éloigné Lancastre, Mortimer décapitait l'opposition et empêchait que le jeune roi pût échapper à son emprise.

Le 19 mars, le Parlement se réunissait à Winchester pour juger l'oncle du roi.

Au sortir d'un séjour de plus d'un mois en prison, le comte de Kent apparut décomposé, amaigri, hagard, et comme s'il ne comprenait rien à ce qui lui arrivait. Il n'était pas homme, décidément, fait pour supporter l'adversité. Sa belle nonchalance distante l'avait quitté. Sous l'interrogatoire de Robert Howell, coroner de la maison royale, il s'effondra, avoua tout, conta son histoire de bout en bout, livra le nom de ses informateurs et de ses complices. Mais quels informateurs ? L'ordre des dominicains ne connaissait aucun frère du nom de Dienhead ; c'était là une invention de l'accusé, pour tenter de se sauver. Invention également la lettre du pape Jean XXII ; personne, dans la suite de l'évêque de Lincoln, pendant l'ambassade d'Avignon, n'avait eu conversation au sujet du feu roi, ni avec le Saint-Père, ni avec aucun de ses cardinaux ou conseillers. Edmond de Kent s'obstinait. Voulait-on lui faire perdre la raison ? Pourtant, il leur avait parlé, à ces frères prêcheurs ! Il l'avait eue en main, cette lettre « *ab omni pœna et culpa* » ...

Kent découvrait enfin l'affreux traquenard dans lequel on l'avait attiré en se servant du fantôme du roi mort. Complot organisé de toutes pièces par Mortimer et par ses créatures : faux émissaires, faux moines, faux écrits, et, plus faux que tous et que tout, ce Daverill du château de Corfe ! Kent avait basculé dans le piège.

Le coroner royal requérait la peine de mort.

Mortimer, assis sur l'estrade, devant les Lords, tenait chacun sous son regard ; et Lancastre, le seul peut-être qui eût osé parler en faveur de l'accusé, était hors du royaume. Mortimer avait fait savoir qu'il n'engagerait aucune poursuite contre les complices de Kent, ecclésiastiques ou non, si celui-ci était condamné. Trop d'entre les barons se trouvaient, à un titre quelconque, compromis ; ils abandonnèrent — et même Norfolk, propre frère de l'accusé — le second prince du sang à la rancune du comte des Marches. Une victime expiatoire, en somme.

Et bien que Kent, s'humiliant devant l'assemblée et reconnaissant son aberration, eût offert d'aller porter sa soumission au roi, en chemise, pieds nus et la corde au cou, les Lords, à regret, rendirent la sentence qu'on attendait d'eux. Pour apaiser leur conscience, ils chuchotaient :

« Le roi va le gracier ; le roi usera de son pouvoir de grâce... »

Il n'était pas vraisemblable qu'Edouard III fît décapiter son oncle, pour une action coupable certes, mais où la légèreté avait sa part, et où la provocation n'était que trop évidente.

Beaucoup qui avaient voté la mort se proposaient d'aller, le lendemain, demander la grâce.

Les Communes, elles, refusèrent de ratifier la sentence des Lords ; elles réclamaient un supplément d'enquête.

Mais Mortimer, aussitôt acquis le vote de la Chambre Haute, courut au château où la reine Isabelle était à son dîner.

« C'est fait, lui dit-il ; nous pouvons envoyer Edmond au billot. Mais nombre de nos faux amis escomptent que votre fils le sauvera de la peine suprême. Aussi je vous conjure d'agir sans retard. »

Ils avaient pris soin d'occuper le jeune roi pour toute la journée par une réception au collège de Winchester, l'un des plus anciens et des plus réputés d'Angleterre.

« Le gouverneur de la ville, ajouta Mortimer, exécutera votre ordre, ma mie, aussi bien que s'il venait du roi. »

Isabelle et Mortimer se regardèrent dans les yeux ; ils n'en étaient plus à un crime près, ni à un abus de pouvoir. La Louve de France signa l'ordre de décapiter sur-le-champ son beau-frère et cousin germain.

Edmond de Kent fut à nouveau extrait de son cachot et, en chemise, les mains liées, conduit, sous escorte d'un petit détachement d'archers, dans une cour intérieure du château. Là il resta une heure, deux heures, trois heures, sous la pluie, tandis que le jour tombait. Pourquoi cette interminable attente devant le billot ? Il passait par des alternances d'abattement et de folle espérance. Le roi son neveu était sans doute en train de sceller l'ordonnance de pardon. Cette station tragique était le châtiment qu'on imposait au condamné pour mieux lui inspirer le repentir et mieux lui faire apprécier la magnanimité de la clémence. Ou bien il y avait troubles et émeutes ; le peuple peut-être s'était soulevé. Ou peut-être Mortimer venait-il d'être assassiné. Kent priait Dieu, et soudain se mettait à sangloter d'angoisse. Il grelottait sous sa chemise trempée ; la pluie ruisselait sur le billot et sur le casque des archers. Quand donc ce supplice allait-il finir ?

La seule explication qui ne pût se présenter à l'esprit du comte de Kent, c'était qu'on cherchait un bourreau, à travers tout Winchester, et qu'on n'en trouvait pas. Celui de la ville, sachant que les Communes rejetaient la sentence et que le roi n'avait pu se prononcer, refusait obstinément d'exercer son office sur un prince royal. Ses aides se solidarisaient avec lui ; ils préféraient perdre leur charge.

On s'adressa aux officiers de la garnison pour qu'ils eussent à désigner un de leurs hommes, à moins que ne se proposât un volontaire auquel serait donnée grasse rémunération. Les officiers eurent un mouvement de dégoût. Ils voulaient bien maintenir l'ordre, monter la garde autour du Parlement, accompagner le condamné jusqu'au lieu d'exécution ; mais il ne fallait pas leur demander plus, ni à eux, ni à leurs soldats.

Mortimer entra dans une froide et féroce colère contre le gouverneur.

« Ne tenez-vous pas en vos prisons quelque meurtrier, faussaire ou brigand, qui veuille la vie sauve en échange ? Allons, hâtez-vous, si vous ne voulez vous-même finir en geôle ! »

En visitant les cachots, on découvrit enfin l'homme souhaité ; il avait volé des objets d'église et devait être pendu la semaine suivante. On lui remit la hache, mais il exigea d'avoir le visage masqué.

La nuit était venue. A la lueur des torches, combattue par l'averse, le comte de Kent vit s'avancer son exécuteur et comprit que ses longues heures d'espérance n'avaient été qu'une ultime et dérisoire illusion. Il poussa un cri affreux ; il fallut l'agenouiller de force devant le billot.

Le bourreau d'occasion était plus peureux que cruel, et tremblait davantage que sa victime. Il n'en finissait pas de lever la hache. Il manqua son coup, et le fer glissa sur les cheveux. Il dut s'y reprendre à quatre fois, frappant dans une écœurante bouillie rouge. Les vieux archers, alentour, vomissaient.

Ainsi mourut, avant d'avoir trente ans, le comte

Edmond de Kent, prince plein de grâce et de naïveté.
Et un voleur de ciboire fut rendu à sa famille.

Quand le jeune roi Edouard III revint d'avoir ouï
une longue dispute en latin sur les doctrines de
maître Occam, on lui apprit que son oncle avait été
décapité.

« Sans mon ordre ? » dit-il.

Il fit appeler Lord Montaigu qui ne le quittait guère
depuis l'hommage d'Amiens, et dont il avait pu à
diverses reprises constater la loyauté.

« My Lord, lui demanda-t-il, vous étiez au Parlement ce jour. J'aimerais savoir la vérité... »

II

LA HACHE DE NOTTINGHAM

Le crime d'Etat a toujours besoin d'être couvert par une apparence de légalité.

La source de la loi est dans le souverain, et la souveraineté appartient au peuple qui exerce celle-ci soit par le truchement d'une représentation élue, soit par une délégation héréditairement faite à un monarque, et parfois selon les deux manières ensemble comme c'était le cas déjà pour l'Angleterre.

Tout acte légal en ce pays devait donc comporter le consentement conjoint du monarque et du peuple, que ce consentement fût tacite ou exprimé.

L'exécution du comte de Kent avait légalité de forme puisque les pouvoirs royaux étaient exercés par le Conseil de régence, et qu'en l'absence du comte de Lancastre, tuteur du souverain, la signature revenait à la reine mère ; mais cette exécution n'avait ni le consentement véritable d'un Parlement siégeant sous la contrainte, ni l'adhésion du roi tenu dans l'ignorance d'un ordre donné en son nom ; un tel acte ne pouvait être que funeste à ses auteurs.

Edouard III marqua sa réprobation autant qu'il le put en exigeant qu'on fît à son oncle Kent des funérailles princières. Comme il ne s'agissait plus que d'un cadavre, Mortimer accepta de déférer aux désirs du jeune roi. Mais Edouard ne pardonnerait jamais à Mortimer d'avoir disposé à son insu, une fois de plus, de la vie d'un membre de sa famille ; il ne lui pardonnerait pas non plus l'évanouissement de Madame Philippa à l'annonce brutale de l'exécution de l'oncle Kent. Or la jeune reine était enceinte de six mois et l'on aurait pu en user envers elle avec ménagements. Edouard en fit reproche à sa mère, et, comme cette dernière répliquait avec irritation que Madame Philippa montrait trop de sensibilité pour les ennemis du royaume et qu'il fallait avoir l'âme forte si l'on avait choisi d'être reine, Edouard lui répondit :

« Toute femme, Madame, n'a pas le cœur aussi pierreux que vous. »

L'incident, pour Madame Philippa, n'eut pas de conséquence et, vers la mi-juin, elle accoucha d'un fils[17]. Edouard III en éprouva la joie simple, profonde et grave, qui est celle de tout homme au premier enfant que lui donne la femme qu'il aime et dont il est aimé. Du même coup, il se sentait, comme roi, brusquement mûri. Sa succession était assurée. Le sentiment de la dynastie, de sa propre place entre ses ancêtres et sa descendance, celle-ci toute fragile encore mais déjà présente dans un berceau mousseux, occupait ses méditations et lui rendait de moins en moins supportable l'incapacité juridique dans laquelle on le maintenait.

Toutefois, il était assailli de scrupules ; rien ne sert de renverser une coterie dirigeante si l'on n'a pas de meilleurs hommes pour la remplacer ni de meilleurs principes à appliquer.

« Saurai-je vraiment régner, et suis-je assez formé pour cela ? » se demandait-il souvent.

Son esprit demeurait marqué par le détestable exemple qu'avait fourni son père, entièrement gouverné par les Despenser, et l'exemple aussi détestable qu'offrait sa mère sous la domination de Roger Mortimer.

Son inaction forcée lui permettait d'observer et de réfléchir. Rien ne se pouvait faire au royaume sans le Parlement, sans son accord spontané ou obtenu.

L'importance prise ces dernières années par cette assemblée de consultation, réunie de plus en plus fréquemment, en tous lieux et à tous propos, était la conséquence de la mauvaise administration, des expéditions militaires mal conduites, des désordres dans la famille royale et de l'état de constante hostilité entre le pouvoir central et la coalition des grands féodaux.

Il fallait faire cesser ces déplacements ruineux où Lords et Communes devaient courir à Winchester, à Salisbury, à York, et tenir des sessions qui n'avaient d'autre objet que de permettre à Lord Mortimer de faire sentir sa férule au royaume.

« Quand je serai vraiment roi, le Parlement siégera à dates régulières, et à Londres autant que se pourra... L'armée ?... L'armée n'est point présentement l'armée du roi ; ce sont des armées de barons qui n'obéissent que selon leur gré. Il faudrait une armée recrutée pour le service du royaume, et commandée par des chefs qui ne tiennent leur pouvoir que du roi... La justice ?... La justice demande d'être concentrée dans la main souveraine qui doit s'efforcer de la faire égale pour tous. Au royaume de France, quoi qu'on dise, l'ordre est plus grand. Il faut aussi donner des ouvertures au commerce dont on se plaint qu'il soit ralenti par les taxes et interdictions sur les cuirs et les laines qui sont notre richesse. »

C'étaient là des idées qui pouvaient paraître fort simples mais cessaient de l'être du fait qu'elles logeaient dans une tête royale, des idées quasi révolutionnaires, en un temps d'anarchie, d'arbitraire et de cruauté comme rarement nation en connut.

Le jeune souverain brimé rejoignait ainsi les aspirations de son peuple opprimé. Il ne s'ouvrait de ses intentions qu'à peu de personnes, à son épouse Philippa, à Guillaume de Mauny, l'écuyer qu'elle avait amené de Hainaut avec elle, à Lord Montaigu surtout, qui lui traduisait le sentiment des jeunes Lords.

C'est souvent à vingt ans qu'un homme formule les quelques principes qu'il mettra toute une vie à appliquer. Edouard III avait une qualité majeure pour un homme de pouvoir : il était sans passions et sans vices. Il avait eu la chance d'épouser une princesse qu'il aimait ; il avait la chance de continuer à l'aimer. Il possédait cette forme suprême de l'orgueil qui consistait à tenir pour naturelle sa position de roi. Il exigeait le respect de sa personne et de sa fonction ; il méprisait la servilité parce qu'elle exclut la franchise. Il détestait la pompe inutile, parce qu'elle insulte à la misère et qu'elle est le contraire de la réelle majesté.

Les gens qui avaient séjourné autrefois à la cour de France disaient qu'il ressemblait par beaucoup de traits au roi Philippe le Bel ; on lui trouvait même forme et même pâleur de visage, même froideur des yeux bleus quand parfois il relevait ses longs cils.

Edouard était plus communicatif et enthousiaste, certes, que son grand-père maternel. Mais ceux qui parlaient ainsi n'avaient connu le Roi de fer qu'en ses dernières années, à la fin d'un long règne ; nul ne se rappelait ce qu'avait été Philippe le Bel à vingt ans. Le sang de France, en Edouard III, l'avait emporté sur celui des Plantagenets, et il semblait que le vrai Capétien fût sur le trône d'Angleterre.

En octobre de cette même année 1330, le Parlement fut à nouveau convoqué, à Nottingham cette fois, dans le nord du royaume. La réunion menaçait d'être houleuse ; la plupart des Lords gardaient rancune à Mortimer de l'exécution du comte de Kent, dont leur conscience demeurait alourdie.

Le comte de Lancastre au Tors-Col, qu'on appelait maintenant le vieux Lancastre parce qu'il avait réussi le prodige de conserver sur les épaules, jusqu'à cinquante ans, sa grosse tête penchée, Lancastre, courageux et sage, était enfin de retour. Atteint d'une maladie des yeux qui, depuis longtemps menaçante, s'était brusquement aggravée jusqu'à la demi-cécité, il lui fallait faire guider ses pas par un écuyer ; mais cette infirmité même le rendait encore plus vulnérable, et l'on sollicitait ses avis avec davantage de déférence.

Les Communes s'inquiétaient des nouveaux subsides qu'on allait leur demander de consentir et des nouvelles taxes sur les laines. Où donc passait l'argent ?

Les trente mille livres du tribut d'Ecosse, à quel usage Mortimer les avait-il employées ? Etait-ce pour son profit ou celui du royaume qu'on avait mené cette dure campagne, trois ans plus tôt ? Et pourquoi avoir gratifié le triste baron Maltravers, outre sa charge de sénéchal, d'une somme de mille livres pour salaire de la garde du feu roi, autrement dit du meurtre ? Car tout se sait, ou finit par se savoir, et les comptes du Trésor ne peuvent rester éternellement secrets. Voilà donc à quoi servait le revenu des taxes ! Et Ogle et Gournay, les assesseurs de Maltravers, et Daverill, le gouverneur de Corfe, en avaient reçu autant.

Mortimer qui, sur la route de Nottingham, s'avançait en un tel train de splendeur que le jeune roi lui-même semblait faire partie de sa suite, Mortimer n'était plus soutenu réellement que par une centaine de partisans qui lui devaient toute leur fortune, n'étaient puissants que de le servir, et risquaient la disgrâce, le bannissement ou la potence, si lui-même venait à tomber.

Il se croyait obéi parce qu'un réseau d'espions, jusqu'auprès du roi en la personne de John Wynyard, l'informait de toutes les paroles prononcées et faisait hésiter les conjurations. Il se croyait puissant parce que ses troupes imposaient la crainte aux Lords et aux Communes. Mais les troupes peuvent marcher à d'autres ordres, et les espions trahir.

Le pouvoir, sans le consentement de ceux sur lesquels il est exercé, est une duperie qui jamais ne dure longtemps, un équilibre éminemment fragile entre la peur et la révolte, et qui se rompt d'un coup quand suffisamment d'hommes prennent ensemble conscience de partager le même état d'esprit.

Chevauchant sur une selle brodée d'or et d'argent, entouré d'écuyers vêtus d'écarlate et portant son pennon flottant au bout des lances, Mortimer s'avançait sur une route pourrie.

Pendant le voyage, Edouard III nota que sa mère paraissait malade, qu'elle avait le visage terne et tiré, les yeux marqués de fatigue, le regard moins brillant. Elle allait en litière et non sur sa haquenée blanche, comme c'était sa coutume ; souvent il fallait arrêter la litière dont le mouvement lui donnait la nausée. Mortimer avait auprès d'elle une présence attentive et gênée.

Peut-être Edouard eût-il moins remarqué ces signes s'il n'avait eu l'occasion d'observer les mêmes, au début de l'année, sur Madame Philippa son épouse. Et puis, en voyage, les serviteurs bavardent davantage ; les femmes de la reine mère parlaient à celles de Madame Philippa. A York, où l'on fit halte deux jours, Edouard ne pouvait plus avoir de doutes ; sa mère était enceinte.

Il se sentait submergé de honte et de dégoût. La jalousie également, une jalousie de fils aîné, aidait à son ressentiment. Il ne retrouvait plus la belle et noble image qu'il avait de sa mère, en son enfance.

« Pour elle j'ai haï mon père, à cause des hontes qu'il lui infligeait. Et voici qu'elle-même à présent me honnit ! Mère à quarante ans d'un bâtard qui sera plus jeune que mon propre fils ! »

Comme roi, il se sentait humilié devant son royaume, et comme époux devant son épouse.

Dans la chambre du château d'York, se retournant entre les draps sans parvenir à trouver le sommeil, il disait à Philippa :

« Te souviens-tu, ma mie, c'est ici que nous nous sommes épousés... Ah ! je t'ai conviée à un bien triste règne ! »

Placide et réfléchie, Philippa prenait l'événement avec moins de passion ; mais, assez prude, elle jugeait.

« De telles choses, dit-elle, ne se verraient point à la cour de France.

— Ah ! ma mie... Et les adultères de vos cousines de Bourgogne ?... Et vos rois empoisonnés ? »

Du coup, la famille capétienne devenait celle de Philippa, comme s'il n'en était pas lui-même tout également descendu.

« En France on est plus courtois, répondit Philippa, moins affiché dans ses désirs, moins cruel en ses rancunes.

— On est plus dissimulé, plus sournois. On préfère le poison au fer...

— Vous, vous êtes plus brutaux... »

Il ne répondit pas. Elle craignit de l'avoir offensé, étendit vers lui un bras rond et doux.

« Je t'aime fort, mon ami, dit-elle, car toi tu ne leur es point semblable...

— Et ce n'est pas seulement la honte, reprit Edouard, mais aussi le danger...

— Que veux-tu dire ?

— Je veux dire que Mortimer est bien capable de nous faire tous périr, et d'épouser ma mère afin de se faire reconnaître régent et de pousser son bâtard au trône...

— C'est chose folle à penser ! » dit Philippa.

Certes, une telle subversion qui supposait le reniement de tous les principes, à la fois religieux et dynastiques, eût été, dans une monarchie ferme, proprement inimaginable ; mais tout est possible, et même les plus démentes aventures, dans un royaume déchiré et abandonné à la lutte des factions.

« Je m'en ouvrirai demain à Montaigu », dit le jeune roi.

En arrivant à Nottingham, Lord Mortimer se montra particulièrement impatient, autoritaire et nerveux, parce que John Wynyard, sans pouvoir percer la teneur des entretiens, avait surpris de fréquents colloques, dans la dernière partie du trajet, entre le roi, Montaigu et plusieurs jeunes Lords.

Mortimer s'emporta contre Sir Edouard Bohun, le vice-gouverneur, lequel, chargé d'organiser le logement, et n'agissant d'ailleurs que selon l'habitude, avait prévu d'installer les grands seigneurs dans le château même.

« De quel droit, s'écria Mortimer, avez-vous, sans en référer à moi, disposé d'appartements si proches de ceux de la reine mère ?

— Je croyais, my Lord, que le comte de Lancastre...

— Le comte de Lancastre, ainsi que tous les autres, devra loger à un mille au moins du château.

— Et vous-même, my Lord ? »

Mortimer fronça les sourcils comme si cette question constituait une offense.

« Mon appartement sera à côté de celui de la reine mère, et vous ferez remettre à celle-ci, par le constable, les clefs du château, chaque soir. »

Edouard Bohun s'inclina.

Il est parfois des prudences funestes. Mortimer voulait éviter qu'on commentât l'état de la reine mère ; il voulait surtout isoler le roi, ce qui permit aux jeunes Lords de s'assembler et de se concerter beaucoup plus librement, loin du château et des espions de Mortimer.

Lord Montaigu réunit ceux de ses amis qui lui paraissaient les plus résolus, garçons pour la plupart entre vingt et trente ans : les Lords Molins, Hufford, Stafford, Clinton, ainsi que John Nevil de Homeby et les quatre frères Bohun, Edouard, Humphrey, William et John, celui-ci étant comte de Hereford et Essex. La jeunesse formait le parti du roi. Ils avaient la bénédiction d'Henri de Lancastre, et davantage même qu'une bénédiction.

De son côté Mortimer siégeait au château en compagnie du chancelier Burghersh, de Simon Bereford, de John Monmouth, John Wynyard, Hugh Turplington et Maltravers, les consultant sur les moyens d'empêcher le développement d'une nouvelle conjuration.

L'évêque Burghersh sentait le vent tourner et se montrait moins ardent à la sévérité ; se couvrant de sa dignité ecclésiastique, il prêchait l'entente. Il avait su, naguère, glisser à temps du parti Despenser au parti Mortimer.

« Assez d'arrestations, de procès et de sang, disait-il. Peut-être que quelques satisfactions allouées en terres, argent ou honneurs... »

Mortimer l'interrompit du regard ; son œil, à la paupière coupée droit, sous le massif du sourcil, faisait encore trembler ; l'évêque de Lincoln se tut.

Or, à la même heure, Lord Montaigu réussissait à s'entretenir en privé avec Edouard III.

« Je vous supplie, mon noble roi, lui disait-il, de ne pas tolérer plus longtemps les insolences et les intrigues d'un homme qui a fait assassiner votre père, décapiter votre oncle, corrompu votre mère. Nous avons juré de verser jusqu'à la dernière goutte de notre sang pour vous en délivrer. Nous sommes prêts à tout ; encore faudrait-il agir avec hâte, et pour cela que nous puissions pénétrer en assez grand nombre dans le château où aucun de nous n'est logé. »

Le jeune roi réfléchit un moment.

« A présent sûrement, William, répondit-il, je sais que je vous aime bien. »

Il n'avait pas dit : « que vous m'aimez bien ». Disposition d'âme vraiment royale ; il ne doutait pas qu'on voulût le servir ; l'important, pour lui, était d'accorder à bon escient sa confiance et son affection.

« Vous allez donc, continua-t-il, trouver le constable du château, Sir William Eland, en mon nom, et le prier, de par mon ordre, de vous obéir en ce que vous lui demanderez.

— Alors, my Lord, dit Montaigu, que Dieu nous aide ! »

Tout dépendait, à présent, de cet Eland, et de ce qu'il fût acquis et de ce qu'il fût loyal ; s'il révélait la démarche de Montaigu, les conjurés étaient perdus, et peut-être le roi lui-même. Mais Sir Edouard Bohun garantissait qu'il pencherait du bon côté, ne fût-ce qu'en raison de la manière dont Mortimer, depuis l'arrivée à Nottingham, le traitait en valet.

William Eland ne déçut pas Montaigu, lui promit de se conformer à ses ordres autant qu'il pourrait, et jura de garder le secret.

« Puisque donc vous êtes avec nous, lui dit Montaigu, remettez-moi ce soir les clefs du château...

— My Lord, répondit le constable, sachez que les grilles et portes sont fermées chaque soir par des clefs que je remets à la reine mère, laquelle les cache sous ses oreillers jusqu'au matin. Sachez aussi que la garde habituelle du château a été relevée et remplacée par quatre cents hommes des troupes personnelles de Lord Mortimer. »

Montaigu vit tous ses espoirs s'écrouler.

« Mais je sais un chemin secret qui conduit de la campagne jusqu'au château, reprit Eland. C'est un souterrain que firent creuser les rois saxons pour échapper aux Danois, quand ceux-ci ravageaient tout le pays. Ce souterrain est inconnu de la reine Isabelle, de Lord Mortimer et de leurs gens auxquels je n'avais nulle raison de le montrer ; il aboutit au cœur du château, dans le keep, et par là on peut pénétrer sans être aperçu de personne.

— Comment trouverons-nous l'entrée dans la campagne ?

— Parce que je serai avec vous, my Lord. »

Lord Montaigu eut un second et rapide entretien avec le roi ; puis, dans la soirée, en compagnie des frères Bohun, des autres conjurés et du constable Eland, il monta à cheval et quitta la ville, déclarant à suffisamment de personnes que Nottingham leur devenait peu sûre.

Ce départ, qui ressemblait beaucoup à une fuite, fut aussitôt rapporté à Mortimer.

« Ils se savent découverts et se dénoncent d'eux-mêmes. Demain je les ferai saisir et traduire devant le Parlement. Allons, nous aurons une nuit tranquille, ma mie », dit-il à la reine Isabelle.

Vers minuit, de l'autre côté du keep, dans une chambre aux murs de granit éclairée seulement d'une veilleuse, Madame Philippa demandait à son époux pourquoi il ne se couchait pas et demeurait assis au bord du lit, une cotte de mailles sous sa cotte de roi, et une épée courte au côté.

« Il peut se passer de grandes choses, cette nuit », répondit Edouard.

Philippa restait calme et placide en apparence, mais le cœur lui battait à grands coups dans la poitrine ; elle se rappelait leur conversation d'York.

« Croyez-vous qu'il veuille venir vous assassiner ?

— Cela aussi peut se faire. »

Il y eut un bruit de voix chuchotées dans la pièce voisine, et Gautier de Mauny, que le roi avait désigné pour prendre la garde en son antichambre, frappa discrètement à la porte. Edouard alla ouvrir.

« Le constable est là, my Lord, et les autres avec lui. »

Edouard revint poser un baiser sur le front de Philippa ; elle lui saisit les doigts, les tint un instant étroitement serrés et murmura :

« Dieu te garde ! »

Gautier de Mauny demanda :

« Dois-je vous suivre, my Lord ?

— Ferme étroitement les portes derrière moi et veille sur Madame Philippa. »

Dans la cour herbue du donjon, sous la clarté de la lune, les conjurés attendaient rassemblés autour du puits, ombres armées de glaives et de haches.

La jeunesse du royaume s'était entouré les pieds de chiffons ; le roi n'avait pas pris cette précaution et son pas fut seul à résonner sur les dalles des longs couloirs. Une unique torche éclairait cette marche.

Aux serviteurs, allongés à même le sol et qui se soulevaient, somnolents, on murmurait : « Le roi », et ils demeuraient où ils étaient, se tassant sur eux-mêmes, inquiets de cette promenade nocturne de seigneurs en armes, mais ne cherchant pas à en savoir trop.

La bagarre éclata seulement dans l'antichambre des appartements de la reine Isabelle, où les six écuyers postés là par Mortimer refusèrent le passage, bien que ce fût le roi qui le demandât. Bataille fort brève, où seul John Nevil de Horneby fut blessé d'un coup de pique qui lui traversa le bras ; cernés et désarmés, les hommes de garde se collèrent aux murs ; l'affaire n'avait duré qu'une minute, mais derrière l'épaisse porte on entendit un cri échappé de la gorge de la reine mère, puis le bruit de traverses poussées.

« Lord Mortimer, sortez ! commanda Edouard III ; c'est votre roi qui vient vous appréhender. »

Il avait pris sa claire et forte voix de bataille, celle aussi que la foule d'York avait entendue le jour de son mariage.

Il n'y eut d'autre réponse qu'un tintement d'épée tirée hors d'un fourreau.

« Mortimer, sortez ! » répéta le jeune roi.

Il attendit encore quelques secondes, puis soudain saisit la plus proche hache des mains d'un jeune Lord, l'éleva au-dessus de sa tête, et, de toutes ses forces, l'abattit contre la porte.

Ce coup de hache, c'était l'affirmation trop longuement attendue de sa puissance royale, la fin de ses humiliations, le terme aux arrêts délivrés contre son vouloir ; c'était la libération de son Parlement, l'honneur rendu aux Lords et la légalité restaurée au royaume. Bien plus que le jour du couronnement, le règne d'Edouard III commençait là, avec ce fer brillant planté dans le chêne sombre, et ce choc, ce grand craquement de bois dont l'écho se répercuta sous les voûtes de Nottingham.

Dix autres haches s'attaquèrent à la porte, et bientôt le lourd vantail céda.

Roger Mortimer était au centre de la pièce ; il avait eu le temps de passer des chausses ; sa chemise blanche était ouverte sur sa poitrine, et il tenait son épée à la main.

Son œil couleur de pierre brillait sous les sourcils épais, ses cheveux grisonnants et dépeignés entouraient son rude visage ; il y avait encore une belle force en cet homme-là.

Isabelle, auprès de lui, les joues baignées de larmes, tremblait de froid et de peur ; ses minces pieds nus faisaient deux taches claires sur le dallage. On apercevait dans la pièce voisine un lit défait.

Le premier regard du jeune roi fut pour le ventre de la reine mère, dont la robe de nuit dessinait l'arrondi. Jamais Edouard III ne pardonnerait à Mortimer d'avoir réduit sa mère, que ses souvenirs lui représentaient si belle et si vaillante dans l'adversité, si cruelle dans le triomphe mais toujours parfaitement royale, à cet état de femelle éplorée à qui l'on venait arracher le mâle dont elle était grosse, et qui se tordait les mains en gémissant :

« Beau fils, beau fils, je vous en conjure, épargnez le gentil Mortimer ! »

Elle s'était placée entre son fils et son amant.

« A-t-il épargné votre honneur ? dit Edouard.

— Ne faites point de mal à son corps, cria Isabelle. Il est vaillant chevalier, notre ami bien-aimé ; rappelez-vous que vous lui devez votre trône ! »

Les conjurés hésitaient. Allait-il y avoir combat, et faudrait-il tuer Mortimer sous les yeux de la reine ?

« Il s'est assez payé d'avoir hâté mon règne ! Allez, mes Lords, qu'on s'en saisisse », dit le jeune roi en écartant sa mère et en faisant signe à ses compagnons d'avancer.

Montaigu, les Bohun, Lord Molins et John Nevil dont le bras ruisselait de sang sans qu'il y prît garde, entourèrent Mortimer. Deux haches se levèrent derrière lui, trois lames se dirigèrent vers ses flancs, une main s'abattit sur son bras pour lui faire lâcher l'épée qu'il tenait. On le poussa vers la porte. Au moment de la franchir, Mortimer se retourna.

« Adieu, Isabelle, ma reine, s'écria-t-il ; nous nous sommes bien aimés ! »

Et c'était vrai. Le plus grand, le plus spectaculaire, le plus dévastateur amour du siècle, commencé comme un exploit de chevalerie, et qui avait ému toutes les cours d'Europe, jusqu'à celle du Saint-Siège, cette passion qui avait frété une flotte, équipé une armée, s'était consommée dans un pouvoir tyrannique et sanglant, s'achevait entre des haches, à la lueur d'une torche fumeuse. Roger Mortimer, huitième baron de Wigmore, ancien Grand Juge d'Irlande, premier comte des Marches, était conduit vers les prisons ; sa royale maîtresse, en chemise, s'écroulait au pied du lit.

Avant l'aurore, Bereford, Daverill, Wynyard et les principales créatures de Mortimer étaient arrêtés ; on se lançait à la poursuite du sénéchal Maltravers, de Gournay et Ogle, les trois meurtriers d'Edouard II, qui avaient aussitôt pris la fuite.

La foule, au matin, s'était massée dans les rues de Nottingham et hurlait sa joie au passage de l'escorte qui emmenait sur une charrette, suprême honte pour un chevalier, Mortimer enchaîné. Tors-Col, l'oreille sur l'épaule, était au premier rang de la population et, bien que ses yeux malades vissent à peine le cortège, il dansait sur place et lançait en l'air son bonnet.

« Où le conduit-on ? demandaient les gens.

— A la tour de Londres. »

III

VERS LES COMMON GALLOWS

Les corbeaux de la Tour vivent très vieux, plus de cent ans, dit-on. Le même énorme corbeau, attentif et sournois, qui sept ans plus tôt cherchait à piquer les yeux du prisonnier à travers les barreaux du soupirail, était revenu se poster devant la cellule.

Etait-ce par dérision qu'on avait assigné à Mortimer son cachot d'autrefois ? Là où le père l'avait gardé dix-sept mois enfermé, le fils à son tour le tenait captif. Mortimer se disait qu'il devait y avoir dans sa nature, dans sa personne, quelque chose qui le rendait intolérable à l'autorité royale, ou qui lui rendait insupportable cette autorité. De toute manière, un roi et lui ne pouvaient cohabiter dans la même nation, et il fallait bien que l'un des deux disparût. Il avait supprimé un roi ; un autre roi allait le supprimer. C'est un grand malheur que d'être né avec une âme de monarque quand on n'est pas destiné à régner.

Mortimer, cette fois, n'avait plus l'espérance ni même le désir de s'évader. Il lui semblait être déjà mort, depuis Nottingham. Pour les êtres tels que lui, dominés par l'orgueil, et dont les plus hautes ambitions ont été un moment satisfaites, la chute équivaut au trépas. Le vrai Mortimer était à présent, et pour l'éternité humaine, inscrit dans les chroniques d'Angleterre ; le cachot de la Tour ne contenait que sa charnelle mais indifférente enveloppe.

Chose singulière, cette enveloppe avait retrouvé des habitudes. De la même manière que lorsqu'on revient, après vingt ans d'absence, dans la demeure où l'on vécut enfant, on pèse du genou machinalement et par une sorte de mémoire musculaire sur le battant de la porte qui autrefois forçait, ou bien l'on pose le pied au plus large de l'escalier pour éviter le bord d'une marche usée, de la même manière Mortimer avait repris les gestes de sa précédente détention. Il pouvait, la nuit, franchir les quelques pas du soupirail au mur sans jamais se cogner ; il avait, dès son entrée, repoussé l'escabelle à sa place ancienne ; il reconnaissait les bruits familiers, la relève de la garde, la sonnerie des offices à la chapelle Saint-Pierre ; et cela sans le moindre effort d'attention. Il savait l'heure où on lui apportait son repas. La nourriture était à peine moins mauvaise que du temps de l'ignoble constable Seagrave.

Parce que le barbier Ogle avait servi d'émissaire à Mortimer, la première fois, pour organiser sa fuite, on refusait de lui envoyer quelqu'un pour le raser. Une barbe d'un mois lui poussait aux joues. Mais, à ce détail près, tout était semblable, jusqu'à ce corbeau que Mortimer avait naguère surnommé « Edouard », et qui feignait de dormir, ouvrant de temps en temps son œil rond avant de lancer son gros bec à travers les barreaux.

Ah, si ! Quelque chose manquait : les monologues tristes du vieux Lord Mortimer de Chirk, gisant sur la planche qui servait de couche... A présent, Roger Mortimer comprenait pourquoi son oncle avait refusé autrefois de le suivre dans son évasion. Ce n'était ni par peur du risque ni même par faiblesse de corps ; on a toujours assez de forces pour entreprendre un chemin, même si l'on doit y tomber. C'était le sentiment que sa vie était terminée qui avait retenu le Lord de Chirk, et lui avait fait préférer attendre sa fin, sur ce bat-flanc.

Pour Roger Mortimer, qui ne comptait que quarante-cinq ans, la mort ne viendrait pas d'elle-même. Il éprouvait une vague angoisse lorsqu'il regardait vers le centre du Green la place où l'on dressait habituellement le billot. Mais on s'habitue à la proximité de la mort par toute une suite de pensées très simples qui s'organisent pour constituer une mélancolique acceptation. Mortimer se disait que le corbeau sournois vivrait après lui, et narguerait d'autres prisonniers ; les rats aussi vivraient, les gros rats mouillés qui montaient la nuit des berges vaseuses de la Tamise et couraient sur les pierres de la forteresse ; même la puce qui le taquinait sous sa chemise sauterait sur le bourreau le jour de l'exécution, et continuerait de vivre. Toute vie qui s'efface du monde laisse les autres vies intactes. Rien n'est plus banal que de mourir.

Quelquefois il songeait à sa femme, Lady Jeanne, sans nostalgie ni remords. Il l'avait assez tenue à l'écart de sa puissance pour que l'on eût quelque raison de s'en prendre à elle. On lui laisserait, sans doute, la disposition de ses biens personnels. Ses fils ? Certes, ses fils auraient à subir la séquelle des haines dont il était l'objet ; mais comme il y avait peu de chances qu'ils devinssent jamais hommes d'aussi vaste valeur et d'aussi haute ambition que lui, qu'importait qu'ils fussent ou ne fussent pas comtes dans les Marches ? Le grand Mortimer, c'était lui, ou plutôt ce qu'il avait été. Ni pour sa femme, ni pour ses fils, il n'éprouvait de regrets.

La reine ?... La reine Isabelle mourrait un jour, et de cet instant-là il n'existerait plus personne sur terre à l'avoir connu dans sa vérité. C'était seulement lorsqu'il pensait à Isabelle qu'il se sentait encore quelque peu rattaché à l'existence. Il était mort à Nottingham, certes ; mais le souvenir de son amour continuait de vivre, un peu comme les cheveux s'obstinent à croître quand le cœur a cessé de battre. Voilà tout ce qui restait au bourreau à trancher. Quand on séparerait la tête du corps, on anéantirait le souvenir des mains royales qui s'étaient nouées à ce cou.

Comme chaque matin, Mortimer avait demandé la date. On était le 29 novembre ; le Parlement devait donc se trouver réuni et le prisonnier s'attendait à comparaître. Il connaissait assez la lâcheté des assemblées pour savoir que nul ne prendrait sa défense, bien au contraire. Lords et Communes allaient se venger avec empressement de la terreur qu'il leur avait si longtemps inspirée.

Le jugement avait déjà été prononcé, dans la chambre de Nottingham. Ce n'était pas à un acte de justice qu'on allait le soumettre, mais seulement à un simulacre nécessaire, une formalité, tout exactement comme lors des condamnations naguère ordonnées par lui.

Un souverain de vingt ans impatient de gouverner, et de jeunes Lords impatients d'être les maîtres de la faveur royale, avaient besoin de sa disparition pour être sûrs de leur pouvoir.

« Ma mort, pour ce petit Edouard, est l'indispensable complément de son sacre... Et, pourtant, ils ne feront pas mieux que moi ; le peuple ne sera pas davantage satisfait sous leur loi. Là où je n'ai pas réussi, qui donc pourrait réussir ? »

Quelle attitude devrait-il adopter pendant le simulacre de justice ? Se faire suppliant, comme le comte de Kent ? Battre sa coulpe, implorer, offrir sa soumission, pieds nus et la corde au cou, en confessant le regret de ses erreurs ? Il faut avoir grande envie de vivre pour s'imposer la comédie de la déchéance ! « Je n'ai commis aucune faute. J'ai été le plus fort, et le suis resté jusqu'à ce que d'autres, plus forts pour un moment, m'abattent. C'est tout. »

Alors l'insulte ? Faire face une dernière fois à ce Parlement de moutons et lui lancer : « J'ai pris les armes contre le roi Edouard II. Mes Lords, lesquels d'entre vous qui me jugez ce jour ne m'ont pas suivi alors ?... Je me suis évadé de la tour de Londres. Mes Lords évêques, lesquels d'entre vous qui me jugez ce

jour n'ont pas fourni aide et trésor pour ma
liberté ?... J'ai sauvé la reine Isabelle d'être tuée par
les favoris de son époux, j'ai levé des troupes et armé
une flotte qui vous ont délivrés des Despenser, j'ai
déposé le roi que vous haïssiez et fait couronner son
fils qui ce jour me juge. Mes Lords, comtes, barons
et évêques, et vous messires des Communes, lesquels
d'entre vous ne m'ont pas loué pour tout cela, et
même pour l'amour que la reine m'a porté ? Vous
n'avez rien à me reprocher que d'avoir agi en votre
place, et vous avez belles dents à me déchirer, pour
faire oublier par la mort d'un seul ce qui fut la
besogne de tous. »

Ou bien le silence... Refuser de répondre à l'interrogatoire, refuser de présenter une défense, ne pas
prendre l'inutile peine de se justifier. Laisser hurler
les chiens qu'on ne tient plus sous le fouet... « Mais
combien j'avais raison de les soumettre à la peur ! »

Il fut tiré de ses pensées par des bruits de pas.
« Voici le moment », se dit-il.

La porte s'ouvrit, et des sergents d'armes apparurent qui s'écartèrent pour laisser passer le frère du
défunt comte de Kent, le comte de Norfolk, maréchal
d'Angleterre, suivi du Lord-maire et des shérifs de
Londres, ainsi que de plusieurs délégués des Lords
et des Communes. Tout ce monde ne pouvait tenir
dans la cellule, et les têtes se pressaient dans l'étroit
couloir.

« My Lord, dit le comte de Norfolk, je viens d'ordre
du roi vous donner la lecture du jugement rendu à
votre endroit, l'autre avant-hier, par le Parlement
assemblé. »

Les assistants furent surpris de voir, à cette
annonce, Mortimer sourire. Un sourire calme,
méprisant, qui ne s'adressait pas à eux mais à lui-
même. Le jugement était déjà rendu depuis deux
jours sans comparution, sans interrogatoire, sans
défense... alors que l'instant d'avant il s'inquiétait de
la figure à prendre devant ses accusateurs. Vain
souci ! On lui infligeait une ultime leçon, il aurait pu

aussi bien se dispenser naguère, pour les Despenser, pour le comte d'Arundel, pour le comte de Kent, d'aucune formalité judiciaire.

Le coroner de la cour avait commencé de lire le jugement. « *Vu que ce fut ordonné par le Parlement séant à Londres, immédiatement après le couronnement de notre seigneur le roi, que le conseil du roi comprendrait cinq évêques, deux comtes et cinq barons, et que rien ne pourrait être décidé hors de leur présence, et que ledit Roger Mortimer, sans égard à la volonté du Parlement, s'appropria le gouvernement et l'administration du royaume, déplaçant et plaçant à sa guise les officiers de la maison du roi et de l'ensemble du royaume pour y introduire ses propres amis selon son bon plaisir*[18]... »

Debout, adossé au mur et la main posée sur un barreau du soupirail, Roger Mortimer regardait le Green et paraissait à peine intéressé par la lecture.

« *... Vu que le père de notre roi ayant été conduit au château de Kenilworth, par ordonnance des pairs du royaume, pour y demeurer et y être traité selon sa dignité de grand prince, ledit Roger ordonna de lui refuser tout ce qu'il demanderait et le fit transférer au château de Berkeley où finalement, par ordre dudit Roger, il fut traîtreusement et ignominieusement assassiné...*

— Va-t'en, mauvais oiseau, cria Mortimer, à l'étonnement des assistants, parce que le corbeau sournois venait de lui décharger un grand coup de bec sur le dos de la main.

— *... Vu que, bien qu'il fût interdit par ordonnance du roi, scellée du grand sceau, de pénétrer en armes dans la salle de délibération du Parlement séant à Salisbury, ceci sous peine de forfaiture, ledit Roger et sa suite armée n'en pénétrèrent pas moins, violant ainsi l'ordonnance royale...* »

La liste des griefs s'allongeait, interminable. On reprochait à Mortimer l'expédition militaire contre le comte de Lancastre ; les espions placés auprès du jeune souverain et qui avaient contraint celui-ci de se « *conduire plutôt en prisonnier qu'en roi* » ; l'accaparement de vastes terres appartenant à la couronne ; la rançon, le dépouillement, le bannissement de nombreux barons ; la machination montée pour faire croire au comte de Kent que le père du roi était toujours vivant, « *ce qui détermina ledit comte à vérifier les faits par les moyens les plus honnêtes et les plus loyaux* » ; l'usurpation des pouvoirs royaux pour traduire le comte de Kent devant le Parlement et le faire mettre à mort ; le détournement des sommes destinées à financer la guerre de Gascogne, ainsi que des trente mille marcs d'argent versés par les Ecossais en exécution du traité de paix ; la mainmise sur le Trésor royal de sorte que le roi n'était plus en état de tenir son rang. Mortimer était accusé encore d'avoir allumé la discorde entre le père du roi et la reine consort, « *étant ainsi responsable du fait que la reine ne revint jamais à son seigneur pour partager son lit, au grand déshonneur du roi et de tout le royaume* », et enfin d'avoir déshonoré la reine « *en se montrant auprès d'elle comme son paramour notoire et avoué* ».

Mortimer, les yeux au plafond et se caressant la barbe, souriait à nouveau ; c'était toute son histoire qu'on lisait et qui, sous cette forme étrange, allait entrer à jamais dans les archives du royaume.

« ... *C'est pourquoi le roi s'en est remis aux comtes, barons et autres, pour prononcer un juste jugement contre ledit Roger Mortimer ; ce que les membres du Parlement, après s'être concertés, ont admis, déclarant que toutes charges énumérées étaient valables, notoires, connues de tout le peuple et particulièrement l'article touchant la mort du roi au château de Berkeley. C'est pourquoi il est décidé par eux que ledit Roger, traître et ennemi du roi et du royaume, sera traîné sur la claie et puis pendu...* »

Mortimer eut un léger sursaut. Donc, ce ne serait pas le billot ? Jusqu'au bout il y avait de l'imprévu.

« ... *et aussi que la sentence sera sans appel ainsi que ledit Mortimer lui-même en a autrefois décidé*

*dans les procès des deux Despenser et du défunt Lord
Edmond, comte de Kent et oncle du roi.* »

Le clerc avait terminé et roulait les feuilles. Le
comte de Norfolk, frère du comte de Kent, regardait
Mortimer dans les yeux. Qu'avait-il fait celui-là, qui
s'était tenu bien coi ces derniers mois, pour repa-
raître en affectant un air vengeur et justicier ? A
cause de ce regard, Mortimer eut envie de parler...
oh ! brièvement... juste pour dire au comte maréchal,
et, à travers ce personnage, au roi, aux conseillers,
aux Lords, aux Communes, au clergé, au peuple tout
entier :

« Quand il paraîtra au royaume d'Angleterre un
homme capable d'accomplir telles choses que vous
venez d'énumérer, vous vous soumettrez à lui derechef, tout également que vous me fûtes soumis. Mais
je ne crois pas qu'il naisse de sitôt... A présent il est
temps d'en finir. Est-ce maintenant que vous me
conduisez ? »

Il semblait donner encore des ordres et commander sa propre exécution.

« Oui, my Lord, dit le comte de Norfolk, c'est à présent. Nous vous menons aux Common Gallows. »

Les Common Gallows, le gibet des voleurs, des
bandits, des faussaires, des vendeurs de filles, le gibet
de la crapule[19]...

« Bien, allons ! dit Mortimer.

— Mais auparavant, vous devez être dépouillé,
pour la claie.

— Fort bien, dépouillez-moi. »

On lui ôta ses vêtements, ne lui laissant qu'une
toile autour des reins. Il sortit ainsi, nu parmi cette
escorte chaudement vêtue, sous une petite pluie
bruinante de novembre. Son haut corps musclé faisait une tache claire parmi toutes les robes sombres
des shérifs, et les vêtements de fer de la garde.

La claie était dans le Green, construite de lattes
rugueuses posées sur deux patins, et accrochée aux
harnais d'un cheval de trait.

Mortimer conserva son sourire méprisant pour

regarder cet équipage. Que de soins, que d'application à l'humilier ! Il se coucha sans aide et on lui lia les poignets et les chevilles aux traverses de bois ; puis le cheval se mit en marche et la claie commença de glisser, d'abord doucement sur l'herbe du Green, puis en raclant le gravier du chemin.

Le maréchal d'Angleterre, le Lord-maire, les délégués du Parlement, le constable de la Tour, suivaient ; une escorte de soldats, la pique sur l'épaule, ouvrait la route et protégeait la marche.

Le cortège sortit de la forteresse par la Traitors'Gate où une foule attendait, curieuse, houleuse, cruelle, qui ne fit que grossir le long du chemin.

Quand on a généralement considéré les multitudes du haut d'un cheval ou d'une estrade, c'est une impression étrange que de les regarder soudain depuis le niveau du sol, d'apercevoir tous ces mentons agités, toutes ces bouches déformées par les cris, ces milliers de narines ouvertes. Les hommes ont vraiment de mauvais visages observés ainsi, et les femmes également, des visages grotesques et méchants, d'affreuses gueules de gargouilles sur lesquelles on n'a pas assez frappé lorsqu'on était debout ! Et sans cette petite bruine qui lui tombait droit dans les yeux, Mortimer, secoué et cahoté sur sa claie, aurait mieux pu voir ces faces de haine.

Quelque chose de visqueux et de mou l'atteignit à la joue, lui coula dans la barbe ; Mortimer comprit que c'était un crachat. Et puis, une douleur aiguë, perçante, le traversa tout entier ; une main lâche lui avait lancé une pierre au bas-ventre. Sans les piquiers, la foule, s'enivrant de ses propres hurlements, l'eût déchiré sur place.

Il avançait sous une voûte sonore d'insultes et de malédictions, lui qui, six ans plus tôt, sur toutes les routes d'Angleterre, n'entendait s'élever que des acclamations. Les foules ont deux voix, une pour la haine, l'autre pour l'allégresse ; c'est merveille que tant de gorges hurlant ensemble puissent produire deux rumeurs si différentes.

Et brusquement, ce fut le silence. Etait-on déjà parvenu au gibet ? Mais non ; on était entré à Westminster et l'on faisait passer la claie lentement sous les fenêtres où se pressaient les membres du Parlement. Ceux-ci se taisaient en contemplant, traîné comme un arbre fourchu sur les pavés, celui qui tant de mois les avait pliés à sa volonté.

Mortimer, les yeux emplis de pluie, cherchait un regard. Peut-être, par suprême cruauté, avait-on fait obligation à la reine Isabelle d'assister à son supplice ? Il ne l'aperçut pas.

Puis le cortège se dirigea vers Tyburn. Arrivé aux Common Gallows, le condamné fut délié et rapidement confessé. Une dernière fois Mortimer domina la foule, du haut de l'échafaud. Il souffrit peu, car la corde du bourreau, en le soulevant brusquement, lui rompit les vertèbres.

La reine Isabelle se trouvait ce jour-là à Windsor où elle se remettait lentement d'avoir perdu, en même temps que son amant, l'enfant qu'elle attendait de lui.

Le roi Edouard fit savoir à sa mère qu'il viendrait passer avec elle les fêtes de Noël.

IV

UN MAUVAIS JOUR

Par les fenêtres de la maison Bonnefille, Béatrice
d'Hirson regardait la pluie tomber dans la rue Mauconseil. Depuis plusieurs heures elle attendait
Robert d'Artois qui lui avait promis de la rejoindre,
cet après-midi-là. Mais Robert ne tenait aucunement
ses promesses, les petites pas plus que les grandes,
et Béatrice se jugeait bien stupide de le croire encore.

Pour une femme qui attend, un homme a tous les
torts. Robert ne lui avait-il pas promis aussi, et
depuis près d'un an, qu'elle serait dame de parage en
son hôtel ? Au fond, il n'était pas différent de sa
tante ; tous les Artois se ressemblaient. Des ingrats !
On se crevait à faire leurs volontés ; on courait les
herbières et les jeteurs de sorts ; on tuait pour servir
leurs intérêts ; on risquait la potence ou le bûcher...
car ce n'eût pas été Mgr Robert qu'on eût arrêté si
l'on avait pris Béatrice à verser l'arsenic dans la
tisane de Madame Mahaut, ou le sel de mercure dans
le hanap de Jeanne la Veuve. « Cette femme, aurait-
il dit, je ne la connais pas ! Elle prétend avoir agi sur
mon ordre ? Menteries. Elle était de la maison de ma
tante, pas de la mienne. Elle invente fables pour se
sauver. Faites-la donc rouer. » Entre la parole d'un
prince de France, beau-frère du roi, et celle d'une
quelconque nièce d'évêque, dont la famille n'était
même plus en faveur, qui donc aurait hésité ?

« Et j'ai fait tout cela pour quoi ? pensait Béatrice. Pour attendre ; pour attendre, esseulée en ma maison, que Mgr Robert daigne une fois la semaine me visiter ! Il avait dit qu'il viendrait après Vêpres ; voici le Salut sonné. Il a dû encore ripailler, traiter trois barons à dîner, parler de ses grands exploits, des affaires du royaume, de son procès, flatter de la main le rein de toutes les chambrières. Même la Divion mange à sa table, à présent, je le sais ! Et moi je suis ici à regarder la pluie. Et il arrivera à la nuitée, lourd, rotant beaucoup et les joues enflammées ; il me dira trois fadaises, s'écroulera sur le lit pour y dormir une heure, et repartira. Si même il vient... »

Béatrice s'ennuyait, plus encore qu'à Conflans dans les derniers mois de Mahaut. Ses amours avec Robert s'enlisaient. Elle avait cru piéger le géant, mais c'était lui qui avait gagné. La passion contrariée, humiliée, se changeait en sourde rancune. Attendre, toujours attendre ! Et ne pas même pouvoir sortir, courir les tavernes avec quelque amie à la recherche de l'aventure, parce que Robert pourrait justement survenir dans ce moment-là. En plus, il la faisait surveiller !

Elle comprenait bien que Robert se détachait d'elle et ne la voyait plus que par obligation, comme une complice qu'il faut ménager. Deux semaines entières se passaient parfois sans qu'il lui témoignât de désir.

« Tu ne gagneras pas toujours, Monseigneur Robert ! » disait-elle tout bas. Elle commençait secrètement de le haïr, faute de le posséder assez.

Elle avait essayé les meilleures recettes de philtres d'amour : *Tirez de votre sang, un vendredi de printemps ; mettez-le sécher au four dans un petit pot, avec deux couillons de lièvre et un foie de colombe ; réduisez le tout en poudre fine et faites-en avaler à la personne sur qui vous avez dessein ; et si l'effet ne se sent pas à la première fois, réitérez jusqu'à trois fois.*

Ou bien encore : *Vous irez un vendredi matin, avant soleil levé, dans un verger fruitier et cueillerez sur un arbre la plus belle pomme que vous pourrez ; puis vous écrirez avec votre sang, sur un petit morceau de papier blanc, votre nom et surnom, et, en une autre ligne suivante, le nom et le surnom de la personne dont vous voulez être aimé ; et vous tâcherez d'avoir trois de ses cheveux, que vous joindrez, avec trois des vôtres qui vous serviront à lier le petit billet que vous aurez écrit de votre sang ; puis vous fendrez la pomme en deux, vous en ôterez les pépins, et, en leur place, vous mettrez le billet lié des cheveux ; et avec deux petites brochettes pointues de branche de myrte verte, vous rejoindrez proprement les deux moitiés de pomme et la ferez bien sécher au four en sorte qu'elle devienne dure et sans humidité, comme des pommes sèches de carême ; vous l'envelopperez ensuite dans des feuilles de laurier et de myrte et tâcherez de la mettre sous le chevet du lit où couche la personne aimée, sans qu'elle s'en aperçoive ; et en peu de temps elle vous donnera des marques de son amour.*

Vaine entreprise. Les pommes du vendredi restaient inopérantes. La sorcellerie, où Béatrice se croyait infaillible, paraissait n'avoir pas de prise sur le comte d'Artois. Il n'était pas le Diable, tout de même ! en dépit de ce qu'elle lui avait affirmé pour le conquérir.

Elle avait espéré être enceinte. Robert semblait aimer ses fils, par orgueil peut-être, mais il les aimait. Ils étaient les seuls êtres dont il parlât avec un peu de tendresse. Alors, un bâtard qui lui serait venu à présent... Et puis, c'eût été un bon moyen pour Béatrice ; montrer son ventre et dire : « J'attends un enfant de Mgr Robert... » Mais soit qu'elle eût dans le passé dérangé la nature, soit que le Malin l'eût faite telle qu'elle ne pût engendrer, cet espoir-là aussi avait été déçu. Et il ne restait à Béatrice d'Hirson, ancienne demoiselle de parage de la comtesse Mahaut, que l'attente, la pluie, et des rêves de vengeance...

A l'heure où les bourgeois se mettaient au lit, Robert d'Artois arriva enfin, la mine fort sombre et se grattant du pouce le piquant de la barbe. A peine regarda-t-il Béatrice qui avait pris soin de mettre une robe neuve ; il se versa une grande rasade d'hypo-cras.

« Il est éventé », dit-il avec une grimace en se lais-sant choir sur un siège qui rendit un grand gémisse-ment de bois.

Comment le breuvage n'eût-il pas perdu son arôme ? L'aiguière était préparée depuis quatre heures !

« J'espérais plus tôt ta venue, Monseigneur.

— Eh oui ! mais j'ai de graves soucis qui m'ont tenu empêché.

— Comme le jour d'hier, et comme l'hier d'avant...

— Comprends aussi que je ne peux me montrer entrant de jour en ta maison, surtout en ce moment qu'il me faut recroître de prudence.

— La bonne excuse ! Alors ne me dis point que tu viendras de jour si tu ne me veux visiter que la nuit. Mais la nuit appartient à la comtesse ton épouse... »

Il haussa les épaules d'un air excédé.

« Tu sais bien que je ne l'approche plus.

— Tous les époux disent cela à leur bonne amie, les plus grands du royaume comme le dernier save-tier... et tous mentent de la même façon. Je voudrais bien voir que Mme de Beaumont te fît si bon visage et se montrât de si bon air avec toi si tu n'entrais jamais en son lit... Pour les journées, Monseigneur est au Conseil étroit, à croire que le roi tient conseil de la crevée de l'aube jusqu'au soir couchant. Ou bien Monseigneur est à la chasse... ou bien Monsei-gneur va jouter... ou bien Monseigneur est parti pour sa terre de Conches.

— La paix ! cria Robert abattant le plat de la main sur la table. J'ai d'autres soins en tête que d'écouter sornettes de femelle. C'est aujourd'hui que j'ai pré-senté ma requête devant la Chambre du roi. »

En effet, on était le 14 décembre, jour fixé par Phi-lippe VI pour l'ouverture du procès d'Artois. Béatrice le savait. Robert l'en avait prévenue ; mais agacée de jalousie, elle l'avait oublié.

« Et tout s'est passé à ton souhait ?

— Pas absolument, répondit Robert. J'ai présenté les lettres de mon grand-père, et l'on a contesté qu'elles fussent vraies.

— Les croyais-tu bonnes ? dit Béatrice avec un sourire méchant. Et qui donc les a contestées ?

— La duchesse de Bourgogne qui s'est fait remettre les pièces à examen.

— Ah ! la duchesse de Bourgogne est à Paris... »

Les longs cils noirs se relevèrent un instant et le regard de Béatrice brilla d'un soudain éclat, vite dissimulé. Robert, tout à ses soucis, ne s'en aperçut pas.

Frappant les poings l'un contre l'autre, et les muscles des mâchoires contractés, il disait :

« Elle est venue tout exprès avec le duc Eudes. Mahaut me nuira donc jusque dans sa descendance ! Pourquoi si mauvais sang coule-t-il en cette race-là ? Tout ce qui est fille de Bourgogne est putain, vol et mensonge ! Celle-ci, qui pousse contre moi son benêt de mari, est gueuse déjà comme toute sa parenté. Ils ont la Bourgogne ; que veulent-ils encore la comté qu'ils m'ont volée ? Mais je gagnerai. Je soulèverai l'Artois s'il le faut, comme je l'ai fait déjà contre Philippe le Long, le père de cette mauvaise guenon. Et cette fois ce ne sera pas sur Arras que je marcherai, mais sur Dijon... »

Il parlait, mais le cœur n'y était pas. C'était une colère assise, sans grands cris, sans ce pas à faire crouler les murs, sans toute cette comédie de la fureur qu'il savait si bien jouer. Pour quel auditoire se fût-il donné cette peine ?

L'habitude en amour érode les caractères. On ne s'oblige à l'effort que dans la nouveauté, et l'on ne redoute que ce que l'on ne connaît pas. Nul n'est fait que de puissance, et les craintes disparaissent en même temps que le mystère s'efface. Chaque fois que l'on se montre nu, on abandonne un peu d'autorité. Béatrice ne craignait plus Robert.

Elle oubliait de le redouter parce qu'elle l'avait vu

trop souvent dormir, et se permettait, envers ce géant, ce que personne n'eût osé.

Et de même pour Robert envers Béatrice, devenue une maîtresse jalouse, exigeante, pleine de reproches, comme toute femme quand une liaison cachée dure trop longtemps. Ses talents de sorcière n'amusaient plus Robert. Ses pratiques de magie et de satanisme lui paraissaient routine. Il se défiait de Béatrice, mais par simple habitude atavique, puisqu'il est entendu une fois pour toutes que les femmes sont menteuses et trompeuses. Comme elle lui mendiait le plaisir, il ne pensait plus à la craindre, et oubliait qu'elle ne s'était jetée dans ses bras que par goût de la trahison. Même le souvenir de leurs deux crimes perdait de l'importance et se dissolvait dans la poussière des jours, tandis que les deux cadavres s'effritaient sous terre.

Ils vivaient cette période d'autant plus dangereuse qu'on ne croit plus au danger. Les amants devraient savoir, au moment où ils cessent de s'aimer, qu'ils vont se retrouver tels qu'avant de commencer. Les armes ne sont jamais détruites, mais seulement déposées.

Béatrice observait Robert en silence, tandis qu'il rêvait, bien loin d'elle, à de nouvelles machinations pour gagner son procès. Mais quand on a usé de tout pendant vingt ans, fait fouiller les lois et les coutumes, utilisé le faux témoignage, la falsification d'écritures, le meurtre, même, et qu'on a le roi pour beau-frère, et qu'encore on ne tient pas la victoire, n'y a-t-il pas, certains jours, motif à désespérer ?

Changeant d'attitude, Béatrice vint s'agenouiller devant lui, soudain câline, soumise et tendre, comme si elle voulait à la fois consoler et se blottir.

« Quand donc mon gentil seigneur Robert me prendra-t-il en son hôtel ? Quand me fera-t-il dame de parage de sa comtesse, comme il me l'a promis ? Regarde la bonne chose que ce serait ! Toujours près de toi, tu pourrais m'appeler à ton gré... je serais là

pour te servir et veiller sur toi mieux qu'aucune.
Quand donc ?

— Quand mon procès sera gagné, dit-il comme
chaque fois qu'elle revenait sur la question.

— Du train qu'il va, ce procès, je pourrai bien
attendre d'avoir les cheveux blancs.

— Quand il sera jugé, si tu préfères. C'est chose
dite, et Robert d'Artois n'a qu'une parole. Mais
patience, que diable ! »

Il regrettait bien d'avoir dû, naguère, lui faire
miroiter ce projet. A présent il était fermement
décidé à n'y jamais donner suite. Béatrice en l'hôtel
de Beaumont ? Quel trouble, quelle fatigue, et quelle
source d'ennuis !

Elle se releva, alla tendre les mains au feu de
tourbe qui brûlait dans la cheminée.

« De la patience, j'en ai eu assez je crois, dit-elle
sans hausser la voix. D'abord, ce devait être après la
mort de Madame Mahaut ; ensuite, après la mort de
Madame Jeanne la Veuve. Elles sont mortes, il me
semble, et le bout de l'an va en être bientôt chanté
en église... Mais tu ne veux pas que j'entre en ton
hôtel... Une putain traînée comme la Division, qui fut
maîtresse de mon oncle l'évêque, et qui t'a fabriqué
de si bonnes pièces qu'un aveugle les verrait fausses,
a le droit, elle, de vivre à ta table, de se pavaner à ta
cour...

— Laisse donc la Division. Tu sais bien que je ne
garde cette sotte menteuse que par prudence. »

Béatrice eut un bref sourire. La prudence !... Avec
la Division, parce qu'elle avait fait cuire quelques
sceaux, il fallait user de prudence. Mais d'elle, Béatrice, qui avait envoyé deux princesses en tombe, on
ne redoutait rien, et on pouvait la payer d'ingrati-
tude.

« Allons, ne te plains pas, dit Robert. Tu as le
meilleur de moi. Si tu étais en ma maison, je te pourrais sûrement moins voir, et avec moins d'abandon. »

Il était bien gonflé de soi, Mgr Robert, et il parlait

de ses présences comme de cadeaux sublimes qu'il daignait accorder !

« Alors si c'est le meilleur de toi que j'ai, que tardes-tu à me le donner..., répondit Béatrice de sa voix traînante. Le lit est prêt. »

Et elle montrait la porte ouverte sur la chambre.

« Non, ma petite mie ; il me faut à présent retourner au Palais et y voir le roi, en secret, pour contrebattre la duchesse de Bourgogne.

— Oui, certes, la duchesse de Bourgogne..., répéta Béatrice en hochant la tête d'un air entendu. Alors, est-ce demain que je dois attendre le meilleur ?

— Hélas ! demain je dois partir pour Conches et Beaumont.

— Et tu y resteras... ?

— Fort peu. Deux semaines.

— Tu ne seras donc point là pour la fête de l'an neuf ? demanda-t-elle.

— Non, ma belle chatte ; mais je te ferai présent d'un bon fermail de pierreries pour décorer ta gorge.

— Je m'en parerai donc pour éblouir mes valets, puisque ce sont les seules gens que je voie. »

Robert aurait dû se méfier davantage. Il est des jours funestes. A l'audience, ce 14 décembre, ses pièces avaient été protestées si fermement par le duc et la duchesse de Bourgogne que Philippe VI en avait froncé le sourcil par-dessus son grand nez, et regardé son beau-frère avec inquiétude. C'eût été l'occasion d'être plus attentif, de ne pas blesser, justement ce jour-là, une femme telle que Béatrice, de ne pas la laisser, pour deux semaines, insatisfaite de cœur et de corps. Il s'était levé.

« La Divion part-elle dans ta suite ?

— Eh oui ! mon épouse en a décidé de la sorte. »

Une bouffée de haine souleva la belle poitrine de Béatrice, et ses cils firent une ombre ronde sur ses joues.

« Alors, Monseigneur Robert, je t'attendrai comme une servante aimante et fidèle », prononça-t-elle en lui présentant un visage souriant.

Robert effleura d'un baiser machinal la joue de Béatrice. Il lui posa sa lourde main sur les reins, l'y tint un moment, et son geste s'acheva en une petite tape indifférente. Non, décidément, il ne la désirait plus ; et c'était bien là, pour elle, la pire offense.

V

CONCHES

L'hiver fut relativement doux cette année-là.

Avant le jour levé, Lormet le Dolois venait secouer l'oreiller de Robert. Celui-ci poussait quelques grands bâillements de fauve, se mouillait un peu le visage dans le bassin que lui présentait Gillet de Nelle, sautait dans ses vêtements de chasse, tout de cuir et la fourrure en dedans, les seuls vraiment bien agréables à porter. Puis il allait ouïr messe basse en sa chapelle ; l'aumônier avait ordre de dépêcher l'office, Evangile et communion, en quelques minutes. Robert tapait du pied si le frère s'attardait un peu trop à prier ; et le ciboire n'était pas rangé qu'il avait déjà passé la porte.

Il avalait un bol de bouillon chaud, deux ailes de chapon ou bien un morceau de porc gras, avec un bon hanap de vin blanc de Meursault qui vous dégourdit l'homme, coule comme de l'or dans la gorge, et réveille les humeurs endormies par la nuit. Tout cela debout. Ah ! si la Bourgogne n'avait produit que ses vins, au lieu d'avoir aussi ses ducs ! « Manger matin donne grand santé », disait Robert qui croquait encore en gagnant son cheval. Le coutel au côté, la corne en sautoir, et son bonnet de loup enfoncé sur les oreilles, il était en selle.

La meute de chiens courants, tenue sous le fouet, aboyait à pleines gueules ; les chevaux piaffaient, la croupe piquée par le petit froid matinal. La bannière claquait sur le haut du donjon, puisque le seigneur séjournait au château. Le pont-levis s'abaissait, et chiens, chevaux, valets, veneurs, à grand vacarme, déboulaient vers la mare, au cœur du bourg, et gagnaient la campagne à la suite du gigantesque baron.

Il traîne, les matins d'hiver, sur les prés du pays d'Ouche une petite brume blanche qui a une odeur d'écorce et de fumée. Robert d'Artois aimait Conches, décidément ! Ce n'était qu'un petit château, certes, mais bien plaisant, avec de bonnes forêts à l'entour.

Un soleil pâle dissipait la brume juste comme on arrivait au rendez-vous où les valets de limier présentaient leur rapport ; ils avaient relevé traces et volcelets. On attaquait à la meilleure brisée.

Les bois de Conches regorgeaient de cerfs et de sangliers. Les chiens étaient bien créancés. Si l'on empêchait le sanglier de s'arrêter pour pisser, il était pris en guère plus d'une heure. Les grands cerfs majestueux emmenaient leur monde un peu plus longtemps, par de longs débuchers où la terre volait en gerbes sous les pieds des chevaux, et ils allaient se faire aboyer, raides, haletants, la langue sortie sous leur lourde ramure, dans quelque étang ou marais.

Le comte Robert chassait au moins quatre fois la semaine. Cela ne ressemblait pas aux grands laisser-courre royaux où deux cents seigneurs se pressaient, où l'on ne voyait rien, et où, par crainte de perdre la compagnie, on chassait le roi plutôt que le gibier. Ici, vraiment, Robert s'amusait entre ses piqueurs, quelques vassaux du voisinage fort fiers d'être invités, et ses deux fils qu'il commençait de former à l'art de vénerie que tout bon chevalier se doit de connaître. Il était content de ses fils, dix et neuf ans, qui grandissaient en force ; il surveillait leur travail aux armes et à la quintaine. Ils avaient de la chance, ces gamins ! Robert avait été trop tôt privé de son père...

Il servait lui-même l'animal hallali, prenant son

coutelas pour le cerf, ou un épieu pour le sanglier. Il y montrait une grande dextérité et éprouvait plaisir à sentir le fer, appuyé au juste endroit, s'enfoncer d'un coup dans la chair tendre. Le gibier et le veneur étaient également fumants de sueur ; mais l'animal s'écroulait, foudroyé, et l'homme restait debout.

Sur le chemin du retour, tandis qu'on commentait les incidents de la poursuite, les vilains des hameaux, en guenilles et les jambes entourées de toiles déchirées, surgissaient de leurs masures, pour courir baiser l'éperon du seigneur, d'un mouvement à la fois extasié et craintif ; une bonne habitude qui se perdait en ville.

Au château, dès le maître apparu, on cornait l'eau pour la dînée de midi. Dans la grand-salle tendue de tapisseries aux armes de France, d'Artois, de Valois et de Constantinople — car Mme de Beaumont était Courtenay par sa mère — Robert s'attablait pour engloutir pendant trois heures de rang, tout en taquinant son entourage ; il faisait comparaître son maître queux, la cuiller de bois pendue à la ceinture, et parfois le complimentait si le cuissot de laie, bien mariné, était fondant à point, ou lui promettait la potence si la sauce au poivre chaud, dont on arrosait le cerf entier rôti à la broche, manquait de relevé.

Il prenait le temps d'une courte sieste, après quoi il revenait dans la grand-salle pour entendre ses prévôts et receveurs, se faire donner les comptes, régler les affaires de son fief et rendre la justice. Il aimait beaucoup rendre la justice, voir l'envie ou la haine dans les yeux des plaideurs, la fourberie, l'astuce, la malice, le mensonge, se voir lui-même en somme, à la petite échelle des gens du fretin.

Il se réjouissait surtout des histoires de femmes ribaudes et de maris trompés.

« Faites paraître le cornard ! » ordonnait-il, carré dans son faudesteuil de chêne.

Et de poser les questions les plus paillardes, tandis que les clercs greffiers pouffaient derrière leurs plumes et que les requérants devenaient cramoisis de honte.

Robert avait une fâcheuse propension, que ses prévôts lui reprochaient, à n'infliger que des peines légères aux voleurs, larrons, pipeurs de dés, suborneurs, détrousseurs, maquereaux et brutaux, sauf, bien sûr, quand le larcin ou le délit avait été commis à son détriment. Une secrète connivence le liait de cœur avec tout ce qu'il y avait de truanderie sur la terre.

Justice rendue, et voilà la journée presque passée. Robert descendait aux étuves, installées dans une chambre basse du donjon, se plongeait dans une cuve d'eau chaude parfumée d'herbes et d'aromates qui défatiguent les membres, se faisait sécher et bouchonner comme un cheval, peigner, raser, friser.

Déjà, écuyers, échansons et valets avaient à nouveau dressé sur les tréteaux les tables du souper, où Robert paraissait dans une immense robe seigneuriale de velours vermeil ouvré de lis d'or et des châteaux d'Artois, et dont la fourrure intérieure lui couvrait la chaussure.

Mme de Beaumont, elle, portait une robe de camocas violet, fourrée de menu-vair, brodée en or des initiales « J » et « R » entrelacées, avec semis de trèfles d'argent.

La chère était moins lourde qu'au repas de midi : potages aux herbes ou au lait, un paon, un cygne rôti au milieu d'une couronne de pigeonneaux, fromages frais et fermentés, tartes et gaufres sucrées qui aidaient à goûter les vieux vins coulant des aiguières en forme de lion ou d'oiseau.

On servait à la française, c'est-à-dire à deux par écuelle, une femme et un homme mangeant au même plat, sauf le seigneur. Robert avait sa platée pour lui seul, qu'il vidait de la cuiller, du couteau et des doigts, s'essuyant à la nappe comme chacun. Pour la petite volaille, il broyait chair et os, tout ensemble.

Vers la fin du souper, le ménestrel Watriquet de

Couvin était prié de prendre sa courte harpe et de dire un conte de sa composition. Messire Watriquet était de Hainaut ; il connaissait bien le comte Guillaume et la comtesse, sœur de Mme de Beaumont ; il avait fait ses débuts à leur cour, et poursuivait sa carrière en passant chez chaque Valois, à tour de rôle. On se le disputait à gros gages.

« Watriquet, le lai des Dames de Paris ! » réclamait Robert, la bouche encore grasse.

C'était son conte préféré et, bien qu'il le connût presque par cœur, il voulait l'entendre toujours, semblable en cela aux enfants qui exigent chaque soir la même histoire, et qu'on n'en omette rien. Qui eût pu, à ce moment-là, croire Robert d'Artois capable de faux et de crimes ?

Le lai des Dames de Paris contait l'aventure de deux bourgeoises, Margue et Marion, femme et nièce d'Adam de Gonesse, qui, s'en allant au tripier, le matin du jour des Rois, rencontrent pour leur malheur une voisine, dame Tifaigne la coiffière, et se laissent entraîner par elle dans une auberge où l'hôte, dit-on, fait crédit.

Voici les commères attablées à la taverne des Maillets où le tenancier Drouin leur sert force bonnes choses : du vin claret, une oie grasse, une pleine écuelle d'aulx, des gâteaux chauds.

A cet endroit du conte, Robert d'Artois se mettait à rire, d'avance. Et Watriquet poursuivait :

> *... Lors commença Margue à suer*
> *Et boire à grandes hanapées.*
> *En peu d'heures eurent échappées*
> *Trois chopines parmi sa gorge.*
> *« Dame, foi que je dois saint Georges,*
> *Dit Maroclippe, sa commère,*
> *Ce vin me fait la bouche amère ;*
> *Je veux avoir de la grenache,*
> *Si devais-je vendre ma vache*
> *Pour en avoir aux mains plein pot.*

Assis près de la grande cheminée où un arbre entier flambait, Robert d'Artois, renversé en arrière, gloussait d'un gros rire de gorge.

C'était toute sa jeunesse, passée dans les tavernes, bordeaux et autres mauvais lieux, qu'il revoyait à travers ce conte. En avait-il assez connu de ces franches garces, attablées et s'enivrant avec application à l'insu de leurs maris !

A minuit, chantait Watriquet, Margue, Marion et la coiffière, ayant tâté de tous les vins, de l'Arbois jusqu'au Saint-Mélion, et s'étant fait porter gaufres, oublies, amandes pelées, poires, épices et noix, étaient encore à l'auberge. Margue propose d'aller danser dehors. Le tavernier exige, pour les laisser sortir, qu'elles déposent leurs habits en gage ; ce à quoi elles consentent volontiers, soûles qu'elles sont ; en un tournemain elles se défont de leurs robes et pelissons, cottes, chemises, bourses et courroies.

Nues comme au jour de leur naissance, les voilà parties dans la nuit de janvier, braillant à tue-tête : « *Amour au vireli m'en vois* », titubant, trébuchant, s'écorchant aux murs, se rattrapant l'une à l'autre, pour finalement s'écrouler, ivres mortes, sur les monceaux d'ordures.

Le jour se lève, les portes s'ouvrent. On les découvre toutes souillées et sanglantes et ne bougeant pas plus que « *merde en la mi voie* » . On va quérir les maris qui les croient assassinées ; on les porte au cimetière des Innocents ; on les jette à la fosse commune.

> *L'une sur l'autre, toutes vives ;*
> *Or leur fuyait par les gencives*
> *Le vin, et par tous les conduits.*

Elles ne sortent de leur sommeil que la nuit suivante, au milieu du charnier, couvertes de terre, mais pas encore dessoûlées, et se mettent à crier dans le cimetière tout noir et gelé :

> *Drouin, Drouin, où es allé ?*
> *Apporte trois harengs salés*
> *Et un pot de vin du plus fort*
> *Pour faire à nos têtes confort ;*
> *Et ferme aussi la grand fenestre !* »

C'était un rugissement que poussait alors Mgr Robert. Le ménestrel Watriquet avait peine à finir son conte car, pour plusieurs minutes, le rire du géant emplissait la salle. Les yeux larmoyants, il se frappait les côtes à deux mains. Dix fois il répétait : « *Et ferme aussi la grand fenestre !* » Sa joie était si contagieuse que toute la maisonnée se tordait avec lui.

« Ah ! les drôlesses ! Toutes dépouillées, les naches à la bise... *Et ferme aussi la grand fenestre !* »

Et il repartait à rire.

Au fond, c'était une bonne vie, celle qu'on menait à Conches... Mme de Beaumont était une bonne épouse, le comté de Beaumont était un bon petit comté, et qu'importait qu'il fût domaine de la couronne puisque les revenus en étaient assurés ? Alors l'Artois ? Etait-ce si important, l'Artois après tout, cela méritait-il tant de soucis, luttes et besognes ?... « La terre où l'on me couchera un jour, que ce soit celle de Conches ou celle d'Hesdin... »

Ce sont là propos qu'on se tient lorsqu'on a passé la quarantaine, qu'une affaire engagée ne tourne pas complètement à souhait, et qu'on dispose de deux semaines de loisirs. Mais l'on sait bien, dans le fond, qu'on ne se tiendra pas à cette sagesse fugitive... Tout de même, demain, Robert irait courir un cerf du côté de Beaumont, et il en profiterait pour inspecter le château, voir s'il ne convenait pas de l'agrandir...

Ce fut en rentrant de Beaumont, où il s'était rendu avec son épouse, l'avant-dernier jour de l'année, que Robert d'Artois trouva ses écuyers et ses valets l'attendant, tout affolés, sur le pont-levis de Conches.

On était venu dans l'après-midi se saisir de la dame de Division pour l'emmener en prison, à Paris.

« S'en saisir ? Qui est venu s'en saisir ?

— Trois sergents.

— Quels sergents ? D'ordre de qui ? hurla Robert.

— Du roi.

— Allons donc ! Et vous avez laissé faire ! Vous êtes des niais que je vais bâtonner. Saisir chez moi ? Quelle imposture ! Avez-vous vu l'ordre, au moins ?

— Nous l'avons vu, Monseigneur, répondit Gillet de Nelle tremblant, et nous avons même exigé de le garder. Nous n'avons laissé prendre Mme de Divion qu'à cette condition. Le voici. »

C'était bien un ordre royal, tracé d'une main de clerc, mais scellé du cachet de Philippe VI. Et non pas du sceau de chancellerie, ce qui eût pu expliquer quelque haute fourberie. La cire portait le relief du sceau privé de Philippe, le « petit sceau » comme on disait, que le roi gardait sur lui, dans sa bourse, et que sa main seule utilisait.

Le comte d'Artois n'était pas, de nature, un homme angoissé. Ce jour-là, pourtant, il apprit à connaître la peur.

VI

LA MALE REINE

Aller de Conches à Paris en une seule journée, c'était une rude étape, même pour un cavalier entraîné, et qui exigeait un cheval solide. Robert d'Artois laissa en route deux de ses écuyers dont les montures étaient tombées boiteuses. Il arriva de nuit dans la cité, trouva, malgré l'heure tardive, les rues encore encombrées de bandes joyeuses qui fêtaient l'An neuf. Des ivrognes vomissaient dans l'ombre, sur le seuil des tavernes ; des femmes se tenaient par le bras, chantant à tue-tête et le pas mal assuré, comme dans le conte de Watriquet.

Sans égard pour cette roture que le poitrail de son cheval bousculait, Robert alla droit au Palais. Le capitaine de garde lui apprit que le roi était venu dans la journée, pour recevoir les vœux des bourgeois, mais qu'il était reparti pour Saint-Germain.

Robert, alors, franchissant le pont, alla au Châtelet. Un pair de France pouvait se permettre de réveiller le gouverneur. Or, celui-ci, interrogé, déclara n'avoir reçu, ni la veille ni ce jour, aucune dame qui se nommât Jeanne de Division, ni qui ressemblât à sa description.

Si elle n'était au Châtelet, elle devait être au Louvre, car on n'incarcérait, d'ordre du roi, qu'en ces deux places-là.

Robert poussa donc jusqu'au Louvre ; mais le capitaine lui fit la même réponse. Alors, où était la Division ? Robert avait-il cheminé plus vite que les sergents royaux et, par une autre route, devancé leur détachement ? Pourtant, à Houdan, où il s'était renseigné, on lui avait bien dit que trois sergents, conduisant une dame, étaient passés depuis plusieurs heures. Le mystère se faisait de plus en plus dense autour de cette affaire.

Robert se résigna à rentrer en son hôtel, dormit peu, et avant l'aube partit pour Saint-Germain.

La gelée blanche couvrait les champs et les prés ; les branches des arbres étaient vernies de givre, et les collines, la forêt, autour du manoir de Saint-Germain, semblaient un paysage de confiserie.

Le roi venait de s'éveiller. Les portes s'ouvrirent pour Robert jusqu'à la chambre de Philippe VI, lequel était encore au lit, entouré de ses chambellans et de ses veneurs, et donnait des ordres pour la chasse du jour.

Robert entra d'un pas d'assaut, mit un genou au parquet, se releva aussitôt et dit :

« Sire, mon frère, reprenez la pairie que vous m'avez donnée, mes fiefs, mes terres, mes revenus, ôtez-m'en le bien et l'usage, chassez-moi de votre Conseil étroit auquel je ne suis plus digne de paraître. Non, je ne suis plus rien au royaume ! »

Ouvrant tout grands ses yeux bleus par-dessus son nez charnu, Philippe demanda :

« Mais qu'avez-vous donc, mon frère ? D'où vous vient cet émoi ? Que dites-vous ?

— Je dis le vrai. Je dis que je ne suis plus rien au royaume puisque le roi, sans daigner m'en informer, fait saisir une personne qui loge sous mon toit !

— Qui ai-je fait saisir ? Quelle personne ?

— Une certaine dame de Division, mon frère, qui est de ma maison, servante à la robe de mon épouse votre sœur, et que trois sergents, sur votre ordre, sont venus prendre à mon château de Conches pour la conduire en geôle !

— Sur mon ordre ? dit Philippe stupéfait. Mais je

n'ai jamais donné tel ordre... Divion ? J'ignore ce nom. Et de toute manière, mon frère, faites-moi la grâce de me croire, je n'eusse point fait saisir en votre maisonnée, quand même en aurais-je eu le motif, sans vous tenir au fait, et d'abord vous demander conseil.

— C'est ce que j'aurais cru, mon frère, dit Robert, pourtant, cet ordre est bien de vous. »

Et il tira de sa cotte la lettre d'arrestation remise par les sergents.

Philippe VI y jeta les yeux, reconnut son petit sceau, et les chairs de son nez blêmirent.

« Hérouart, ma robe ! cria-t-il à l'un des chambellans. Et qu'on se hâte à sortir ; qu'on me laisse seul avec Mgr d'Artois ! »

Ayant rejeté ses couvertures brodées d'or, il était déjà debout, en longue chemise blanche. Le chambellan l'aida à enfiler une robe fourrée, voulut aviver le feu dans la cheminée.

« Sors, sors !... J'ai dit qu'on me laisse seul. »

Jamais Hérouart de Belleperche, depuis qu'il servait le roi, n'avait été traité avec pareille violence, comme un simple garçon de cuisine.

« Non, je n'ai nullement scellé cela, ni dicté rien qui y ressemble », dit le roi quand le chambellan se fut retiré.

Il examina très attentivement la pièce, rapprocha les deux parties du cachet brisé par l'ouverture de la lettre, prit une loupe de cristal dans un tiroir de crédence.

« Ne serait-ce pas, mon frère, dit Robert, qu'on aurait contrefait votre sceau ?

— Cela ne se peut. Les faiseurs de coins sont habiles à prévenir copies et dissimulent toujours quelque petite imperfection volontaire, surtout pour coins royaux ou de grands barons. Regarde le « L » de mon nom ; vois la brisure qui est au bâton, et ce point creux dans le feuillage de bordure...

— Alors, dit Robert, n'aurait-on pas détaché le cachet d'une autre pièce ?

— La chose, en effet, se pratique, il paraît ; avec un rasoir chauffé, ou de quelque autre manière ; mon chancelier me l'a certifié. »

Le visage de Robert prit une expression naïve, comme s'il apprenait là une chose insoupçonnée. Mais le cœur lui battait un peu plus vite.

« Mais ce ne saurait être le cas, poursuivit Philippe, car, tout exprès, je n'use de mon petit sceau que pour des cachets à briser ; jamais je ne l'emploie sur page plate ni lacs. »

Il resta silencieux un moment, les yeux fixés sur Robert comme s'il lui demandait une explication qu'il ne cherchait, en vérité, que dans sa propre pensée.

« Il faut, conclut-il, qu'on m'ait dérobé un moment mon sceau. Mais qui ? Mais quand ? De tout le jour il ne quitte la bougette à ma ceinture ; je ne m'en défais que la nuit... »

Il alla vers la crédence, prit dans le tiroir une bourse de tissu d'or dont il palpa d'abord le contenu, puis qu'il ouvrit, et dont il sortit son petit sceau qui était d'or, avec une fleur de lis pour servir de poignée.

« ... et je le reprends au matin... »

Sa voix s'était faite plus lente ; un doute terrible s'installait en lui. Il reprit l'ordre d'arrestation et l'étudia de nouveau, avec grande attention.

« Je connais cette main, dit-il. Ce n'est pas celle d'Hugues de Pommard, ni celle de Jacques La Vache, ni de Geoffroy de Fleury... »

Il sonna. Pierre Trousseau, l'autre chambellan de service, se présenta.

« Mande-moi d'urgence, s'il est au château, ou bien ailleurs où qu'il se trouve, le clerc Robert Mulet ; qu'il vienne ici avec ses plumes.

— Ce Mulet, demanda Robert, ne sert-il pas aux écritures de la reine Jeanne ton épouse ?

— Oui, Mulet sert tantôt à moi, tantôt à Jeanne », dit Philippe VI évasivement, pour masquer sa gêne.

Ils avaient repris, machinalement, leur tutoiement d'antan, lorsque Philippe était bien loin d'être roi, lorsque Robert n'était pas encore pair, lorsqu'ils étaient seulement deux cousins bien unis ; en ce temps-là Mgr Charles de Valois citait toujours Robert en exemple à Philippe, pour sa force, sa ténacité, son intelligence aux affaires.

Mulet était au château. Il arriva, se hâtant, l'écritoire sous le bras, et se courba pour baiser la main du roi.

« Pose ta boîte, écris, dit Philippe VI qui commença aussitôt à dicter : "De par le roi, à notre aimé et féal prévôt de Paris, Jean de Milon, salut. Nous vous ordonnons de diligenter..." »

Les deux cousins, d'un même mouvement, s'étaient rapprochés et lisaient par-dessus l'épaule du clerc. Son écriture était bien celle de l'ordre d'arrestation.

« ... "à faire délivrer sur l'heure la dame Jeanne de..." »

— Divion, articula Robert.

— « ... "laquelle a été recluse en notre prison..." Au fait, où se trouve-t-elle ? demanda Philippe.

— Ni au Châtelet, ni au Louvre, dit Robert.

— A la tour de Nesle, Sire », dit le clerc qui croyait se faire apprécier pour son zèle et sa bonne mémoire.

Les deux cousins se regardèrent et croisèrent les bras d'un geste identique.

« Et comment le sais-tu ? demanda le roi au clerc.

— Sire, parce que j'ai eu l'honneur, l'autre avant-hier, d'écrire votre ordre pour saisir cette dame.

— Et qui te l'a dicté ?

— La reine, Sire, qui m'a dit que vous n'aviez point le temps de le faire et l'en aviez chargée. Les deux ordres, pour mieux dire, celui de saisie et celui d'écrou. »

Le sang s'était complètement retiré du visage de Philippe qui, partagé entre la honte et la colère, n'osait plus regarder son beau-frère.

« La belle gueuse, pensait Robert. Je savais bien qu'elle me haïssait, mais jusqu'à voler le sceau de son époux pour me nuire... Et qui donc a pu si bien la renseigner ? »

« Vous ne faites pas achever, Sire ? dit-il.

— Certes, certes », dit Philippe sortant de ses pensées.

Il dicta la formule finale. Le clerc alluma une chandelle au feu, fit couler quelques gouttes de cire rouge sur la feuille pliée qu'il présenta au roi pour qu'il y appliquât son petit sceau.

Philippe, perdu dans ses réflexions, semblait n'accorder à ses propres gestes qu'une attention secondaire. Robert prit l'ordre, agita une cloche. Ce fut Hérouart de Belleperche qui reparut.

« Au prévôt, sur l'heure, d'ordre du roi, lui dit Robert en lui remettant la lettre.

— Et fais appeler céans Madame la reine », ordonna Philippe VI depuis le fond de la pièce.

Le clerc Mulet attendait, regardant alternativement le roi et le comte d'Artois et se demandant si son excès de zèle avait été si bien venu. Robert, de la main, lui enjoignit de disparaître.

Quelques instants plus tard la reine Jeanne entra avec cette démarche particulière qui venait de sa boiterie. Son corps se déplaçait dans un quart de cercle dont la jambe la plus longue formait le pivot. C'était une reine maigre, d'assez beau visage, encore que la dent déjà s'y gâtât. L'œil était grand, avec la fausse limpidité du mensonge ; les doigts très longs, un peu tordus, laissaient paraître du jour entre eux même lorsqu'ils étaient joints.

« Depuis quand, Madame, envoie-t-on des ordres en mon nom ? »

La reine prit un air de surprise et d'innocence parfaitement joué.

« Un ordre, mon aimé Sire ? »

Elle avait la voix grave, mélodieuse, où traînait un accent de tendresse bien feinte.

« Et depuis quand me dérobe-t-on mon sceau pendant que je dors ?

— Votre sceau, doux cœur ? Mais jamais je n'ai touché à votre sceau. De quel sceau parlez-vous ? »

Une gifle énorme vint lui couper la parole.

Les yeux de Jeanne la Boiteuse s'emplirent de larmes, tant le coup avait été brutal et cuisant ; sa bouche s'entrouvrit de stupeur et elle porta ses longs doigts à sa joue qui se marbrait de rouge.

Robert d'Artois n'était pas moins surpris, mais lui, avec bonheur. Jamais il n'aurait cru son cousin Philippe, que chacun disait si soumis à sa femme, capable de lever la main sur elle. « Serait-il vraiment devenu roi ? » se dit Robert.

Philippe de Valois était surtout redevenu homme et pareil à tout époux, grand seigneur ou dernier valet, qui corrige sa femme menteuse. Une autre gifle partit, comme si la première lui avait aimanté la main ; et puis une grêle. Jeanne, affolée, se défendait le visage de ses deux bras levés. La main de Philippe tombait où elle pouvait, sur le haut de la tête, sur les épaules. En même temps, il criait :

« C'est l'autre nuit, n'est-ce pas, que vous m'avez joué ce tour ? Et vous avez le front de nier alors que Mulet m'a tout avoué ? Mauvaise putain qui me mignote, se frotte à moi, se dit toute prise d'amour, profite de la faiblesse que j'ai pour elle, et me berne quand je dors, et me dérobe mon sceau de roi ? Ne sais-tu pas qu'il n'est acte plus laid, pire que vol ? Que d'aucuns sujet en mon royaume, fût-ce le plus grand, je ne tolérerais qu'il usât du cachet d'autrui sans le faire bâtonner ? Et c'est du mien qu'on se sert ! A-t-on vu pire scélérate qui veut me déshonorer devant mes pairs, devant mon cousin, mon propre frère ? N'ai-je pas raison, Robert ? dit-il s'arrêtant un instant de frapper pour chercher approbation. Comment pourrions-nous gouverner nos sujets si chacun se servait à volonté de nos sceaux pour ordonner ce que nous n'avons point voulu ? C'est faire viol à notre honneur. »

Puis, revenant sur sa femme avec un brusque regain de fureur :

« Et voilà le bel emploi que vous faites de l'hôtel de Nesle que je vous ai donné. M'avez-vous assez supplié pour l'avoir ! Etes-vous aussi mauvaise que votre sœur, et cette tour maudite servira-t-elle toujours à abriter les méfaits de Bourgogne ? Que si vous n'étiez pas la reine, par le malheur que j'ai eu de vous épouser, c'est bien vous que j'y ferais jeter en prison ! Et puisque par d'autres ne peux vous châtier, eh bien ! je le fais moi-même. »

Et les coups se remirent à pleuvoir.

« Puisse-t-il la laisser morte ! » pensait Robert. Jeanne s'était maintenant recroquevillée sur le lit, les jambes battant hors de sa robe, et chaque coup lui tirait un gémissement ou un hurlement. Puis, soudain, elle fit face comme un chat, les ongles en avant, et se mit à hurler, les joues barbouillées de larmes :

« Oui, je l'ai fait ! Oui, j'ai dérobé ton sceau dans ton sommeil, parce que tu rends mauvaise justice et que je veux défendre mon frère de Bourgogne contre ce méchant Robert que voici, qui nous a toujours nui par cautèle et par crime, qui, de complot avec ton père, a fait périr ma sœur Marguerite...

— Garde la mémoire de mon père hors de ta bouche ! » s'écria Philippe.

A la lueur qu'elle vit dans le regard de son époux, elle se tut, car vraiment il était bien capable de la tuer.

Il ajouta, élevant la main d'un geste protecteur jusqu'à l'épaule de Robert d'Artois :

« Et garde-toi, mauvaise, de jamais nuire à mon frère qui est le meilleur soutien de mon trône. »

Quand il alla ouvrir la porte pour informer son chambellan qu'il supprimait la chasse de ce jour, vingt têtes accolées reculèrent ensemble. Jeanne la Boiteuse était détestée des serviteurs qu'elle harcelait d'exigences, qu'elle dénonçait pour le moindre manquement, et qui l'appelaient entre eux « la male reine ». Le récit de la correction qu'elle venait de recevoir allait emplir de joie le Palais[20].

Vers la fin de la matinée, dans le verger de Saint-

Germain où la gelée fondait, Philippe et Robert se promenaient ensemble, à pas lents. Le roi avait la tête basse.

« N'est-ce pas chose affreuse, Robert, que d'avoir à se défier de sa propre épouse, et même quand on dort ? Que puis-je faire ? Mettre mon sceau sous mon oreiller ? Elle y glissera la main. J'ai le sommeil lourd. Je ne puis quand même pas l'enfermer au couvent : c'est ma femme ! Ne plus la laisser dormir auprès de moi, c'est tout ce que je puis. Le pis est que je l'aime, cette drôlesse ! Ne va point le redire, mais j'ai, comme tout chacun, tâté de quelques autres au déduit. J'en suis revenu avec plus de goût pour elle... Mais si jamais elle recommence, je la battrai encore ! »

A ce moment, Trouillard d'Usages, vidame du Mans et chevalier de l'hôtel, s'avança dans l'allée pour annoncer le prévôt de Paris qui le suivait.

Rond de bedaine, et roulant sur de courtes pattes, Jean de Milon n'avait pas la mine gaie.

« Alors, messire prévôt, vous avez fait relâcher cette dame ?

— Non, Sire, répondit le prévôt d'une voix gênée.

— Quoi ? Mon ordre était-il faux ? Peut-être n'avez-vous pas reconnu mon sceau ?

— Non point, Sire, mais avant de l'exécuter, je voulais vous en entretenir, et suis bien aise aussi de trouver Mgr d'Artois avec vous, dit Jean de Milon en regardant Robert d'un air gêné. Cette dame a confessé.

— Qu'a-t-elle confessé ? demanda Robert.

— Toutes sortes de vilenies, Monseigneur, fausses écritures, pièces contrefaites, et d'autres choses encore. »

Robert garda très bon contrôle de soi, feignit même de prendre la chose pour plaisanterie, et s'écria en haussant les épaules :

« Certes, si on l'a passée à la question, elle a dû confesser beaucoup ! Que je vous livre aux tourmenteurs, messire de Milon, et je gage que vous confesserez m'avoir voulu sodomiser !

— Hélas ! Monseigneur, dit le prévôt, la dame a parlé avant la question... par peur, simplement par peur d'être questionnée. Elle a donné longue liste de complices. »

Philippe VI, silencieux, observait son beau-frère. Un nouveau travail se faisait dans sa tête.

Robert sentit un piège se refermer sur lui. Un roi qui vient de rouer de coups son épouse, et devant témoin, pour usurpation de sceau et fausses lettres, peut difficilement relâcher, même pour complaire à son plus intime parent, une ordinaire sujette qui vient d'avouer d'identiques méfaits.

« Ton conseil, mon frère ? » demanda Philippe à Robert sans le quitter du regard.

Robert comprit que son salut dépendait de sa réponse ; il fallait jouer la loyauté. Tant pis pour la Divion. Tout ce qu'elle avait pu ou pourrait déclarer le concernant serait tenu par lui pour mensonge éhonté.

« Votre justice, Sire mon frère, votre justice ! déclara-t-il. Maintenez cette femme en cachot, et si elle m'a trompé, sachez bien que je réclamerai de vous la plus grande rigueur. »

En même temps il se disait : « Mais qui donc a prévenu le duc de Bourgogne ? » Et puis la réponse, l'évidente réponse, lui vint aussitôt. Il n'existait qu'une seule personne qui eût pu dire au duc de Bourgogne, ou à la male reine elle-même, que la Divion se trouvait à Conches : Béatrice.

Ce fut seulement vers la fin mars, quand la Seine, gonflée par les crues de printemps, inondait les rives et entrait dans les caves, que des mariniers repêchèrent, du côté de Chatou, un sac flottant entre deux eaux et contenant un corps de femme complètement nu.

Toute la population du village, pataugeant dans la boue, s'était assemblée autour de la macabre trouvaille, et les mères giflaient leurs gamins en criant :

« Allons, fuyez, vous autres ; ce n'est pas pour vous, ces choses-là ! »

Le cadavre était hideusement gonflé, avec l'horrible teinte verdâtre d'une décomposition déjà avancée ; il avait dû séjourner plus d'un mois dans le fleuve. On pouvait pourtant reconnaître que la morte était jeune. Ses longs cheveux noirs semblaient bouger parce que des bulles y crevaient. Le visage avait été lacéré, talonné, écrasé pour qu'on ne pût l'identifier ; et le cou portait la trace d'un lacet.

Les mariniers, partagés entre le dégoût et une attirance obscène, poussaient du bout de leurs gaffes l'impudique charogne.

Soudain le corps, rendant l'eau qui le gonflait, se mit à remuer de lui-même, donnant un instant l'illusion de ressusciter, et les commères s'écartèrent en hurlant.

Le bailli, qu'on avait averti, arriva, posa quelques questions, tourna autour de la morte, inspecta les objets sortis du sac, avec le cadavre, et qui s'égouttaient sur l'herbe : une corne de bouc, une figurine de cire enveloppée de chiffons et piquée d'épingles, un grossier ciboire d'étain gravé de signes sataniques.

« C'est une sorcière occise par ses compagnons après quelque sabbat ou noire messe », déclara le bailli.

Les commères se signèrent. Le bailli désigna une corvée pour aller enfouir au plus vite le corps et les vilains objets dans un boqueteau, à l'écart du village, et sans une prière.

Un crime bien fait, en somme, bien maquillé, où Gillet de Nelle avait suivi les bonnes leçons de Lormet le Dolois, et qui s'achevait comme l'avaient souhaité les meurtriers.

Robert d'Artois était vengé de la trahison de Béatrice, ce qui ne signifiait pas qu'il fût pour autant triomphant.

Dans deux générations, les villageois de Chatou ne sauraient plus pourquoi on avait appelé un bouquet d'arbres, en aval, « le bois de la sorcière ».

VII

LE TOURNOI D'ÉVREUX

Vers le milieu du mois de mai, on vit des hérauts à la livrée de France, accompagnés de sonneurs de busines, s'arrêter sur les places des villes, aux carrefours des bourgades et devant l'entrée des châteaux. Les sonneurs soufflaient dans leur longue trompette d'où pendait une flamme fleurdelisée, le héraut déroulait un parchemin et d'une voix forte proclamait :

« Or, oyez, oyez ! On fait assavoir à tous princes, seigneurs, barons, chevaliers et écuyers des duchés de Normandie, de Bretagne et de Bourgogne, des comtés et marches d'Anjou, d'Artois, de Flandre et de Champagne, et à tous autres, qu'ils soient de ce royaume ou de tout autre royaume chrétien, s'ils ne sont bannis ou ennemis du roi notre Sire, à qui Dieu donne bonne vie, que le jour de la sainte Lucie, sixième de juillet, auprès la ville d'Evreux, sera un grandissime pardon d'armes et très noble tournoi, où l'on frappera de masses de mesure et épées rabattues, en harnois propre pour ce faire, en timbre, cotte d'armes et housseaux de chevaux armoyés des nobles tournoyeurs, comme de toute ancienneté et coutume.

« Duquel tournoi sont chefs très hauts et très puissants princes, mes très redoutés seigneurs notre Sire bien-aimé, Philippe, roi de France, pour appelant, et le Sire Jean de Luxembourg, roi de Bohême, pour

défendant. Et pour ce fait-on derechef assavoir à tous princes, seigneurs, barons, chevaliers et écuyers des marches dessus dites et autres de quelconque nation qu'ils soient, qui auront vouloir et désir de tournoyer pour acquérir honneur, qu'ils portent de petits écussons que ci présentement donnerai, à ce qu'on reconnaisse qu'ils sont des tournoyeurs, et pour ce en demande qui en voudra avoir. Et audit tournoi il y aura de nobles et riches prix, par les dames et damoiselles donnés.

« *Outre plus, j'annonce à tous princes, barons, chevaliers et écuyers qui avez l'intention de tournoyer, que vous êtes tenus de vous rendre audit lieu d'Evreux et prendre vos auberges le quatrième jour avant ledit tournoi, pour faire de vos blasons fenêtres et montrer vos pavois, sous peine de ne pas être reçus audit tournoi. Et ceci il est fait assavoir de par mes seigneurs les juges diseurs, et me le pardonnez, s'il vous plaît.* »

Les trompettes sonnaient à nouveau, et les gamins jusqu'à la sortie du bourg faisaient en courant escorte au héraut qui s'en allait plus loin porter la nouvelle.

Les badauds, avant de se disperser, disaient : « Cela va encore cher nous coûter, si notre châtelain se veut rendre à ce tournoi crié ! Il va partir avec sa dame et toute sa maisonnée... Toujours pour eux les amusailles, et pour nous les tailles à payer. »

Mais plus d'un pensait en même temps : « Si le seigneur, des fois, voulait emmener mon aîné comme goujat d'écurie, il y aurait sûrement une bonne bourse à gagner, et peut-être quelque emploi d'avenir... J'en parlerai au chanoine pour qu'il recommande mon Gaston. »

Pour six semaines, le tournoi allait être la grande affaire et l'unique préoccupation des châteaux. Les adolescents rêvaient d'étonner le monde de leurs premiers exploits.

« Tu es trop jeune encore ; une autre année. Les occasions ne manqueront pas, répondaient les parents.

— Mais le fils de nos voisins de Chambray, qui a mon âge, va bien s'y rendre, lui !

— Si le sire de Chambray a raison perdue, ou des deniers à perdre, cela le regarde. »

Les vieillards rabâchaient leurs souvenirs. A les entendre, on eût cru qu'en leur temps les hommes étaient plus forts, les armes plus lourdes, les chevaux plus rapides :

« Au tournoi de Kenilworth, que donna le Lord Mortimer de Chirk, l'oncle à celui qu'on pendit à Londres cet hiver...

— Au tournoi de Condé-sur-Escaut, chez Mgr Jean d'Avesnes, le père au comte de Hainaut l'actuel... »

On empruntait sur la moisson prochaine, sur les coupes de bois ; on portait sa vaisselle d'argent chez les plus proches Lombards afin de la transformer en plumes pour le heaume du seigneur, en étoffes de sandal ou de camocas pour les robes de madame, en caparaçons pour les chevaux.

Les hypocrites feignaient de se plaindre :

« Ah ! que de dépenses, que de soucis ; alors qu'il ferait si bon à demeurer chez soi ! Mais nous ne pouvons nous dispenser de paraître à ce tournoi, pour l'honneur de notre maison... Si le roi notre Sire a envoyé ses hérauts à la porte de notre manoir, nous le fâcherions en n'y allant pas. »

Partout on tirait l'aiguille, on battait le fer, on cousait le tissu de mailles sur le cuir des haubergeons, on entraînait les chevaux et s'entraînait soi-même dans les vergers dont les oiseaux s'enfuyaient, effrayés par ces charges, ces chocs de lances et grands cliquetis d'épées. Les petits barons mettaient trois heures à essayer leur cervellière.

Pour se faire la main, les châtelains organisaient des tournois locaux où les hommes d'âge, fronçant le sourcil, gonflant les joues, jugeaient des coups en regardant leurs cadets s'éborgner. Après quoi l'on s'attablait pour dîner longuement, bâfrant, buvant et discutant.

Ces jeux guerriers, de baronnie à baronnie, finissaient par être aussi coûteux que de vraies campagnes.

Enfin on se mettait en route ; le grand-père avait décidé à la dernière minute d'être du voyage, et le fils de quatorze ans avait eu gain de cause ; il servirait de petit écuyer. Les destriers d'armes, qu'il ne fallait point fatiguer, étaient conduits en main ; les coffres aux robes et aux cuirasses étaient chargés sur des mulets. Les goujats de service traînaient les pieds dans la poussière. On logeait aux hôtelleries des couvents ou bien chez quelque parent dont le manoir se trouvait sur le chemin, et qui lui-même se rendait au tournoi. Un lourd souper encore, copieusement arrosé, et à l'aube crevant on repartait tous ensemble.

Ainsi, de halte en halte, les troupes grossissaient, jusqu'à la rencontre, en formidable appareil, du sire comte dont on était le vassal. On lui baisait la main ; quelques banalités s'échangeaient qui seraient longuement commentées. Les dames faisaient sortir des coffres une de leurs robes nouvelles et l'on s'agrégeait à la suite du comte, déjà longue d'une demi-lieue et toutes bannières flottantes sous le soleil de début d'été.

De fausses armées, équipées de lances épointées, d'épées sans tranchant et de masses sans poids, franchissaient alors la Seine, l'Eure, la Risle, ou montaient de la Loire, pour se rendre à une fausse guerre où rien n'était sérieux sinon les vanités.

Dès huit jours avant le tournoi, il ne restait plus chambre ou soupente à louer en toute la ville d'Evreux. Le roi de France tenait sa cour dans la plus grande abbaye, et le roi de Bohême, en l'honneur duquel les fêtes étaient données, logeait chez le comte d'Evreux, roi de Navarre.

Singulier prince que ce Jean de Luxembourg, roi de Bohême, parfaitement impécunieux, couvert de plus de dettes que de terres, qui vivait aux crochets du Trésor de France mais n'eût pas imaginé de paraître en moins grand équipage que l'hôte dont il tirait ses ressources ! Luxembourg avait près de quarante ans, et en paraissait trente ; on le reconnaissait à sa belle barbe châtaine, soyeuse et déployée, à sa tête rieuse et altière, à ses mains avenantes, toujours tendues. C'était un prodige de vivacité, de force, d'audace, de gaieté, de bêtise aussi. D'une stature voisine de celle de Philippe VI, il était vraiment magnifique et offrait en tous points la figure d'un roi telle que l'imagination populaire pouvait se la représenter. Il savait se faire aimer de tous, des princes comme du peuple, universellement ; il était même parvenu à être l'ami à la fois du pape Jean XXII et de l'empereur Louis de Bavière, ces deux adversaires irréductibles. Merveilleuse réussite pour un imbécile, car, chacun là-dessus s'accordait également : Jean de Luxembourg était aussi stupide qu'il était séduisant.

La bêtise n'interdit pas l'entreprise, au contraire ; elle en masque les obstacles et fait apparaître facile ce qui, à toute tête un peu raisonnante, semblerait désespéré. Jean de Luxembourg, délaissant la petite Bohême où il s'ennuyait, s'était engagé, en Italie, dans de démentes aventures. « Les luttes entre Gibelins et Guelfes ruinent ce pays, avait-il pensé comme s'il faisait là grande découverte. L'empereur et le pape se disputent des républiques dont les habitants ne cessent de s'entre-tuer. Eh bien ! puisque je suis ami d'un parti et de l'autre, qu'on me remette ces Etats, et j'y ferai régner la paix ! » Le plus étonnant était qu'il y fût presque parvenu. Pendant quelques mois il avait été l'idole de l'Italie, mis à part les Florentins, gens difficiles à berner, et le roi Robert de Naples que ce gêneur commençait à inquiéter.

En avril, Jean de Luxembourg avait tenu une conférence secrète avec le cardinal légat Bertrand du Pouget, parent du pape et même, chuchotait-on, son fils naturel, conférence par laquelle les Bohémiens considéraient avoir réglé d'un coup, et le sort de Florence, et le retrait de Rimini aux Malatesta, et l'éta-

blissement d'une principauté indépendante dont
Bologne serait la capitale. Or, sans qu'il sût comment, sans qu'il comprît pourquoi, alors que ses
affaires semblaient si bien avancées qu'il songeait
même à remplacer son intime ami, Louis de Bavière,
au trône impérial, voilà que soudain Jean de Luxembourg avait vu se dresser contre lui deux coalitions
formidables, où Guelfes et Gibelins, pour une rare
fois, faisaient alliance, où Florence était d'accord
avec Rome, où le roi de Naples, soutien du pape,
attaquait au sud, tandis que l'empereur, ennemi du
pape, attaquait au nord, et où les deux ducs
d'Autriche, le margrave de Brandebourg, le roi de
Pologne, le roi de Hongrie, venaient à la rescousse.
Il y avait là de quoi surprendre un prince si aimé, et
qui voulait donner la paix aux Italiens !

Laissant seulement huit cents chevaux à son fils
Charles pour maîtriser toute la Lombardie, Jean de
Luxembourg, la barbe au vent, avait couru de Parme
jusqu'en Bohême où les Autrichiens pénétraient. Il
était tombé dans les bras de Louis de Bavière et, à
force de grands baisers sur les joues, avait dissipé
l'absurde malentendu. La couronne impériale ? Mais
il n'y avait songé que pour faire plaisir au pape !

A présent il arrivait chez Philippe de Valois pour
le prier d'intervenir auprès du roi de Naples, et lui
soutirer également de nouveaux subsides afin de
poursuivre son projet de royaume pacifique.

Philippe VI pouvait-il faire moins, envers cet hôte
chevaleresque, que d'offrir un tournoi en son honneur ?

Ainsi dans la plaine d'Evreux, sur les bords de
l'Iton, le roi de France et le roi de Bohême, amis fra-
ternels, allaient se livrer fausse bataille... avec plus
de monde sous les armes que n'en avait le fils de ce
même roi de Bohême pour s'opposer à l'Italie
entière.

Les lices, c'est-à-dire l'enclos du tournoi, étaient
tracées dans une vaste prairie plate où elles formaient un rectangle de trois cents pieds sur deux

cents, fermé par deux palissades, la première à
claire-voie et faite de poteaux terminés en pointe, la
seconde, à l'intérieur, un peu plus basse et bordée
d'une épaisse main courante. Entre les deux palissades se tenaient, pendant les épreuves, les valets
d'armes des tournoyeurs.

Du côté de l'ombre avaient été bâtis les échafauds,
trois grandes tribunes couvertes de toile, et décorées
de bannières : celle du milieu pour les juges, et les
deux autres pour les dames.

Tout autour, dans la plaine, se pressaient les
pavillons des valets et palefreniers ; c'était là qu'on
venait admirer, en se promenant, les montures de
tournoi ; sur chaque pavillon flottaient les armes de
son propriétaire.

Les quatre premiers jours de la rencontre furent
consacrés aux joutes individuelles, aux défis que se
lançaient deux à deux les seigneurs présents. Certains voulaient leur revanche d'une défaite essuyée
dans une précédente rencontre ; d'autres, qui ne
s'étaient jamais encore mesurés, souhaitaient
s'éprouver ; ou bien l'on poussait deux jouteurs
fameux à s'affronter.

Les tribunes s'emplissaient plus ou moins, selon la
qualité des adversaires. Deux jeunes écuyers avaient-
ils pu, en faisant démarches, obtenir les lices pour
une demi-heure de grand matin ? Les échafauds
alors n'étaient que maigrement garnis de quelques
amis ou parents. Mais qu'on annonçât une rencontre
entre le roi de Bohême et messire Jean de Hainaut,
arrivé tout exprès de sa Hollande avec vingt chevaliers, les tribunes menaçaient de crouler. C'était alors
que les dames arrachaient une manche de leur robe
pour la remettre au chevalier de leur choix, fausse
manche souvent, où la soie n'était cousue par-dessus
la vraie manche que par quelques fils faciles à casser, ou bien vraie manche, chez certaines dames
osées qui se plaisaient à découvrir un beau bras.

Il y avait toute espèce de personnes, sur les gra-
dins ; car en cette grande affluence qui faisait

d'Evreux comme une foire de noblesse, on ne pouvait point trop trier. Quelques follieuses de haut vol, aussi parées que les baronnes, et plus jolies souvent et de plus fines manières, parvenaient à se glisser aux meilleures places, jouaient de l'œil et provoquaient les hommes à d'autres tournois.

Les jouteurs qui n'étaient pas en lice, sous couvert d'assister aux exploits d'un ami, venaient s'asseoir auprès des dames, et il s'amorçait là des fleuretages qu'on poursuivrait le soir, au château, entre les danses et les caroles.

Messire Jean de Hainaut et le roi de Bohême, invisibles sous leurs armures empanachées, portaient chacun à la hampe de leur lance six manches de soie, comme autant de cœurs accrochés. Il fallait qu'un des jouteurs renversât l'autre ou bien que le bois de lance se brisât. On ne devait frapper qu'à la poitrine, et l'écu était incurvé de manière à dévier les coups. Le ventre protégé par le haut arçon de la selle, la tête enfermée dans un heaume dont la ventaille était abaissée, les adversaires se lançaient l'un contre l'autre. Dans les tribunes, on hurlait, on trépignait de joie. Les deux jouteurs étaient de force égale, et l'on parlerait longtemps de la grâce avec laquelle messire de Hainaut mettait lance sur fautre[21], et aussi de la façon qu'avait le roi de Bohême d'être droit comme flèche sur ses étriers et de tenir au choc jusqu'à ce que les deux hampes, se ployant en arcs, finissent par se rompre.

Quant au comte Robert d'Artois, venu de Conches en voisin, et qui montait d'énormes chevaux percherons, son poids le rendait redoutable. Harnais rouge, lance rouge, écharpe rouge flottant à son heaume, il avait une habileté particulière pour cueillir l'adversaire en pleine course, l'élever hors de sa selle et l'envoyer dans la poussière. Mais il était d'humeur sombre, ces temps-ci, Monseigneur d'Artois, et l'on eût dit qu'il participait à ces jeux plutôt par devoir que par plaisir.

Cependant les juges diseurs, tous choisis parmi les

plus importants personnages du royaume, tels le connétable Raoul de Brienne, ou messire Miles de Noyers, s'occupaient de l'organisation du grand tournoi final.

Entre le temps passé à se harnacher et déharnacher, à paraître aux joutes, à commenter les exploits, à ménager les vanités des chevaliers qui voulaient combattre sous telle bannière et non sous telle autre, et le temps employé à table, et celui encore d'écouter ménestrels après les festins, et de danser après avoir ouï les chansons, c'était à peine si le roi de France, le roi de Bohême et leurs conseillers disposaient d'une petite heure chaque jour pour s'entretenir des affaires d'Italie qui étaient, somme toute, la raison de cette réunion. Mais on sait que les affaires les plus importantes se règlent en peu de paroles si les interlocuteurs sont en bonne humeur de s'accorder.

Comme deux vrais rois de la Table Ronde, Philippe de Valois, magnifique en ses robes brodées, et Jean de Luxembourg, non moins somptueux, s'adressaient, le hanap en main, de solennelles déclarations d'amitié. On décidait à la hâte d'une lettre au pape Jean XXII ou d'une ambassade au roi Robert de Naples.

« Ah ! il faudra aussi, mon beau Sire, que nous parlions un peu de la croisade », disait Philippe VI.

Car il avait repris le projet de son père Charles de Valois et de son cousin Charles le Bel. Tout allait si bien au royaume de France, le Trésor se trouvait si convenablement fourni et la paix de l'Europe, avec l'aide du roi de Bohême, si convenablement assurée, qu'il devenait urgent d'envisager, pour l'honneur et la prospérité des nations chrétiennes, une belle et glorieuse expédition contre les Infidèles.

« Ah ! Messeigneurs, on corne l'eau... »

La conférence était levée ; on discuterait de la croisade après le repas, ou le lendemain.

A table, on se gaussait fort du jeune roi Edouard d'Angleterre qui, trois mois auparavant, et accompagné du seul Lord Montaigu, était venu, déguisé en marchand, pour s'entretenir secrètement avec le roi de France. Oui, costumé comme un quelconque négociant lombard ! Et dans quel dessein ? Pour conclure un règlement de commerce au sujet des fournitures lainières à la Flandre. Un marchand, en vérité ; il s'occupait des laines ! Avait-on jamais vu prince se soucier de telles affaires, comme un vulgaire bourgeois des guildes ou des hanses ?

« Alors, mes amis, puisqu'il le voulait, je l'ai reçu *en marchant* ! disait Philippe de Valois charmé de son propre calembour. Sans fêtes, sans tournoi, en marchant dans les allées de la forêt d'Halatte ; et je lui ai offert un petit souper maigre[22]. »

Il n'avait que des idées absurdes, ce jeunot ! N'était-il pas en train d'instituer dans son royaume une armée permanente de gens de pied, avec service obligatoire ? Qu'espérait-il de cette piétaille alors qu'on savait bien, et la bataille du mont Cassel l'avait assez prouvé, que seule la chevalerie compte dans les combats et que le fantassin fuit dès qu'il voit paraître cuirasse ?

« Il semble toutefois que l'ordre règne davantage en Angleterre depuis que Lord Mortimer a été pendu, faisait observer Miles de Noyers.

— L'ordre règne, répondait Philippe VI, parce que les barons anglais sont las, pour un temps, de s'être beaucoup battus entre eux. Dès qu'ils auront repris souffle, le pauvre Edouard verra ce qu'il pourra, avec sa piétaille ! Et il avait pensé, naguère, le cher garçon, à réclamer la couronne de France... Allons, Messeigneurs, regrettez-vous de ne l'avoir pour prince, ou bien préférez-vous votre "roi trouvé" ? » ajoutait-il en se frappant gaillardement la poitrine.

Au sortir de chaque festin, Philippe disait à Robert d'Artois, assez bas :

« Mon frère, je veux te parler seul à seul, et de choses fort graves.

— Sire mon cousin, quand tu le souhaiteras.

— Eh bien, ce soir... »

Mais le soir on dansait, et Robert ne cherchait pas
à hâter un entretien dont il devinait trop aisément
l'objet ; depuis les aveux de la Divion, toujours tenue
en prison, d'autres arrestations avaient été opérées,
dont celle du notaire Tesson, et tous les témoins soumis à une contre-enquête... On avait remarqué, pendant les brèves conférences avec le roi de Bohême,
que Philippe VI ne demandait guère le conseil de
Robert, ce qui pouvait être interprété comme un
signe de défaveur.

La veille du tournoi, le « roi d'armes[23] », accompagné de ses hérauts et de ses sonneurs, se rendit au
château, aux demeures des principaux seigneurs et
sur les lices mêmes, afin de proclamer :

*« Or, oyez, oyez, très hauts et puissants princes,
ducs, comtes, barons, seigneurs, chevaliers et écuyers !
Je vous notifie, de par Messeigneurs les juges diseurs,
que chacun de vous fasse ce jour apporter son heaume
sous lequel il doit tournoyer, et ses bannières aussi, en
l'hôtel de Messeigneurs les juges, afin que mesdits seigneurs les juges puissent commencer à en faire le partage ; et après qu'ils seront départis, les dames viendront voir et visiter pour en dire leur bon plaisir ; et
pour ce jour autre chose ne se fera, sinon les danses
après souper. »*

A l'hôtellerie des juges, les heaumes, à mesure
qu'ils arrivaient présentés par les valets d'armes,
étaient alignés sur des coffres dans le cloître, et
répartis par camp. On eût dit les dépouilles d'une
folle armée décapitée. Car pour se bien distinguer
pendant la bataille, les tournoyeurs, par-dessus leur
tortil ou leur couronne comtale, faisaient fixer à leur
heaume les emblèmes les plus voyants ou les plus
étranges : qui un aigle, qui un dragon, qui une
femme nue, ou une sirène, ou une licorne dressée.
De plus, de longues écharpes de soie, aux couleurs
du seigneur, étaient accrochées à ces casques.

Dans l'après-midi, les dames vinrent à l'hôtellerie
et, précédées des juges et des deux chefs de tournoi,
c'est-à-dire les rois de France et de Bohême, furent

invitées à faire le tour du cloître, tandis qu'un héraut, s'arrêtant devant chaque heaume, en nommait le possesseur.

« Messire Jean de Hainaut... Mgr le comte de Blois... Mgr d'Evreux, roi de Navarre... »

Certains des heaumes étaient peints, de même que les épées et les hampes des lances, d'où les surnoms de leurs propriétaires : le Chevalier aux armes blanches, le Chevalier aux armes noires.

« Messire le maréchal Robert Bertrand, le chevalier au Vert Lion... »

Venait ensuite un heaume rouge monumental, et que sommait une tour d'or :

« Mgr Robert d'Artois, comte de Beaumont-le Roger... »

La reine qui, au premier rang des dames, avançait de son pas inégal, fit le geste d'étendre la main. Philippe VI l'arrêta en lui relevant le poignet, et, feignant de l'aider à marcher, lui dit à mi-voix :

« Ma mie, je vous le défends bien ! »

La reine Jeanne eut un sourire méchant.

« C'eût été pourtant bonne occasion », murmura-t-elle à sa voisine et belle-sœur, la jeune duchesse de Bourgogne.

Car, selon les règles du tournoi, si une dame touchait un des heaumes, le chevalier auquel ce heaume appartenait se trouvait « recommandé », c'est-à-dire qu'il n'avait plus le droit de participer à la rencontre. Les autres chevaliers s'assemblaient pour le battre à coups de hampes, à son entrée en lice ; son cheval était donné aux sonneurs de trompettes ; lui-même juché de force sur la main courante qui entourait les lices et obligé d'y demeurer, à califourchon, ridiculement, pendant tout le temps du tournoi. On infligeait tel traitement d'infamie à celui qui avait médit d'une dame, ou forfait d'autre manière à l'honneur, soit en prêtant argent à usure, soit pour « parole faussée ».

Le mouvement de la reine n'avait pas échappé à Mme de Beaumont, qu'on vit pâlir. Elle s'approcha du roi son frère et lui adressa des reproches.

« Ma sœur, lui répondit Philippe VI avec une expression sévère, remerciez-moi plutôt que de vous plaindre. »

Le soir, pendant les danses, chacun était au courant de l'incident. La reine avait fait mine de « recommander » Robert d'Artois. Celui-ci montrait son visage des très mauvais jours. Pour les caroles, il refusa ostensiblement la main à la duchesse de Bourgogne, et alla se planter devant la reine Jeanne, laquelle ne dansait jamais à cause de son infirmité ; il resta là un long instant, le bras arrondi comme s'il l'invitait, ce qui était méchant affront de revanche. Les épouses cherchaient des yeux leurs maris ; les violes et les harpes se faisaient entendre dans un silence angoissé. Il eût suffi du plus léger éclat pour que le tournoi fût avancé d'une nuit et que la mêlée commençât aussitôt, dans la salle de bal.

L'entrée du roi d'armes, escorté de ses hérauts, et qui venait pour une nouvelle proclamation, produisit une utile diversion.

« *Or, oyez, hauts et puissants princes, seigneurs, barons, chevaliers et écuyers qui êtes au tournoi parties ! Je vous fais assavoir de par Messeigneurs les juges diseurs que chacun de vous soit demain dedans les rangs à l'heure de midi, en armes et prêt pour tournoyer, car à une heure après midi les juges feront couper les cordes pour commencer le tournoi, auquel il y aura de riches dons par les dames donnés. Outre plus, je vous avise que nul d'entre vous ne doit amener dedans les rangs valets à cheval pour vous servir outre la quantité, à savoir : quatre valets pour princes, trois pour comtes, deux pour chevaliers et un pour écuyers, et des valets de pied chacun à son plaisir, comme ainsi en ont ordonné les juges. Outre plus, s'il plaît à vous tous, vous lèverez la main dextre en haut vers les saints, et tous ensemble promettrez que nul d'entre vous audit tournoi ne frappera à son escient d'estoc, ni non plus de la ceinture jusque plus bas ; et d'autre part, si, par cas d'aventure, le heaume choit de la tête à aucun d'entre vous, nul autre ne le touchera tant que*

son heaume ne sera remis et lacé ; et vous vous sou-
mettrez, si vous en faites autrement, à perdre armure
et destrier, et à être criés bannis du tournoi les autres
fois. Et ainsi vous jurez et promettez par la foi, sur
votre honneur. »

Tous les tournoyeurs présents levèrent la main et
crièrent :

« Oui, oui, nous le jurons !

— Prenez bien garde, demain, dit le duc de Bourgogne à ses chevaliers, car notre cousin d'Artois
pourrait se montrer mauvais et ne pas respecter
toutes les semonces. »

Et puis l'on se remit à danser.

VIII

HONNEUR DE PAIR, HONNEUR DE ROI

Chaque tournoyeur se trouvait dans le pavillon de drap brodé où flottait sa bannière et s'y faisait équiper. D'abord les chausses de mailles auxquelles on fixait les éperons ; puis les plaques de fer qui couvraient les jambes et les bras ; ensuite le haubert de cuir épais par-dessus lequel on revêtait l'armure de corps, sorte de tonnelet de fer, articulé ou bien d'une seule pièce, selon les préférences. Venaient ensuite la cervellière de cuir pour protéger des chocs du heaume, et le heaume lui-même, empanaché ou surmonté d'emblèmes, et qui se laçait au col du haubert par des lanières de cuir. Par-dessus l'armure, on passait la cotte de soie, de couleur éclatante, longue, flottante, avec d'immenses manches festonnées qui pendaient aux épaules, et des armoiries brodées sur la poitrine. Enfin le chevalier recevait l'épée, au tranchant émoussé, et l'écu, targe ou rondache.

Dehors le destrier attendait, couvert d'une housse armoriée, mâchant son mors à longues branches, et le frontal protégé d'une plaque de fer sur laquelle était fixé, comme sur le heaume du maître, un aigle, un dragon, un lion, une tour ou un bouquet de plumes. Des valets d'armes tenaient les trois lances épointées dont chaque tournoyeur disposait, ainsi qu'une masse assez légère pour n'être pas meurtrière.

Les gens de noblesse se promenaient entre les pavillons, venaient assister au harnachement des champions, adressaient aux amis les derniers encouragements.

Le petit prince Jean, fils aîné du roi, contemplait avec admiration ces préparatifs, et Jean le Fol, qui l'accompagnait, faisait des grimaces sous son bonnet à marotte.

La foule populaire, nombreuse, était tenue à distance par une compagnie d'archers ; elle verrait surtout de la poussière, car, depuis quatre jours que les jouteurs piétinaient les lices, l'herbe était morte et le sol, bien qu'arrosé, se transformait en poudre.

Avant même que d'être à cheval, les tournoyeurs ruisselaient sous leur harnois dont les plaques de fer chauffaient au grand soleil de juillet. Ils perdraient bien quatre livres dans la journée.

Les hérauts passaient en criant :

« Lacez heaumes, lacez heaumes, seigneurs chevaliers, et hissez bannières, pour convoyer la bannière du chef ! »

Les échafauds s'étaient emplis et les juges diseurs, parmi lesquels le connétable, messire Miles de Noyers et le duc de Bourbon, se trouvaient à leurs places dans la tribune centrale.

Les trompes retentirent ; les tournoyeurs, aidés par leurs valets, montèrent pesamment à cheval et se rendirent, qui devant la tente du roi de France, qui devant la tente du roi de Bohême, pour se former en cortège, deux par deux, chaque chevalier suivi de son porte-bannière, jusqu'aux lices, où ils firent leur entrée.

Des cordes séparaient l'enclos par moitié, dans le sens de la largeur. Les deux partis se rangèrent face à face. Après de nouvelles sonneries de trompettes, le roi d'armes s'avança pour répéter une dernière fois les conditions du tournoi.

Enfin il cria :

« Coupez cordes, hurlez bataille, quand vous voudrez ! »

Le duc de Bourbon n'entendait jamais ce cri sans un certain malaise, car c'était celui qu'autrefois poussait son père, Robert de Clermont, le sixième fils de Saint Louis, dans les crises de démence qui le saisissaient soudain au milieu d'un repas ou d'un conseil royal. Le duc lui-même préférait être juge plutôt que combattant.

Les hommes préposés avaient levé leurs haches ; les cordes se rompirent. Les porte-bannières quittèrent les rangs ; les valets à cheval, armés de tronçons de lance qui n'avaient pas plus de trois pieds, s'alignèrent contre la main courante, prêts à se porter au secours de leurs maîtres. Puis la terre trembla sous les sabots de deux cents chevaux lancés au galop les uns contre les autres ; et la mêlée s'engagea.

Les dames, debout dans les tribunes, criaient en suivant des yeux le heaume de leur chevalier préféré. Les juges étaient attentifs à distinguer les coups échangés afin de désigner les vainqueurs. Le choc des lances, des étriers, des armures, de toute cette ferraille, produisait un vacarme infernal. La poussière faisait écran au soleil.

Dès le premier affrontement, quatre chevaliers furent jetés à bas de leur destrier et vingt autres eurent leur lance rompue. Les valets, répondant aux appels qui sortaient par la ventaille des heaumes, coururent porter des lances neuves aux tournoyeurs désarmés et relever les désarçonnés qui gigotaient comme des crabes retournés. L'un d'eux avait la jambe brisée et quatre hommes durent l'emporter.

Miles de Noyers était maussade et, bien que juge diseur, ne s'intéressait qu'assez vaguement au spectacle. En vérité, on lui faisait perdre son temps. Il avait à présider aux travaux de la Chambre des Comptes, contrôler les arrêts du Parlement, veiller à l'administration générale du royaume. Et pour complaire au roi, il lui fallait se tenir là, à regarder des hurleurs casser des lances de frêne ! Il cachait peu ses sentiments.

« Tous ces tournois coûtent trop cher ; ce sont profusions inutiles, et que le peuple blâme, disait-il à ses voisins. Le roi n'entend pas ses sujets parler dans les bourgs et les campagnes. Lorsqu'il passe, il ne voit que gens courbés à lui baiser les pieds ; mais moi, je sais bien ce que me rapportent les baillis et les prévôts. Vaines dépenses d'orgueil et de futilité ! Et pendant ce temps rien ne se fait ; les ordonnances demeurent à signer pendant deux semaines ; on ne tient conseil que pour décider qui sera roi d'armes ou chevalier d'honneur. La grandeur d'un royaume ne se mesure pas à ces simulacres de chevalerie. Le roi Philippe le Bel le savait bien, qui, d'accord avec le pape Clément, avait fait interdire les tournois. »

Le connétable Raoul de Brienne, la main en visière pour observer la mêlée, répondit :

« Certes, vous ne parlez point à tort, messire, mais vous négligez cet aspect du tournoi qu'il est un bon entraînement à la guerre.

— Quelle guerre ? dit Miles de Noyers. Croyez-vous donc qu'on s'en ira en guerre avec ces gâteaux de noces sur la tête et ces manches festonnées qui pendent de deux aunes ? Les joutes, oui, je vous le concède, entretiennent l'habileté au combat ; mais le tournoi, depuis qu'il ne se fait plus en armure de guerre et que le chevalier ne porte plus le poids véritable, a perdu tout sens. Il est même funeste, car nos jeunes écuyers qui n'ont jamais servi à l'ost croiront qu'à l'ennemi les choses se passent de pareille façon, et qu'on attaque seulement quand on crie "Coupez cordes !"»

Miles de Noyers pouvait parler avec autorité, car il avait été maréchal à l'armée, du temps que son parent Gaucher de Châtillon débutait en la charge de connétable et que Brienne s'exerçait encore à la quintaine.

« Il est bon également que nos seigneurs apprennent à se connaître pour la croisade », dit le duc de Bourbon d'un air entendu.

Miles de Noyers haussa les épaules. Cela convenait

bien au duc, ce couard légendaire, de prôner la croisade !

Messire Miles était las de veiller aux affaires de la France sous un souverain que tous s'accordaient à juger admirable et que lui, par longue expérience du pouvoir, tenait pour peu capable. Une certaine fatigue survient à poursuivre des efforts dans une voie que personne n'approuve, et Miles, qui avait commencé sa carrière à la cour de Bourgogne, se demandait s'il n'allait pas bientôt y retourner. Mieux valait administrer sagement un duché que follement un royaume ; or, le duc Eudes, la veille, lui avait fait une invite en ce sens. Il chercha du regard le duc dans la mêlée et vit qu'il gisait au sol, renversé par Robert d'Artois. Alors Miles de Noyers reprit intérêt au tournoi.

Tandis que le duc Eudes était replacé debout par ses valets, Robert descendait de cheval et offrait à son adversaire le combat à pied. Masse et épée en main, les deux tours de fer s'avancèrent l'une vers l'autre, d'un pas un peu titubant, pour s'accabler de coups. Miles surveillait Robert d'Artois, prêt à le disqualifier au premier manquement. Mais Robert observait les règles, n'attaquait pas plus bas que la ceinture, ne frappait que de taille. De sa masse d'armes, il martelait le heaume du duc de Bourgogne, écrasant le dragon qui le surmontait. Et bien que la masse ne pesât qu'une livre, l'autre devait en avoir le crâne rudement ébranlé, car il commençait à mal se défendre et son épée battait l'air plus qu'elle ne touchait Robert. En voulant esquiver, Eudes de Bourgogne perdit l'équilibre ; Robert lui posa un pied sur la poitrine et la pointe de son épée au laçage du heaume ; le duc cria merci. Il s'était rendu et devait quitter le combat. Robert se fit remonter en selle et passa au galop, fièrement, devant les tribunes. Une dame enthousiaste arracha sa manche que Robert cueillit, du bout de la lance.

« Mgr Robert devrait ces jours-ci montrer moins de superbe, dit Miles de Noyers.

— Bah ! dit Raoul de Brienne, le roi le protège.

— Jusques à quand ? répliqua Miles de Noyers. Madame Mahaut semble avoir trépassé un peu vite, et Madame Jeanne la Veuve également. Et puis, il y a cette Béatrice d'Hirson, leur dame de parage, qui a disparu, et que sa famille vainement recherche... Le duc de Bourgogne agira sagement en faisant goûter ses plats.

— Vous avez bien changé de sentiment à l'égard de Robert. L'autre année, vous lui paraissiez tout acquis.

— C'est que, l'autre année, je n'avais pas encore à instruire son affaire dont je viens de diriger la seconde enquête...

— Ah ! voici messire de Hainaut qui attaque », dit le connétable.

Jean de Hainaut, qui secondait le roi de Bohême, se dépensait follement ; il n'était pas de seigneur important, dans le parti du roi de France, qu'il ne fût venu défier ; dès à présent on savait qu'il recevrait le trophée du vainqueur.

Le tournoi dura une pleine heure au bout de laquelle les juges firent sonner à nouveau les trompettes, ouvrir les barrières et disjoindre les rangs. Une dizaine de chevaliers et écuyers d'Artois, néanmoins, semblaient n'avoir pas entendu le signal et assommaient avec entrain quatre seigneurs bourguignons dans un coin des lices. Robert n'était pas parmi eux, mais certainement avait inspiré quelques-uns de ses partisans ; la bagarre risquait de tourner au massacre. Le roi Philippe VI fut obligé de se faire déheaumer et, tête nue pour être reconnu, il alla, à l'admiration de tous, séparer les acharnés.

Précédés des hérauts et des sonneurs, les deux troupes se reformèrent en cortège pour sortir de l'arène. Ce n'était plus qu'armures faussées, cottes en lambeaux, peintures écaillées, chevaux boiteux sous des housses déchirées. La rencontre se soldait par un mort et quelques estropiés à vie. Outre messire Jean de Hainaut, auquel irait le prix offert par la reine, tous les tournoyeurs recevraient en souvenir un présent, hanap de vermeil, coupe ou écuelle d'argent.

Dans leurs pavillons aux portières relevées, les seigneurs se déharnachaient, montrant des visages bouillis, des mains écorchées à la jointure des gantelets, des jambes tuméfiées. En même temps on échangeait des commentaires.

« Mon heaume s'est faussé au tout début. C'est cela qui m'a gêné...

— Si le sire de Courgent ne s'était pas jeté à votre rescousse, vous auriez vu, l'ami !

— Le duc Eudes n'a pas su tenir longtemps devant Mgr Robert !

— Ah ! Brécy s'est bien comporté, je le reconnais ! »

Rires, courroux, halètements de fatigue ; les tournoyeurs se dirigeaient vers les étuves, installées dans une grange voisine, et entraient aux baquets préparés, les princes d'abord, puis les barons, puis les chevaliers, et les écuyers en dernier. Il existait entre eux cette familiarité, amicale et solide, que créent les compétitions physiques ; mais on devinait aussi quelques rancunes tenaces.

Philippe VI et Robert d'Artois trempaient dans deux cuves jumelles.

« Beau tournoi, beau tournoi, disait Philippe. Ah ! mon frère, il faut que je te parle.

— Sire, mon frère, je suis tout à t'entendre. »

La démarche qu'il avait à faire coûtait visiblement à Philippe. Mais pour parler cœur à cœur avec son cousin, son beau-frère, son ami de jeunesse et de toujours, quel meilleur moment pouvait-il trouver que celui-ci, où ils venaient de tournoyer ensemble, et où les cris qui emplissaient la grange, les grandes claques que les chevaliers s'appliquaient sur les épaules, les clapotis d'eau, la buée qui s'élevait des cuves, isolaient parfaitement leur entretien ?

« Robert, ton procès est mauvais parce que tes lettres sont fausses. »

Robert dressa au-dessus du baquet ses cheveux rouges, ses joues rouges.

« Non, mon frère, elles sont vraies ! »

Le roi prit un visage désolé.

« Robert, je t'en conjure, ne t'obstine pas en si mauvaise voie. J'ai fait pour toi le plus que j'ai pu, et contre l'avis de beaucoup, tant dans ma famille que dans mon Conseil. Je n'ai accepté de remettre l'Artois à la duchesse de Bourgogne que sous réserve de tes droits. J'ai imposé pour gouverner Ferry de Picquigny, un homme à toi dévoué. J'ai offert à la duchesse que l'Artois lui soit racheté pour t'être remis...

— Il n'était pas besoin de lui racheter l'Artois, puisqu'il est à moi ! »

Devant tant d'obstination butée, Philippe VI eut un geste d'irritation. Il cria à son chambrier :

« Trousseau ! Un peu plus d'eau fraîche, je te prie. »

Puis il poursuivit :

« Ce sont les communes d'Artois qui n'ont pas voulu payer le prix pour changer de maître ; qu'y puis-je ?... L'ordonnance d'ouvrir ton procès attend depuis un mois. Depuis un mois je refuse de la signer parce que je ne veux pas que mon frère soit confronté à de basses gens qui vont le souiller d'une boue dont je ne suis pas sûr qu'il se puisse laver. Chaque homme est faillible ; nul d'entre nous n'a commis que de louables choses. Tes témoins ont été payés ou menacés ; ton notaire a parlé ; les faussaires sont écroués, et leurs aveux recueillis d'avoir écrit tes lettres.

— Elles sont vraies », répéta Robert.

Philippe VI soupira. Que d'efforts faut-il faire pour sauver un homme malgré lui !

« Je ne dis pas, Robert, que tu en sois vraiment coupable. Je ne dis pas, comme on le prétend, que tu aies mis la main à ces lettres. On te les a apportées, tu les as crues bonnes, tu as été trompé... »

Robert, dans son baquet, contractait les mâchoires.

« Peut-être même, continua Philippe, est-ce ma propre sœur, ton épouse, qui t'a abusé. Les femmes ont de ces faussetés, parfois, croyant nous servir ! Fausseté est leur nature. Vois la mienne, qui n'a pas répugné à dérober mon sceau.

— Oui, les femmes sont fausses, dit Robert avec colère. Tout cela est manège de femmes monté entre ton épouse et sa belle-sœur de Bourgogne. Je ne connais point les viles gens dont on m'oppose les aveux extorqués !

— Je veux également tenir pour calomnie, reprit plus bas Philippe, ce qu'on dit de la mort de ta tante...

— Elle avait dîné chez toi !

— Mais sa fille n'y avait pas dîné, quand elle trépassa en deux jours.

— Je n'étais pas le seul ennemi qu'elles se fussent acquis en leur mauvaise vie », répondit Robert d'un ton de feinte indifférence.

Il sortit de la cuve et réclama des toiles pour se sécher. Philippe en fit autant. Ils étaient l'un devant l'autre, nus, la peau rose, et fortement velus. Leurs serviteurs attendaient à quelques pas, avec les vêtements d'apparat sur les bras.

« Robert, j'attends ta réponse, dit le roi.

— Quelle réponse ?

— Que tu renonces à l'Artois, pour que je puisse éteindre l'affaire...

— Et pour que tu puisses aussi reprendre la parole que tu m'avais donnée avant d'être roi. Sire, mon frère, aurais-tu donc oublié qui t'a porté au trône, qui t'a rallié les pairs, qui t'a gagné ton sceptre ? »

Philippe de Valois prit Robert par les poignets et, le regardant droit dans les yeux :

« Si j'avais oublié, Robert, crois-tu que je parlerais en ce moment comme je le fais ?... Pour la dernière fois, renonce.

— Jamais, répondit le géant en secouant la tête.

— C'est au roi que tu refuses ?

— Oui, Sire, au roi que j'ai fait. »

Philippe desserra les doigts.

« Alors, si tu ne veux point sauver ton honneur de pair, dit-il, moi je veillerai à sauver mon honneur de roi ! »

IX

LES TOLOMEI

« Faites-moi pardon, Monseigneur, de ne pouvoir me lever pour vous mieux accueillir », dit Spinello Tolomei, d'une voix haletante, à l'entrée de Robert d'Artois.

Le vieux banquier était allongé sur un lit dressé dans son cabinet de travail ; une couverture légère laissait deviner la forme de son gros ventre et de sa poitrine amenuisée. Une barbe de huit jours semblait, sur ses joues effondrées, comme un dépôt de sel, et sa bouche bleuie cherchait l'air. Mais de la fenêtre, donnant sur la rue des Lombards, ne venait aucune fraîcheur. Paris cuisait, sous le soleil d'un après-midi d'août.

Il ne restait plus beaucoup de vie dans le corps de messer Tolomei, plus beaucoup de vie dans le regard de son seul œil ouvert qui n'exprimait rien qu'un mépris fatigué, comme si quatre-vingts ans d'existence avaient été un bien inutile effort.

Autour du lit se tenaient quatre hommes au teint basané, aux lèvres minces, aux yeux luisants comme des olives noires, et tous vêtus également de robes sombres.

« Mes cousins Tolomeo Tolomei, Andrea Tolomei, Giaccomo Tolomei..., dit le moribond en les désignant. Et puis vous connaissez mon neveu, Guccio Baglioni... »

A trente-cinq ans, les tempes de Guccio étaient déjà blanches.

« Ils sont tous venus de Sienne pour me voir mourir... et aussi pour d'autres choses », ajouta lentement le vieux banquier.

Robert d'Artois, en chausses de voyage, le buste un peu penché sur le siège qu'on lui avait avancé, regardait le vieillard avec cette fausse attention des gens qu'obsède un très grave souci.

« Mgr d'Artois est un ami, j'ose le dire, reprit Tolomei à l'adresse de ses parents. Tout ce qu'on pourra faire pour lui doit être fait ; il nous a sauvés, souvent, et il n'a pas dépendu de lui cette fois... »

Comme les cousins siennois n'entendaient guère le français, Guccio leur traduisit, rapidement, les paroles de l'oncle ; les cousins hochèrent, d'un même mouvement, leurs faces sombres.

« Mais, si c'est d'argent que vous avez nécessité, Monseigneur, hélas, hélas ! et malgré tout mon dévouement pour vous, nous ne pouvons rien. Vous savez trop pourquoi... »

On sentait que Spinello Tolomei économisait ses forces. Il n'avait pas besoin de s'étendre longuement. A quoi bon commenter la situation dramatique où se débattaient, depuis quelques mois, les banquiers italiens ?

En janvier, le roi avait rendu une ordonnance par laquelle tous les Lombards se voyaient menacés d'expulsion. Ce n'était pas là chose nouvelle ; chaque règne, en ses moments difficiles, brandissait la même menace et raflait aux Lombards une part de leur fortune en les obligeant à racheter leur droit de séjour. Pour compenser la perte, les banquiers augmentaient pendant un an le taux d'usure. Mais l'ordonnance cette fois s'accompagnait d'une plus grave mesure. Toutes les créances que les Italiens détenaient sur les seigneurs français se trouvaient, de par la volonté royale, annulées ; et il était interdit aux débiteurs de s'acquitter, si même ils en avaient le vouloir ou la possibilité. Des sergents royaux, montant la garde aux portes des comptoirs, faisaient rebrousser chemin aux honnêtes clients qui venaient rembourser. Les banquiers italiens en auraient pleuré !

« Et cela parce que la noblesse s'est trop endettée pour ces folles fêtes, pour tous ces tournois où elle veut briller devant le roi ! Même sous Philippe le Bel nous ne fûmes pas traités de telle façon.

— J'ai plaidé pour vous, dit Robert.

— Je sais, je sais, Monseigneur. Vous avez toujours défendu nos compagnies. Mais voilà, vous n'êtes guère mieux en grâce que nous, à présent... Nous pouvions croire que les choses s'arrangeraient comme les autres fois. Mais avec la mort de Macci dei Macci, le dernier coup nous a été porté ! »

Le vieil homme tourna son regard vers la fenêtre, et se tut.

Macci dei Macci, l'un des plus grands financiers italiens en France, auquel Philippe VI depuis le début de son règne avait confié, sur le conseil de Robert, l'administration du Trésor, venait d'être pendu la semaine précédente après jugement sommaire.

Guccio Baglioni, la voix chargée de colère contenue, dit alors :

« Un homme qui avait mis tout son labeur, toute son astuce au service de ce royaume. Il se sentait plus Français que s'il était né sur la Seine ! S'est-il enrichi en son office davantage que ceux qui l'ont fait pendre ? C'est toujours sur les Italiens qu'on frappe parce qu'ils n'ont pas moyens de se défendre ! »

Les cousins siennois captaient ce qu'ils pouvaient du discours ; au nom de Macci dei Macci, leurs sourcils étaient remontés jusqu'au milieu du front, et, les paupières fermées, ils avaient émis une même lamentation de gorge.

« Tolomei, dit Robert d'Artois, je ne viens pas vous emprunter de l'argent, mais vous prier de m'en prendre. »

Si affaibli qu'il fût, messer Tolomei releva légèrement le torse, tant l'annonce était surprenante.

« Oui, reprit Robert, je voudrais vous remettre tout mon trésor de monnaie contre des lettres de change. Je pars. Je quitte le royaume.

— Vous, Monseigneur ? Votre procès va-t-il si mal ? Le jugement a-t-il été rendu contre vous ?

— Il va l'être dans quatre semaines. Sais-tu, banquier, comment me traite ce roi dont j'ai épousé la sœur et qui jamais, sans moi, n'eût été roi ? Il a envoyé son bailli de Gisors corner à la porte de tous mes châteaux, à Conches, à Beaumont, à Orbec, qu'il m'ajournait pour la Saint-Michel devant son lit de justice. Feinte justice où l'arrêt contre moi est déjà rendu. Philippe a mis tous ses chiens à mes trousses : Sainte-Maure, son mauvais chancelier, Forget, son trésorier voleur, Mathieu de Trye, son maréchal, et Miles de Noyers pour leur faire la voie. Les mêmes qui se sont alliés contre vous, les mêmes qui ont pendu votre ami Mache des Mache ! C'est la male reine, c'est la boiteuse qui a gagné, c'est la Bourgogne qui l'emporte, et la vilenie. Ils ont jeté en geôle mes notaires, mon aumônier, et tourmenté mes témoins pour les obliger à se renier. Eh bien ! qu'ils me jugent ; je ne serai pas là. Ils m'ont volé l'Artois, qu'ils me honnissent à loisir ! Ce royaume ne m'est plus rien, et son roi est mon ennemi ; je m'en vais hors des frontières pour lui faire tout le mal que je pourrai ! Demain je suis à Conches pour envoyer mes chevaux, ma vaisselle, mes joyaux et mes armes vers Bordeaux, et les mettre sur un vaisseau d'Angleterre ! Ils veulent saisir et mon corps et mes biens ; ils ne me prendront pas !

— Est-ce en Angleterre que vous allez, Monseigneur ? demanda Tolomei.

— Je demande d'abord refuge à ma sœur, la comtesse de Namur.

— Votre épouse part-elle avec vous ?

— Mon épouse me rejoindra plus tard. Alors voilà, banquier : mon trésor de monnaie contre lettres de change sur vos comptoirs de Hollande et d'Angleterre. Et gardez pour vous deux livres sur vingt. »

Tolomei déplaça un peu sa tête sur l'oreiller, et entama avec son neveu et ses cousins une conversation en italien dans laquelle Robert ne saisissait que des bribes. Il captait mots de *débito... rimborso... deposito...* En acceptant l'argent d'un seigneur français, la compagnie des Tolomei ne contrevenait-elle pas à l'ordonnance ? Non, puisqu'il ne s'agissait pas d'un règlement de dettes, mais d'un *deposito...*

Puis Tolomei tourna de nouveau vers Robert d'Artois son visage de sel et ses lèvres bleuies.

« Nous aussi, Monseigneur, nous partons ; ou plutôt eux partent..., dit-il en désignant ses parents. Ils vont emporter tout ce que nous avons ici. Nos Compagnies en ce moment sont divisées. Les Bardi, les Peruzzi hésitent ; ils pensent que le pire est passé, et qu'en courbant un peu l'échine... Ils sont comme les Juifs qui font toujours confiance aux lois et croient qu'on les tiendra quittes lorsqu'ils auront payé leur rouelle ; ils paient la rouelle et ensuite on les mène au bûcher ! Alors, les Tolomei, eux, s'en vont. Ce départ causera quelque surprise, car nous emportons en Italie tout l'argent qui nous a été confié ; le plus gros en est déjà acheminé. Puisqu'on refuse de nous payer les dettes, eh bien, nous emportons les dépôts[24] ! »

Une dernière expression de malice glissa sur les traits effondrés du vieil homme.

« Je ne laisserai à la terre de France que mes os qui sont petite richesse, ajouta-t-il.

— La France, en vérité, ne nous a pas été bonne, dit Guccio Baglioni.

— Eh quoi ! elle t'a donné un fils, ce n'est pas si mal !

— C'est vrai, dit Robert d'Artois, vous avez un garçon. Il pousse bien ?

— Grand merci, Monseigneur, répondit Guccio. Oui, il est bientôt plus haut que moi ; il a quinze ans. Mais il montre peu de goût pour la banque.

— Il y viendra, il y viendra, dit le vieillard... Alors,

Monseigneur, nous acceptons. Confiez-nous votre trésor de monnaie ; nous le ferons sortir et vous remettrons lettres de change pour le montant, sans en rien retenir. La monnaie fraîche est toujours serviable.

— Je t'en sais gré, Tolomei ; mes coffres seront portés à la nuit.

— Quand l'argent commence à fuir un royaume, le bonheur de ce royaume est mesuré. Vous aurez votre revanche, Monseigneur ; je ne la verrai point, mais je vous le dis, vous aurez votre revanche ! »

L'œil gauche, habituellement clos, s'était ouvert ; Tolomei le regardait des deux yeux ; le regard de la vérité, enfin. Et Robert d'Artois se sentit l'âme toute remuée, parce qu'un vieux Lombard qui allait bientôt mourir l'observait intensément.

« Tolomei, j'ai vu des hommes courageux, lutter jusqu'au bout en bataille ; tu es aussi courageux qu'eux, à ta manière. »

Un sourire triste passa sur les lèvres du banquier.

« Ce n'est point du courage, Monseigneur, au contraire. Si je ne faisais pas de banque, j'aurais si peur en ce moment ! »

Sa main amaigrie se leva de la couverture et fit signe à Robert d'approcher.

Robert se pencha, comme pour recueillir une confidence.

« Monseigneur, dit Tolomei, laissez-moi bénir mon dernier client. »

Et il traça du pouce un signe de croix sur les cheveux du géant, ainsi que les pères italiens ont coutume de le faire au front de leurs fils, lorsqu'ils partent pour un long voyage.

X

LE LIT DE JUSTICE

Au centre d'une estrade à degrés, sur un siège aux bras terminés par des têtes de lion, Philippe VI était assis, couronne en tête et revêtu du manteau royal. Une grande broderie de soie, aux armes de France, ondulait au-dessus de lui ; il se penchait de temps à autre, tantôt à sa gauche vers son cousin le roi de Navarre, tantôt à sa droite, vers son parent le roi de Bohême, pour les prendre à témoin du regard, et leur faire apprécier combien sa mansuétude avait été longue.

Le roi de Bohême secouait sa belle barbe châtaine, d'un air à la fois confondu et indigné. Se pouvait-il qu'un chevalier, un pair de France, comme l'était Robert d'Artois, un prince à la fleur de lis, se fût conduit de telle façon, eût mis la main à d'aussi sordides entreprises que celles en ce moment énumérées, se fût compromis avec des gens d'aussi méchante espèce ?

Au rang des pairs laïques, on voyait siéger pour la première fois l'héritier du trône, le prince Jean, anormalement grand pour ses treize ans, enfant au regard sombre et lourd, au menton trop long, et que son père venait de créer duc de Normandie.

A la suite du jeune prince se trouvaient le comte d'Alençon, frère du roi, les ducs de Bourbon et de Bretagne, le comte de Flandre, le comte d'Etampes.

Il y avait deux tabourets vides : celui du duc de Bourgogne, qui ne pouvait siéger étant partie dans le procès, et celui du roi d'Angleterre, lequel ne s'était même pas fait représenter.

Parmi les pairs ecclésiastiques on reconnaissait Mgr Jean de Marigny, comte-évêque de Beauvais, et Guillaume de Trye, duc-archevêque de Reims.

Pour donner plus de solennité encore à ce lit de justice, le roi y avait convoqué les archevêques de Sens et d'Aix, les évêques d'Arras, d'Autun, de Blois, de Forez, de Vendôme, le duc de Lorraine, le comte Guillaume de Hainaut et son frère Jean, et tous les grands officiers de la couronne : le connétable, les deux maréchaux, Miles de Noyers, les sires de Châtillon, de Soyecourt, de Garencières qui étaient du Conseil étroit, et bien d'autres encore, assis en retour de l'estrade, le long des murs de la grand-salle du Louvre où se tenait l'audience.

A même le sol, les jambes repliées sur des carreaux d'étoffe, étaient entassés les maîtres des requêtes et conseillers au Parlement, les clercs de justice et ecclésiastiques de petit rang.

Debout en face du roi, à six pas, le procureur général, Simon de Bucy, entouré des commissaires d'enquête, lisait depuis deux heures les feuillets de son réquisitoire, le plus long qu'il ait eu à prononcer en toute sa carrière. Il avait dû reprendre tout l'historique de l'affaire d'Artois dont l'origine remontait à la fin de l'autre siècle, rappeler le premier procès de 1309, l'arrêt rendu par Philippe le Bel, la rébellion armée de Robert contre Philippe le Long en 1316, le second jugement de 1318, pour parvenir à la procédure présente, au faux serment d'Amiens, à l'enquête, à la contre-enquête, aux innombrables dépositions recueillies, aux subornations de témoins, à la fabrication des faux, aux arrestations de complices.

Tous ces faits mis en lumière l'un après l'autre, expliqués et commentés dans leur enchaînement, leur engrenage compliqué, constituaient non seulement l'un des plus grands procès de droit privé, et maintenant de droit criminel, jamais plaidé, mais encore intéressaient directement l'histoire du royaume sur une période d'un quart de siècle. L'assistance était à la fois fascinée et stupéfaite, stupéfaite par les révélations du procureur, fascinée parce qu'elle découvrait la vie secrète du grand baron devant lequel hier tous tremblaient encore, dont chacun cherchait à devenir l'ami, et qui avait si longtemps décidé de toute chose en la nation de France ! La dénonciation des scandales de la tour de Nesle, l'emprisonnement de Marguerite de Bourgogne, l'annulation du mariage de Charles IV, la guerre d'Aquitaine, le renoncement à la croisade, le soutien donné à Isabelle d'Angleterre, l'élection de Philippe VI, Robert avait été l'âme de tout cela, créant l'événement ou le dirigeant, mais toujours mû par une seule pensée, un seul intérêt : l'Artois, l'héritage d'Artois !

Combien étaient-ils, parmi les présents, qui devaient leur titre, leur fonction, leur fortune à ce parjure, ce faussaire, ce criminel... à commencer par le roi lui-même !

La place de l'accusé était symboliquement occupée dans le prétoire par deux sergents d'armes soutenant un grand panonceau de soie où figurait l'écu de Robert, « semé de France, au lambel de quatre pendants de gueule, chaque pendant chargé des trois châteaux d'or ».

Et chaque fois que le procureur prononçait le nom de Robert, il se tournait vers le panonceau comme s'il désignait la personne.

Il en était arrivé à la fuite du comte d'Artois :

« Nonobstant que l'ajournement lui ait été régulièrement signifié par maître Jean Loncle, garde de la baillie de Gisors, en ses demeures ordinaires, ledit Robert d'Artois, comte de Beaumont, a fait défaut devant notre Sire le roi et sa chambre de justice dûment convoquée au vingt-neuvième jour de septembre. Or, il nous a été appris et confirmé de plusieurs parts que ledit Robert avait ses chevaux et son trésor sur un navire, à Bordeaux, embarqués, et ses monnaies d'or et d'argent dirigées par moyens interdits hors du royaume, et que lui-même, au lieu de se présenter devant la justice du roi, s'était retrait hors des frontières.

« Le 6 d'octobre 1331, la femme de Divion, reconnue coupable de nombreux méfaits accomplis pour le service dudit Robert et le sien propre, dont au premier chef faux en écritures et contrefaçon de sceaux, a été arse et brûlée à Paris, en la place aux Pourceaux, et ses os réduits en poudre, ceci par-devant Messeigneurs le duc de Bretagne, le comte de Flandre, le sire Jean de Hainaut, le sire Raoul de Brienne, connétable de France, les maréchaux Robert Bertrand et Mathieu de Trye, et messire Jean de Milon, prévôt de Paris, qui a rendu compte au roi de l'exécution... »

Ceux qu'on venait de nommer baissèrent les yeux ; ils gardaient le souvenir de la Divion hurlant contre son poteau, et des flammes qui dévoraient sa robe de chanvre, et de la chair des jambes qui se gonflait, qui éclatait sous la brûlure, le souvenir aussi de l'atroce odeur que le vent d'octobre leur renvoyait au visage. Ainsi avait fini la maîtresse de l'ancien évêque d'Arras.

« Les 12 et 14 d'octobre, maître Pierre d'Auxerre, conseiller, et Michel de Paris, bailli, ont signifié à Mme de Beaumont, épouse dudit Robert, d'abord à Jouy-le-Châtel, puis à Conches, Beaumont, Orbec et Quatre-Mares, ses demeures ordinaires, que le roi ajournait ledit pour juger, le 14 de décembre. Or, ledit Robert, à cette date, a fait pour la seconde fois défaut. Par grand vouloir de mansuétude, notre Sire le roi a donné nouvel ajournement à quinzaine de la fête de la Chandeleur, et pour que ledit Robert ne pût point l'ignorer, proclamation en fut faite d'abord dans la Grand-Chambre du Parlement, ensuite à la Table de Marbre dans la grand-salle du Palais, et après portée à Orbec et Beaumont, et encore à

Conches par les mêmes maîtres Pierre d'Auxerre et Michel de Paris, où ils ne purent parler à la dame de Beaumont, mais dirent leur proclamation à la porte de sa chambre, et à si haute voix qu'elle la pût entendre... »

Chaque fois qu'on citait Mme de Beaumont, le roi passait la main sur son visage, tordait un peu son grand nez charnu. C'était de sa sœur qu'il s'agissait !

« Au Parlement de justice tenu par le roi à la date citée, ledit Robert d'Artois n'a point comparu, mais s'est fait représenter par maître Henry, doyen de Bruxelles, et maître Thiébault de Meaux, chanoine de Cambrai, avec procuration pour se présenter en sa place et proposer ses causes d'absence. Mais vu que l'ajournement était pour le lundi à quinzaine de la Chandeleur, et que la commission dont ils étaient porteurs désignait le mardi, pour cette raison leur commission ne put être reconnue valable, et défaut fut pour la troisième fois prononcé contre le défendeur. Or, il est su et notoire que durant ce temps Robert d'Artois a voulu prendre refuge d'abord auprès de Mme la comtesse de Namur, sa sœur ; mais le roi notre Sire ayant donné défense à madame de Namur d'aider et de recueillir ce rebelle, elle a interdit audit Robert, son frère, le séjour en ses Etats. Et qu'ensuite ledit Robert a voulu prendre refuge auprès de Mgr le comte Guillaume sur ses Etats de Hainaut ; mais qu'à l'instante demande du roi notre Sire, Mgr le comte de Hainaut a interdit de même audit Robert le séjour en ses Etats. Et encore ledit Robert a demandé refuge et asile au duc de Brabant, lequel duc, prié par notre Sire le roi de ne point faire droit à cette demande, a d'abord répondu que n'étant pas vassal au roi de France, il pouvait accueillir qui lui plaisait, à sa convenance ; mais ensuite le duc de Brabant a cédé aux remontrances à lui présentées par Mgr de Luxembourg, roi de Bohême, et s'est courtoisement conduit en chassant Robert d'Artois de son duché[25]. »

Philippe VI se tourna et vers le comte de Hainaut

et vers le roi de Bohême, leur adressant à chacun un signe d'amicale et triste gratitude. Philippe souffrait, visiblement ; et il n'était pas le seul. Si coupable que fût Robert d'Artois, ceux qui l'avaient connu l'imaginaient errant de petite cour en petite cour, accueilli un jour, banni le lendemain, repartant plus loin pour être chassé encore. Pourquoi avait-il mis tant d'acharnement à sa propre perte, quand le roi, jusqu'au bout, lui avait ouvert les bras ?

« Nonobstant que l'enquête fût close, après soixante et seize témoins entendus, dont quatorze retenus aux prisons royales, et la justice du roi suffisamment éclairée, nonobstant que les charges énumérées fussent assez apparentes, notre Sire le roi, par amitié ancienne, a fait savoir audit Robert d'Artois qu'il lui donnait sauf-conduit pour rentrer au royaume et en ressortir s'il lui plaisait, sans qu'il lui soit causé de mal ni à lui ni à ses gens, afin qu'il pût entendre les charges, présenter sa défense, reconnaître ses torts et obtenir sa grâce. Or, ledit Robert, loin de saisir cette offre de clémence, n'est point rentré au royaume, mais, en ses divers séjours, il s'est abouché à toutes sortes de mauvaises gens, bannis et ennemis du roi, et il a averti moult personnes, qui l'ont répété, de son intention de faire périr par glaive ou maléfice le chancelier, le maréchal de Trye et divers conseillers de notre Sire le roi, et enfin il a prononcé les mêmes menaces contre le roi lui-même. »

L'assistance bourdonna d'un long murmure indigné.

« Toutes ces choses susdites étant sues et notoires, vu que ledit Robert d'Artois a été ajourné une dernière fois, par publications régulièrement faites, à ce présent mercredi 8 avril avant Pâques fleuries, et que le citons à comparaître pour la quatrième fois... »

Simon de Bucy s'interrompit et fit signe à un sergent massier, lequel prononça à très haute voix :

« Messire Robert d'Artois, comte de Beaumont-le-Roger, à comparaître ! »

Tous les regards se tournèrent instinctivement vers la porte comme si l'accusé allait vraiment entrer. Quelques secondes passèrent, dans un silence total. Puis le sergent frappa le sol de sa masse, et le procureur poursuivit :

« ... et constatons que ledit Robert fait défaut, en conséquence, au nom de notre Sire le roi, requérons : que ledit Robert soit déchu des titres, droits et prérogatives de pair du royaume, ainsi que de tous ses autres titres, seigneuries et possessions ; outre plus que ses biens, terres, châteaux, maisons et tous objets, meubles ou immeubles lui appartenant soient confisqués et remis au Trésor, pour qu'il en soit disposé selon la volonté du roi ; outre plus que ses armoiries soient détruites en présence des pairs et barons, pour jamais ne paraître plus sur bannière ou sur sceau, et sa personne à toujours bannie des terres du royaume, avec interdiction à tous vassaux, alliés, parents et amis du roi notre Sire de lui donner abri ; enfin requérons que la présente sentence soit à cris proclamée et à trompes aux carrefours principaux de Paris, et signifiée aux baillis de Rouen, Gisors, Aix et Bourges, ainsi qu'aux sénéchaux de Toulouse et de Carcassonne, pour qu'il en soit fait exécution... de par le roi. »

Maître Simon de Bucy se tut. Le roi semblait rêver. Son regard erra un moment sur l'assemblée. Puis inclinant la tête, d'abord à droite, ensuite à gauche :

« Mes pairs, votre conseil, dit-il. Si nul ne parle c'est qu'il approuve ! »

Aucune main ne se leva, aucune bouche ne s'ouvrit.

La paume de Philippe VI frappa la tête de lion au bras du fauteuil :

« C'est chose jugée ! »

Le procureur alors commanda aux deux sergents qui tenaient l'écusson de Robert d'Artois de s'avancer jusqu'au pied du trône. Le chancelier Guillaume de Sainte-Maure, l'un de ceux que Robert, dans son exil, menaçait de mort, s'avança vers le panonceau, demanda le glaive d'un des sergents et en attaqua le bord de l'étoffe. Puis, dans un long crissement de soie, l'écusson fut partagé.

La pairie de Beaumont avait vécu. Celui pour lequel elle avait été instituée, le prince de France descendant du roi Louis VIII, le géant à la force fameuse, aux intrigues infinies, n'était plus qu'un proscrit ; il n'appartenait plus au royaume sur lequel ses ancêtres avaient régné, et rien en ce royaume ne lui appartenait plus.

Pour les pairs et les seigneurs, pour tous ces hommes dont les armoiries étaient comme l'expression non seulement de la puissance mais de l'existence, qui faisaient flotter ces emblèmes sur leurs toits, sur leurs lances, sur leurs chevaux, qui les brodaient sur leur propre poitrine, sur la cotte de leurs écuyers, sur la livrée de leurs valets, qui les peignaient sur leurs meubles, les gravaient sur leur vaisselle, en marquaient hommes, bêtes et choses qui à quelque degré dépendaient de leur volonté ou constituaient leurs biens, cette déchirure, sorte d'excommunication laïque, était plus infamante encore que le billot, la claie ou la potence. Car la mort efface la faute et le déshonneur s'éteint avec le déshonoré.

« Mais tant qu'on est vivant, on n'a jamais toute partie perdue », se disait Robert d'Artois, errant hors de sa patrie sur des routes hostiles, et se dirigeant vers de plus vastes crimes.

QUATRIÈME PARTIE

LE BOUTE-GUERRE

I

LE PROSCRIT

Pendant plus de trois années Robert d'Artois, comme un grand fauve blessé, rôda aux frontières du royaume.

Parent de tous les rois et princes d'Europe, neveu du duc de Bretagne, oncle du roi de Navarre, frère de la comtesse de Namur, beau-frère du comte de Hainaut et du prince de Tarente, cousin du roi de Naples, du roi de Hongrie et de bien d'autres, il était, à quarante-cinq ans, un voyageur solitaire devant lequel les portes de tous les châteaux se fermaient. Il avait de l'argent à suffisance, grâce aux lettres de change des banques siennoises, mais jamais un écuyer ne se présentait à l'auberge où il était descendu pour le prier à dîner chez le seigneur du lieu. Quelque tournoi se donnait-il dans les parages ? On se demandait comment éviter d'y convier Robert d'Artois, le banni, le faussaire, que naguère on eût installé à la place d'honneur. Et un ordre lui était délivré avec une déférence froide, par le capitaine de ville : Mgr le comte suzerain le priait de porter plus loin ses pas. Car Mgr le comte suzerain, ou le duc, ou le margrave, ne voulait pas se brouiller avec le roi de France et ne se sentait tenu à aucun égard envers un homme si déshonoré qu'il n'avait plus ni blason ni bannière.

Et Robert repartait à l'aventure, escorté de son

seul valet Gillet de Nelle, un assez mauvais sujet qui, sans effort, eût mérité de se balancer aux fourches d'un gibet, mais qui vouait à son maître, comme Lormet jadis, une fidélité sans limite. Robert lui donnait, en compensation, cette satisfaction plus précieuse que de gros gages : l'intimité avec un grand seigneur dans l'adversité. Combien de soirées, durant cette errance, ne passèrent-ils pas à jouer aux dés, attablés dans l'angle d'une mauvaise taverne ! Et quand le besoin de gueuser les démangeait un peu, ils entraient ensemble en quelqu'un de ces bordeaux qui étaient nombreux en Flandre, et offraient bon choix de lourdes ribaudes.

C'était en de tels lieux, de la bouche de marchands qui revenaient des foires, ou de maquerelles qui avaient fait parler des voyageurs, que Robert apprenait les nouvelles de France.

A l'été 1332, Philippe VI avait marié son fils Jean, duc de Normandie, à la fille de Bohême, Bonne de Luxembourg. « Voilà donc pourquoi Jean de Luxembourg m'a fait expulser de chez son parent de Brabant, se disait Robert ; voilà de quel prix on a payé ses services. » Les fêtes données pour ces noces, à Melun, avaient, à ce qu'on racontait, dépassé en splendeur toute autre dans le passé.

Et Philippe VI avait profité de ce grand rassemblement des princes et de noblesse pour faire coudre solennellement la croix sur son manteau royal. Car la croisade, cette fois, était décidée. Pierre de la Palud, patriarche de Jérusalem, l'avait prêchée à Melun, tirant les larmes aux six mille invités de la noce, dont dix-huit cents chevaliers d'Allemagne. L'évêque Pierre Roger la prêchait à Rouen dont il venait de recevoir le diocèse, après ceux d'Arras et de Sens. Le passage général était décidé pour le printemps 1334. On hâtait la construction d'une grande flotte dans les ports de Provence, à Marseille, à Aigues-Mortes. Et déjà l'évêque Marigny voguait, chargé d'aller porter défi au Soudan d'Egypte !

Mais si les rois de Bohême, de Navarre, de

Majorque, d'Aragon, qui vivaient à la table de Philippe, si les ducs, comtes et grands barons, ainsi
qu'une certaine chevalerie éprise d'aventure, avaient
suivi avec enthousiasme l'exemple du roi de France,
la petite noblesse de terroir montrait, elle, moins
d'empressement à saisir les croix de drap rouge tendues par les prédicateurs, et à s'embarquer pour les
sables d'Egypte. Le roi d'Angleterre, pour sa part,
pressait l'instruction militaire de son peuple, mais ne
donnait aucune réponse touchant les projets vers la
Terre sainte. Et le vieux pape Jean XXII, d'ailleurs en
grave querelle avec l'Université de Paris et son recteur Buridan sur les problèmes de la vision béatifique, faisait la sourde oreille. Il n'avait accordé à la
croisade qu'une bénédiction réticente, et il rechi-
gnait au partage des frais... En revanche les marchands d'épices, d'encens, de soieries, de reliques, les
fabricants d'armures et les constructeurs de bateaux
poussaient beaucoup à l'entreprise.

Philippe VI avait déjà organisé la régence, pour la
durée de son absence, et fait jurer aux pairs, aux
barons, aux évêques, s'il venait à trépasser outre-
mer[26], qu'ils obéiraient en tout à son fils Jean et lui
remettraient sans discussion la couronne.

« C'est donc que Philippe n'est point tellement
assuré de sa légitimité, pensait Robert d'Artois, s'il
engage à reconnaître son fils dès à présent. »

Accoudé devant un pot de bière, Robert n'osait pas
dire à ses informateurs de rencontre qu'il connaissait tous les grands personnages dont ils lui parlaient ; il n'osait pas dire qu'il avait jouté contre le
roi de Bohême, procuré la mitre à Pierre Roger, qu'il
avait fait sauter le roi d'Angleterre sur ses genoux et
dîné à la table du pape. Mais il notait tout, pour en
faire un jour son profit.

La haine le soutenait. Aussi longtemps qu'en lui
resterait la vie, aussi longtemps resterait la haine. En
quelque endroit qu'il prît auberge, c'était la haine qui
l'éveillait avec le premier rayon de jour filtrant entre

les volets d'une chambre inconnue. La haine était le
sel de ses repas, le ciel de sa route.

On dit que les hommes forts sont ceux qui savent
reconnaître leurs torts. Il en est de plus forts, peut-
être, qui ne les reconnaissent jamais. Robert appartenait à cette seconde espèce. Il rejetait toutes fautes
sur les autres, morts et vivants, sur Philippe le Bel,
Enguerrand, Mahaut, sur Philippe de Valois, Eudes
de Bourgogne, le chancelier Sainte-Maure. Et
d'étape en étape, il ajoutait à la liste de ses ennemis
sa sœur de Namur, son beau-frère de Hainaut, et
Jean de Luxemboug, et le duc de Brabant.

A Bruxelles, il recruta un avoué véreux nommé
Huy et son secrétaire Berthelot ; c'était par des gens
de procédure qu'il commençait à remonter sa maison.

A Louvain, l'avoué Huy lui dénicha un moine de
mauvaise mine et de douteuse vie, frère Henry de
Sagebran, qui s'y connaissait davantage en envoûtes
et pratiques sataniques qu'en litanies et œuvres de
charité. Avec frère Henry de Sagebran, l'ancien pair
de France, se souvenant des leçons de Béatrice d'Hirson, baptisa des poupées de cire et les perça
d'aiguilles en les nommant Philippe, Sainte-Maure
ou Mathieu de Trye.

« Et celle-là, vois-tu, soigne-la bien, perce-la
depuis la tête tout le long du corps, car elle s'appelle
Jeanne, la boiteuse reine de France. Ce n'est point
vraiment la reine, c'est une diablesse ! »

Il se fournit aussi d'une encre invisible pour écrire
certaines formules qui, tracées sur un parchemin,
procuraient le sommeil éternel. Encore fallait-il que
le parchemin fût glissé dans le lit de qui l'on voulait
se débarrasser ! Frère Henry de Sagebran, chargé
d'un peu d'argent et de beaucoup de promesses, partit pour la France, tel un bon moine mendiant, avec,
sous son froc, une grosse provision de parchemin à
dormir.

Gillet de Nelle, de son côté, racolait des meurtriers
à solde, des voleurs par vocation, des échappés de

prison, gaillards à gueules basses, auxquels le crime répugnait moins que le travail à la journée. Et quand Gillet en eut fait une petite troupe, bien instruite, Robert les envoya au royaume de France avec mission d'agir de préférence pendant les grandes réunions ou fêtes.

« Les dos offrent au couteau des cibles faciles quand tous les yeux sont tournés vers les lices, ou toutes les oreilles tendues pour écouter prêcher croisade. »

A courir les routes, Robert avait maigri ; la ride s'enfonçait davantage dans les muscles de sa face, et la méchanceté des sentiments qui l'animaient du réveil au soir, et jusque dans ses rêves, avait donné à ses traits leur expression définitive. Mais, en même temps, l'aventure lui rajeunissait l'âme. Il avait l'amusement de goûter, en ces pays nouveaux, à des nourritures nouvelles, à des femmes nouvelles aussi.

Si Liège l'expulsa, ce ne fut pas pour ses méfaits anciens mais parce que son Gillet et lui-même avaient transformé une maison louée à un certain sieur d'Argenteau en vrai repaire de follieuses, et que le bruit qui s'y faisait gâtait le sommeil du voisinage.

Il y avait de bons jours ; il y en avait de mauvais, comme celui où il apprit que le frère Henry de Sagebran, avec ses parchemins à dormir pour l'éternité, s'était fait arrêter à Cambrai, et cet autre jour où l'un de ses meurtriers à solde reparut pour lui annoncer que ses compères n'avaient pu dépasser Reims et moisissaient à présent dans les prisons du « roi trouvé ».

Puis Robert tomba malade, de la plus sotte façon. Etant réfugié dans une maison en bordure d'un canal où se déroulaient des joutes d'eau, la curiosité lui fit passer la tête jusqu'au col à travers une nasse à poisson qui masquait la fenêtre. Il se poussa si bien qu'il ne put se retirer qu'après de longs efforts, en s'arrachant le cuir des joues au grillage de la nasse. L'infection se mit dans les écorchures et la fièvre bientôt le saisit, dont il grelotta quatre jours, tout près de trépasser.

Dégoûté des Marches flamandes, il se rendit à Genève. Traînant ses chausses le long du lac, ce fut là qu'il apprit l'arrestation de la comtesse de Beaumont, son épouse, et de leurs trois enfants. Philippe VI, par représailles contre Robert, n'avait pas hésité à enfermer sa propre sœur d'abord au donjon de Nemours, puis à Château-Gaillard. La prison de Marguerite ! Vraiment la Bourgogne prenait bien sa revanche.

De Genève, voyageant sous un nom d'emprunt et vêtu comme un quelconque bourgeois, Robert gagna Avignon. Il y resta deux semaines, cherchant à intriguer pour sa cause. Il trouva la capitale de la Chrétienté débordante de richesses et de plus en plus dissolue. Ici les ambitions, les vanités, les vices ne s'adoubaient pas d'une cuirasse de tournoi, mais se dissimulaient sous des robes de prélats ; les signes de la puissance ne s'étalaient pas en harnais d'argent ou en heaumes empanachés, mais en mitres incrustées de pierres précieuses, en ciboires d'or plus lourds que des hanaps de roi. On ne se défiait point en batailles, mais on se haïssait en sacristie. Les confessionnaux n'étaient pas sûrs ; et les femmes se montraient plus infidèles, plus méchantes, plus vénales que partout ailleurs, puisqu'elles ne pouvaient tirer noblesse que du péché.

Et pourtant nul ne voulait se compromettre pour l'ancien pair de France. On se rappelait à peine l'avoir connu. Même dans ce bourbier Robert apparaissait comme un pestiféré. Et la liste de ses rancunes s'allongeait.

Toutefois, il eut quelque consolation à constater, en écoutant les gens, que les affaires de son cousin Valois étaient moins brillantes qu'on eût pu le croire. L'Eglise cherchait à décourager la croisade. Quelle serait, une fois Philippe VI et ses alliés embarqués, la situation de l'Occident laissé à la discrétion de l'empereur et du roi anglais ? Si jamais ces deux sou-

verains venaient à s'unir... Déjà le passage général
avait été reculé de deux ans. Le printemps de 1334
s'était achevé sans que rien fût prêt. On parlait maintenant de l'année 36.

Pour sa part, Philippe VI, présidant lui-même une
assemblée plénière des docteurs de Paris sur la montagne Sainte-Geneviève, brandissait la menace d'un
décret d'hérésie contre le vieux pontife, âgé de
quatre-vingt-dix ans, si celui-ci ne rétractait pas ses
thèses théologiques. D'ailleurs, on donnait la mort de
Jean XXII pour imminente ; mais il y avait dix-huit
ans qu'on annonçait cela !

« Rester vivant, se répétait Robert, voilà toute
l'affaire ; durer, pour attendre le jour où l'on gagne. »

Déjà le trépas de quelques-uns de ses ennemis
venait lui rendre l'espérance. Le trésorier Forget était
mort à la fin de l'autre année ; le chancelier
Guillaume de Sainte-Maure venait de mourir à son
tour. Le duc Jean de Normandie, héritier de France,
était gravement malade ; et même Philippe VI, disait-
on, subissait des ennuis de santé. Peut-être les malé-
fices de Robert n'avaient-ils pas été totalement
inopérants...

Pour retourner en Flandre, Robert prit des habits
de convers. Etrange frère, en vérité, que ce géant
dont le capuchon dominait les foules, qui entrait
d'un pas guerrier aux abbayes, et demandait l'hospitalité qu'on doit aux hommes de Dieu de la même
voix qu'il eût demandé sa lance à un écuyer !

Dans un réfectoire de Bruges, la tête inclinée sur
son écuelle, au bout de la longue table grasse, et faisant mine de murmurer des prières dont il ignorait
le premier mot, il écoutait le frère lecteur, installé
dans une petite niche creusée à mi-hauteur du mur,
lire la vie des saints. Les voûtes renvoyaient la voix
monotone sur la tablée des moines ; et Robert se
disait : « Pourquoi ne pas finir ainsi ? La paix, la profonde paix des couvents, la délivrance de tout souci,
le renoncement, le gîte assuré, les heures régulières,
la fin de l'errance... »

Quel homme, fût-ce le plus turbulent, le plus ambitieux, le plus cruel, n'a pas connu cette tentation du repos, de la démission ? A quoi bon tant de luttes, tant d'entreprises vaines, puisque tout doit s'achever dans la poudre du tombeau ? Robert y songeait, de la même façon que, cinq ans plus tôt, il songeait à se retirer, avec sa femme et ses fils, dans une tranquille vie de seigneur terrien. Mais ce sont là pensées qui ne peuvent durer. Et chez Robert elles se présentaient toujours trop tard, à l'instant même où quelque événement allait le rejeter dans sa vocation véritable, qui était l'action et le combat.

Deux jours plus tard, à Gand, Robert d'Artois rencontrait Jakob Van Artevelde.

L'homme était sensiblement du même âge que Robert : l'approche de la cinquantaine. Il avait le masque carré, la panse forte et les reins bien plantés sur les jambes ; il était fort mangeur et buveur solide, sans que jamais la tête lui tournât. En sa jeunesse, il avait fait partie de la suite de Charles de Valois à Rhodes, et accompli plusieurs autres voyages ; il possédait son Europe. Ce brasseur de miel, ce grand négociant en draps, s'était, en secondes noces, marié à une femme noble.

Hautain, imaginatif et dur, il avait pris grande autorité, d'abord sur sa ville de Gand, qu'il dominait complètement, puis sur les principales communes flamandes. Lorsque les foulons, les drapiers, les brasseurs, qui constituaient la vraie richesse du pays, voulaient faire des représentations au comte ou au roi de France, c'était à Jakob Van Artevelde qu'ils s'adressaient afin qu'il allât porter leurs vœux ou leurs reproches d'une voix forte et d'une parole claire. Il n'avait aucun titre ; il était messire Van Artevelde, devant qui chacun s'inclinait. Les ennemis ne lui manquaient pas, et il ne se déplaçait qu'accompagné de soixante valets armés qui l'attendaient aux portes des maisons où il dînait.

Artevelde et Robert d'Artois se jugèrent, se jaugèrent du premier coup d'œil pour gens de même race, courageux de corps, habiles, lucides, animés du goût de dominer.

Que Robert fût un proscrit gênait peu Artevelde ; au contraire, ce pouvait être aubaine pour le Gantois que la rencontre de cet ancien grand seigneur, ce beau-frère de roi, naguère tout-puissant, et maintenant hostile à la France. Et pour Robert, ce bourgeois ambitieux apparaissait vingt fois plus estimable que les nobliaux qui lui interdisaient leur manoir. Artevelde était hostile au comte de Flandre, donc à la France, et puissant parmi ses concitoyens ; c'était là l'important.

« Nous n'aimons pas Louis de Nevers qui n'est demeuré notre comte que parce qu'au mont Cassel le roi a massacré nos milices.

— J'y étais, dit Robert.

— Le comte ne vient parmi nous que pour nous demander l'argent qu'il dépense à Paris ; il ne comprend rien aux représentations et n'y veut rien comprendre ; il ne commande rien de son chef, et ne fait que transmettre les mauvaises ordonnances du roi de France. On vient de nous obliger à chasser les marchands anglais. Nous ne sommes point opposés, nous, aux marchands anglais, et nous nous moquons bien des différends que le roi trouvé peut avoir avec son cousin d'Angleterre au sujet de la croisade ou du trône d'Ecosse[27] ! A présent l'Angleterre, par représailles, nous menace de couper les livraisons de ses laines. Ce jour-là, nos foulons et tisserands, ici et dans toute la Flandre, n'auront plus qu'à briser leurs métiers et fermer leurs échoppes. Mais ce jour-là aussi, Monseigneur, ils reprendront leurs couteaux... et Hainaut, Brabant, Hollande, Zélande, seront avec nous, car ces pays ne tiennent à la France que par les mariages de leurs princes, mais non par le cœur de leur peuple, ni par son ventre ; on ne règne pas longtemps sur des gens qu'on affame. »

Robert écoutait Artevelde avec grande attention. Enfin un homme qui parlait clair, qui savait son sujet, et qui semblait appuyé sur une force véritable.

« Pourquoi, si vous devez vous révolter encore, dit Robert, ne pas vous allier franchement au roi d'Angleterre ? Et pourquoi ne pas prendre langue avec l'empereur d'Allemagne qui est ennemi du pape, donc ennemi de la France qui tient le pape dans sa main ? Vos milices sont courageuses, mais limitées à de petites actions parce qu'il leur manque des troupes à cheval. Faites-les soutenir d'un corps de chevaliers anglais, d'un corps de chevaliers allemands, et avancez-vous en France par la route d'Artois. Là, je gage de vous gagner encore plus de monde... »

Il voyait déjà la coalition formée et lui-même chevauchant à la tête d'une armée.

« Croyez bien, Monseigneur, que j'y ai souvent pensé, répondit Artevelde, et qu'il serait aisé de parler avec le roi d'Angleterre, et même avec l'empereur Louis de Bavière, si nos bourgeois y étaient prêts. Les hommes des communes haïssent le comte Louis, mais c'est néanmoins vers le roi de France qu'ils se tournent pour en obtenir justice. Ils ont fait serment au roi de France. Même quand ils prennent les armes contre lui, il demeure leur maître. En outre, et c'est là manœuvre habile de la part de la France, on a contraint nos villes à reconnaître qu'elles verseraient deux millions de florins au pape si elles se révoltaient contre leur suzerain, et ceci sous menace d'excommunication si nous ne payions pas. Les familles redoutent d'être privées de prêtres et de messes.

— C'est-à-dire qu'on a obligé le pape à vous menacer d'excommunication ou de ruine, afin que vos communes se tiennent tranquilles durant la croisade. Mais qui pourra vous forcer à payer, quand l'ost de France sera en Egypte ?

— Vous savez comment sont les petites gens, dit Artevelde ; ils ne connaissent leur force que lorsque le moment d'en user est passé. »

Robert vida la grande chope de bière qui était devant lui ; il prenait goût à la bière, décidément. Il resta un moment silencieux, les yeux fixés sur la boiserie. La maison de Jakob Van Artevelde était belle et confortable ; les cuivres, les étains bien astiqués, les meubles de chêne y luisaient dans l'ombre.

« C'est donc l'allégeance au roi de France qui vous empêche de contracter des alliances et de reprendre les armes ?

— C'est cela même », dit Artevelde.

Robert avait l'imagination vive. Depuis trois ans et demi, il trompait sa faim de vengeance avec de petites pâtures, envoûtes, sortilèges, tueurs à gages qui n'arrivaient pas jusqu'aux victimes désignées. Soudain son espérance retrouvait d'autres dimensions ; une grande idée germait, enfin digne de lui.

« Et si le roi d'Angleterre devenait le roi de France ? » demanda-t-il.

Artevelde regarda Robert d'Artois avec incrédulité, comme s'il doutait d'avoir bien entendu.

« Je vous dis, messire : si le roi d'Angleterre *était* le roi de France ? S'il revendiquait la couronne, s'il faisait établir ses droits, s'il prouvait que le royaume de France est sien, s'il se présentait comme votre suzerain légitime ?

— Monseigneur, c'est un songe que vous bâtissez là !

— Un songe ? s'écria Robert. Mais cette querelle-là n'a jamais été jugée, ni la cause perdue ! Quand mon cousin Valois a été porté au trône... quand je l'ai porté au trône, et vous voyez la grâce qu'il m'en garde !... les députés d'Angleterre sont venus faire valoir les droits de la reine Isabelle et de son fils Edouard. Il n'y a pas si longtemps ; il y a moins de sept ans. On ne les a pas entendus parce qu'on ne voulait pas les entendre, et que je les ai fait reconduire à leur vaisseau. Vous appelez Philippe *le roi trouvé* ; que n'en trouveriez-vous un autre ! Et que penseriez-vous si l'on reprenait maintenant l'affaire, et qu'on vînt dire à vos foulons, vos tisserands, vos marchands, vos communaux : "Votre comte ne tient pas ses droits de bonne main ; son hommage, il ne le devait point au roi de France. Votre suzerain, c'est celui de Londres !"»

Un songe, en vérité, mais qui séduisait Jakob Van Artevelde. La laine qui arrivait du nord-ouest par la mer, les étoffes, rudes ou précieuses, qui repartaient par le même chemin, le trafic des ports, tout incitait la Flandre à tourner ses regards vers le royaume anglais. Du côté de Paris rien ne venait, sinon des collecteurs d'impôts.

« Mais croyez-vous, Monseigneur, en bonne raison, qu'aucune personne au monde puisse être convaincue de ce que vous dites, et puisse consentir à pareille entreprise ?

— Une seule, messire, il suffit qu'une seule personne soit convaincue : le roi d'Angleterre lui-même. »

Quelques jours plus tard, à Anvers, muni d'un passeport de marchand drapier, et suivi de Gillet de Nelle qui portait, pour la forme, quelques aunes d'étoffe, Mgr Robert d'Artois s'embarquait pour Londres.

II

WESTMINSTER HALL

A nouveau un roi était assis, couronne en tête, sceptre en main, entouré de ses pairs. A nouveau, prélats, comtes et barons étaient alignés de part et d'autre de son trône. A nouveau, clercs, docteurs, juristes, conseillers, dignitaires s'offraient à sa vue, en rangs pressés.

Mais ce n'étaient pas les lis de France qui semaient le manteau royal ; c'étaient les lions des Plantagenets. Ce n'étaient point les voûtes du Palais de la Cité qui renvoyaient sur la foule l'écho de sa propre rumeur, mais l'admirable charpente de chêne, aux immenses arcs ajourés, du grand hall de Westminster. Et c'étaient six cents chevaliers anglais, venus de tous les comtés, et les squires et les shérifs des villes, qui constituaient, couvrant les larges dalles carrées, le Parlement d'Angleterre siégeant au complet.

Pourtant, c'était afin d'écouter une voix française que cette assemblée avait été convoquée.

Debout, drapé dans un manteau d'écarlate, à mi-hauteur des marches de pierre au fond du hall, et comme ourlé d'or par la lumière tombant derrière lui du gigantesque vitrail, le comte Robert d'Artois s'adressait aux délégués du peuple de Grande-Bretagne.

Car pendant les deux années écoulées depuis que Robert avait quitté les Flandres, la roue du destin avait accompli un bon quart de tour. Et d'abord le pape était mort.

Vers la fin de 1334, le petit vieillard exsangue qui, au cours d'un des plus longs règnes pontificaux, avait rendu à l'Eglise une administration forte et des finances prospères, était obligé, du fond de son lit, dans la chambre verte de son grand palais d'Avignon, de renoncer publiquement aux seules thèses que son esprit eût défendues avec conviction. Pour éviter le schisme dont l'Université de Paris le menaçait, pour obéir aux ordres de cette cour de France en faveur de laquelle il avait réglé tant d'affaires douteuses et gardé bouche close sur tant de secrets, il reniait ses écrits, ses prêches, ses encycliques. Maître Buridan[28] dictait ce qu'il convenait de penser en matière de dogme : l'enfer existait, plein d'âmes à rôtir, afin de mieux assurer aux princes de ce monde la dictature sur leurs sujets ; le paradis était ouvert, comme une bonne hôtellerie ; aux chevaliers loyaux qui avaient bien massacré pour le compte de leur roi, aux prélats dociles qui avaient bien béni les croisades, et sans qu'il soit, à ces justes, besoin d'attendre le jugement dernier pour jouir de la vision béatifique de Dieu.

Jean XXII était-il encore conscient quand il signa ce reniement forcé ? Il mourait le lendemain. Il y eut d'assez méchants docteurs, sur la montagne Sainte-Geneviève, pour dire en se moquant :

« Il doit savoir à présent si l'enfer existe ! »

Alors le conclave s'était réuni, et dans un lacis d'embrouilles qui menaçait de rendre cette élection plus longue encore que les précédentes. La France, l'Angleterre, l'empereur, le bouillant Bohême, l'érudit roi de Naples, Majorque, Aragon, et la noblesse romaine, et les Visconti de Milan, et les Républiques, toutes les puissances pesaient sur les cardinaux.

Afin de gagner du temps et de ne faire avancer si peu que ce soit aucune candidature, ceux-ci, une fois enfermés, s'étaient tous tenu le même raisonnement : « Je vais voter pour l'un d'entre nous qui n'a nulle chance d'être élu. »

L'inspiration divine a d'étranges détours ! Les cardinaux étaient si bien d'accord, *in petto*, sur celui qui avait les moindres chances, sur celui qui *ne pouvait pas* être pape, que tous les bulletins sortirent avec le même nom : celui de Jacques Fournier, le « cardinal blanc » comme on l'appelait, parce qu'il continuait de porter son habit de Cîteaux. Les cardinaux, le peuple quand on lui fit l'annonce, et l'élu lui-même se trouvèrent également stupéfaits. Le premier mot du nouveau pape fut pour déclarer à ses collègues que leur choix était tombé sur un âne.

C'était trop de modestie.

Benoît XII, l'élu par erreur, apparut bientôt comme un pape de paix. Il avait consacré ses premiers efforts à arrêter les luttes qui ensanglantaient l'Italie, et rétablir, si cela se pouvait, la concorde entre le Saint-Siège et l'Empire. Or, cela se pouvait. Louis de Bavière avait répondu très favorablement aux avances d'Avignon, et l'on s'apprêtait à poursuivre, quand Philippe de Valois était entré en fureur. Comment ! on se passait de lui, le premier monarque de la Chrétienté, pour entamer des négociations si importantes ? Une influence autre que la sienne viendrait à s'exercer sur le Saint-Siège ? Son cher parent, le roi de Bohême, devrait renoncer à ses chevaleresques projets sur l'Italie ?

Philippe VI avait intimé l'ordre à Benoît XII de rappeler ses ambassadeurs, d'arrêter les pourparlers, et ceci sous menace de confisquer aux cardinaux tous leurs biens en France.

Puis, accompagné toujours du cher roi de Bohême, du roi de Navarre et d'une si nombreuse escorte de barons et de chevaliers qu'on eût dit déjà une armée, Philippe VI, au début de 1336, venait faire ses Pâques en Avignon. Il y avait donné rendez-vous au roi de Naples et au roi d'Aragon. C'était là manière de rappeler le nouveau pape à ses devoirs,

et de l'amener à bien comprendre ce qu'on attendait
de lui.

Or Benoît XII allait montrer, par un tour de sa
façon, qu'il n'était pas absolument l'âne qu'il prétendait être, et qu'un roi, désireux d'entreprendre une
croisade, avait quelque intérêt à se ménager l'amitié
du pape.

Le Vendredi saint, Benoît montait en chaire pour
prêcher la souffrance de Notre-Seigneur et recommander le voyage de la croix. Pouvait-il faire moins,
quand quatre rois croisés et deux mille lances campaient autour de sa ville ? Mais le dimanche de Qua-
simodo, Philippe VI, parti vers les côtes de Provence
inspecter sa grande flotte, eut la surprise de recevoir
une belle lettre en latin qui le relevait de son vœu et
de ses serments. Puisque l'état de guerre continuait
de régner entre les nations chrétiennes, le Saint-Père
refusait de laisser s'éloigner vers les terres infidèles
les meilleurs défenseurs de l'Eglise.

La croisade des Valois s'arrêterait à Marseille.

En vain le roi chevalier l'avait-il pris de haut ;
l'ancien cistercien l'avait pris de plus haut encore. Sa
main qui bénissait pouvait aussi excommunier et
l'on imaginait mal une croisade excommuniée au
départ !

« Réglez, mon fils, vos différends avec l'Angleterre,
vos difficultés avec les Flandres ; laissez-moi régler
les difficultés avec l'empereur ; apportez-moi la
preuve que bonne paix, bien certaine et durable, va
régner sur nos pays, et vous pourrez ensuite aller
convertir les Infidèles aux vertus que vous aurez
vous-même montrées. »

Soit ! Puisque le pape le lui imposait, Philippe
allait régler ses différends. Et avec l'Angleterre
d'abord... en remettant le jeune Edouard dans ses
obligations de vassal, et en lui enjoignant de livrer
sans tarder ce félon de Robert d'Artois auquel il donnait asile. Les fausses grandes âmes, lorsqu'elles sont
blessées, se cherchent ainsi de misérables revanches.

Quand l'ordre d'extradition, transmis par le sénéchal de Guyenne, était parvenu à Londres, Robert avait déjà pris pied solidement à la cour d'Angleterre. Sa force, ses manières, sa faconde lui avaient attiré de nombreuses amitiés ; le vieux Tors-Col chantait ses louanges. Le jeune roi avait grand besoin d'un homme d'expérience qui connût bien les affaires de France. Or, qui donc en était mieux instruit que le comte d'Artois ? Parce qu'il pouvait être utile, ses malheurs inspiraient la compassion.

« Sire, mon cousin, avait-il dit à Edouard III, si vous jugez que ma présence en votre royaume vous doive créer ou péril ou nuisance, livrez-moi à la haine de Philippe, le roi mal trouvé. Je n'aurai point à me plaindre de vous, qui m'avez fait si grande hospitalité ; je n'aurai à blâmer que moi-même pour ce que j'ai, contre le bon droit, donné le trône à ce méchant Philippe au lieu de le faire octroyer à vous-même que je ne connaissais pas assez. »

Et cela était prononcé la main largement étalée sur le cœur, et le buste ployé.

Edouard III avait répondu calmement :

« Mon cousin, vous êtes mon hôte, et vous m'êtes fort précieux par vos conseils. En vous livrant au roi de France, je serais l'ennemi de mon honneur autant que de mon intérêt. Et puis, vous êtes accueilli au royaume d'Angleterre et non pas en duché de Guyenne... Suzeraineté de France ici ne vaut pas. »

La demande de Philippe VI fut laissée sans réponse.

Et jour après jour, Robert put poursuivre son œuvre de persuasion. Il versait le poison de la tentation dans l'oreille d'Edouard ou celle de ses conseillers. Il entrait en disant :

« Je salue le vrai roi de France... »

Il ne manquait pas une occasion de démontrer que la loi salique n'avait été qu'une invention de circonstance et que les droits d'Edouard à la couronne de Hugues Capet étaient les mieux fondés.

A la seconde sommation qui lui fut faite de livrer Robert, Edouard III ne répondit autrement qu'en accordant à l'exilé la jouissance de trois châteaux et douze cents marcs de pension[29].

C'était le temps d'ailleurs où Edouard témoignait sa gratitude à tous ceux qui l'avaient bien servi, où il nommait son ami William Montaigu comte de Salisbury, et distribuait titres et rentes aux jeunes Lords qui l'avaient aidé dans l'affaire de Nottingham.

Une troisième fois, Philippe VI envoya son grand maître des arbalétriers signifier au sénéchal de Guyenne, pour le roi d'Angleterre, qu'on eût à rendre Robert d'Artois, ennemi mortel du royaume de France, faute de quoi, à quinzaine échue, le duché serait séquestré.

« J'attendais bien cela ! s'écria Robert. Ce grand niais de Philippe n'a d'autre idée que de répéter ce que j'inventai naguère, cher Sire Edouard, contre votre père ; donner un ordre qui offense le droit, puis séquestrer pour défaut d'exécution de cet ordre, et, par le séquestre, imposer ou l'humiliation ou la guerre. Seulement, aujourd'hui, l'Angleterre a un roi qui véritablement règne, et la France n'a plus Robert d'Artois. »

Il n'ajoutait pas : « Et naguère il y avait en France un exilé qui jouait tout juste le rôle que je joue ici, et c'était Mortimer ! »

Robert avait réussi au-delà de ses espérances ; il devenait la cause même du conflit qu'il rêvait de voir éclater ; sa personne revêtait une importance capitale ; et pour aborder ce conflit, il proposait sa doctrine : faire revendiquer par le roi d'Angleterre la couronne de France.

Voilà pourquoi ce jour de septembre 1337, sur les degrés de Westminster Hall, Robert d'Artois, manches déployées et pareil à un oiseau d'orage, devant les nervures du grand vitrail, s'adressait sur la demande du roi au Parlement britannique. Entraîné par trente ans de procédure, il parlait sans documents ni notes.

Ceux des délégués qui n'entendaient pas parfaite-

ment le français prenaient de leurs voisins la traduc-
tion de certains passages.

A mesure que le comte d'Artois développait son
discours, les silences se faisaient plus denses dans
l'assemblée, ou bien les murmures plus intenses,
quand quelque révélation frappait les esprits. Que de
choses surprenantes ! Deux peuples vivent, séparés
seulement par un étroit bras de mer ; les princes des
deux cours se marient entre eux ; les barons d'ici ont
des terres là-bas ; les marchands circulent d'une
nation à l'autre... et l'on ne sait rien, au fond, de ce
qui se passe chez le voisin !

Ainsi la règle : « France ne peut à femme être
remise ni par femme être transmise » n'était nullement tirée des anciennes coutumes ; c'était juste
trouvaille d'humeur lancée par un vieux rabâcheur
de connétable, lors de la succession, vingt ans plus
tôt, d'un roi assassiné. Oui, Louis Dixième, le Hutin,
avait été assassiné. Robert d'Artois le proclamait et
nommait sa meurtrière.

« Je la connaissais bien, elle était ma tante, et m'a
volé mon héritage ! »

L'histoire des crimes commis par les princes français, le récit des scandales de la cour capétienne,
Robert s'en servait pour épicer son discours, et les
députés au Parlement d'Angleterre en frémissaient
d'indignation et d'effroi, comme s'ils tenaient pour
rien les horreurs accomplies sur leur propre sol et
par leurs propres princes.

Et Robert poursuivait sa démonstration, défendant les thèses exactement inverses à celles qu'il
avait soutenues naguère en faveur de Philippe de
Valois, et avec une égale conviction.

Donc, à la mort du roi Charles IV, dernier fils de
Philippe le Bel, et si même on avait voulu tenir
compte de la répugnance des barons français à voir
femme régner, la couronne de France devait, en toute
équité, revenir, à travers la reine Isabelle, au seul
mâle de la lignée directe...

L'immense manteau rouge pivota devant les yeux

des Anglais tout saisis ; Robert s'était tourné vers le roi. D'un coup il se laissa tomber, le genou sur la pierre.

« ... revenir à vous, noble Sire Edouard, roi d'Angleterre, en qui je reconnais et salue le véritable roi de France ! »

On n'avait pas ressenti émotion plus intense depuis le mariage d'York. On annonçait aux Anglais que leur souverain pouvait prétendre à un royaume plus grand du double, plus riche du triple ! C'était comme si la fortune de chacun, la dignité de chacun s'en trouvaient augmentées d'autant.

Mais Robert savait qu'il ne faut pas laisser s'épuiser l'enthousiasme des foules. Déjà il se relevait et rappelait qu'au moment de la succession de Charles IV, le roi Edouard avait envoyé, pour faire valoir ses droits, de hauts et respectés évêques, dont Mgr Adam Orleton qui aurait pu en témoigner de vive voix, s'il n'eût été présentement en Avignon, à ce même propos et pour obtenir l'appui du pape.

Et son propre rôle, à lui Robert, dans la désignation de Philippe de Valois, devait-il le passer sous silence ? Rien n'avait mieux servi le géant, tout au long de sa vie, que la fausse franchise. Ce jour-là il en usa encore.

Qui donc avait refusé d'entendre les docteurs anglais ? Qui avait repoussé leurs prétentions ? Qui les avait empêchés de faire valoir leurs raisons devant les barons de France ? Robert, de ses deux énormes poings, se frappa la poitrine :

« Moi, mes nobles Lords et squires, moi qui suis devant vous, qui, croyant agir pour le bien et la paix, ai choisi l'injuste plutôt que le juste, et qui n'ai pas assez expié cette faute par tous les malheurs qui me sont advenus. »

Sa voix, répercutée par les charpentes, roulait jusqu'au bout du Hall.

Pouvait-il apporter à sa thèse un argument plus probant ? Il s'accusait d'avoir fait élire Philippe VI contre le bon droit ; il plaidait coupable, mais présentait sa défense. Philippe de Valois, avant d'être roi, lui avait promis que toutes choses seraient remises en ordre équitable, qu'une paix définitive serait établie laissant au roi d'Angleterre la jouissance de toute la Guyenne, qu'en Flandre des libertés seraient consenties qui rendraient prospérité au commerce, et qu'à lui-même l'Artois serait restitué. Donc c'était dans un but de conciliation et pour le bonheur général que Robert avait agi de la sorte. Mais il était bien prouvé que l'on ne doit se fonder que sur le droit, et non sur les fallacieuses promesses des hommes, puisqu'au jour présent l'héritier d'Artois était un proscrit, la Flandre affamée, et la Guyenne menacée de séquestre !

Alors, si l'on devait aller à la guerre, que ce ne soit plus pour vaines querelles d'hommage lige ou non lige, de seigneuries réservées ou de définition des termes de vassalité ; que ce soit pour le vrai, le grand, l'unique motif : la possession de la couronne de France. Et du jour où le roi d'Angleterre l'aurait ceinte, alors il n'y aurait plus, ni en Guyenne, ni en Flandre, de motif à la discorde. Les alliés ne manqueraient pas en Europe, princes et peuples tous ensemble.

Et si pour ce faire, pour servir cette grande aventure qui allait changer le sort des nations, le noble Sire Edouard avait besoin de sang, Robert d'Artois, tendant les bras hors de ses manches de velours, au roi, aux Lords, aux Communes, à l'Angleterre, offrait le sien.

III

LE DÉFI DE LA TOUR DE NESLE

Lorsque l'évêque Henry de Burghersh, trésorier d'Angleterre, escorté de William Montaigu, nouveau comte de Salisbury, de William Bohun, nouveau comte de Northampton, de Robert Ufford, nouveau comte de Suffolk, présenta le jour de la Toussaint, à Paris, les lettres de défi qu'Edouard III Plantagenet adressait à Philippe VI de Valois, celui-ci, pareil au roi de Jéricho devant Josué, commença par rire.

Avait-il bien entendu ? Le petit cousin Edouard le sommait de lui remettre la couronne de France ? Philippe regarda le roi de Navarre et le duc de Bourbon, ses parents. Il sortait de table en leur compagnie ; il était de belle humeur ; ses joues claires, son grand nez se teintèrent de rose et il se remit à pouffer.

Que cet évêque, noblement appuyé sur sa crosse, que ces trois seigneurs anglais, raides dans leurs cottes d'armes, fussent venus lui faire une annonce plus mesurée, le refus de leur maître, par exemple, de livrer Robert d'Artois, ou bien une protestation contre le décret de saisie de la Guyenne, Philippe sans doute se fût fâché. Mais sa couronne, son royaume tout entier ? Cette ambassade, en vérité, était bouffonne.

Mais oui, il entendait bien : la loi salique n'existait pas, son couronnement était irrégulier...

« Et que les pairs m'aient fait roi de leur volonté, que l'archevêque de Reims, voici neuf ans, m'ait sacré, cela non plus, messire évêque, n'existe pas ?

— Beaucoup de pairs et barons qui vous ont élu sont morts depuis, répondit Burghersh, et d'autres se demandent si ce qu'ils ont fait alors a été approuvé par Dieu ! »

Philippe, toujours secoué de rire, renversa la tête en arrière, découvrant les profondeurs de sa gorge.

Et quand le roi Edouard était venu lui rendre l'hommage à Amiens, ne l'avait-il pas reconnu pour roi ?

« Notre roi, alors, était mineur. L'hommage qu'il vous fit, et qui eût dû, pour avoir valeur, être consenti par le Conseil de régence, n'avait été décidé que sur l'ordre du traître Mortimer, lequel depuis a été pendu. »

Ah bah ! il ne manquait pas d'aplomb, l'évêque, qui avait été fait chancelier par Mortimer, lui avait servi de premier conseiller, avait accompagné Edouard à Amiens et lu, lui-même, dans la cathédrale, la formule de l'hommage !

Que disait-il à présent de la même voix ? Que c'était à Philippe, en tant que comte de Valois, de rendre l'hommage à Edouard ! Car le roi d'Angleterre reconnaissait volontiers à son cousin de France le Valois, l'Anjou, le Maine, et même la pairie... Vraiment c'était trop de magnanimité !

Mais où se trouvait-on, Dieu du Ciel, pour entendre pareilles énormités ?

On était à l'hôtel de Nesle, parce qu'entre deux séjours à Saint-Germain et à Vincennes le roi passait la journée en cette demeure donnée à son épouse. Car, tout ainsi que de moindres seigneurs disaient : « On se tiendra en la grand-salle », ou « dans la petite chambre aux perroquets », ou encore « on soupera dans la chambre verte », le roi décidait : « Ce jour, je dînerai au Palais de la Cité », ou bien « au Louvre », ou bien « chez mon fils le duc de Normandie, dans l'hôtel qui fut à Robert d'Artois ».

Ainsi les vieux murs de l'hôtel de Nesle, et la tour plus vieille encore qu'on apercevait par les fenêtres, étaient témoins de cette farce. Il semble que certains lieux soient désignés pour qu'y passe le drame des peuples sous un déguisement de comédie. En cette demeure où Marguerite de Bourgogne s'était si bien divertie à tromper le Hutin dans les bras du chevalier d'Aunay, sans pouvoir imaginer que cette joyeuseté changerait le cours de la monarchie française, le roi d'Angleterre faisait présenter son défi au roi de France, et le roi de France riait[30] !

Il riait si fort qu'il en était presque attendri ; car il reconnaissait, en cette folle ambassade, l'inspiration de Robert. Cette démarche ne pouvait être inventée que par lui. Décidément, le gaillard était fou. Il avait trouvé un autre roi, plus jeune, plus naïf, pour se prêter à ses gigantesques sottises. Mais où s'arrêterait-il ? Le défi de royaume à royaume ! Le remplacement d'un roi par un autre... Passé un certain degré d'aberration, on ne peut plus tenir rigueur aux gens des outrances qui sont en leur nature.

— Où logez-vous, Monseigneur évêque ? demanda Philippe VI courtoisement.

— A l'hôtel du Château Fétu, rue du Tiroir.

— Eh bien ! rentrez-y ; ébattez-vous quelques jours en notre bonne ville de Paris, et revenez nous voir, si vous le souhaitez, avec quelque offre plus sensée. En vérité, je ne vous en veux point ; et même, pour vous être chargé d'une pareille mission et l'accomplir sans rire, comme je vous le vois faire, je vous tiens pour le meilleur ambassadeur que j'aie jamais reçu... »

Il ne savait pas si bien dire, car Henry de Burghersh avant d'arriver à Paris était passé par les Flandres. Il avait eu des conférences secrètes avec le comte de Hainaut, beau-père du roi d'Angleterre, avec le comte de Gueldre, avec le duc de Brabant, avec le marquis de Juliers, avec Jakob Van Artevelde et les échevins de Gand, d'Ypres et de Bruges. Il avait même déjà détaché une partie de sa suite vers l'empereur Louis de Bavière. Certaines paroles qui s'étaient dites, certains accords qui avaient été pris, Philippe VI les ignorait encore.

« Sire, je vous remets les lettres de défi.

— C'est cela, remettez, dit Philippe. Nous garderons ces bonnes feuilles pour les relire souvent, et chasser la tristesse si elle nous vient. Et puis l'on va vous servir à boire. Après tant parler, vous devez avoir le gosier sec. »

Et il frappa des mains pour appeler un écuyer.

« A Dieu ne plaise, s'écria l'évêque Burghersh, que je devienne un traître et que je boive le vin d'un ennemi auquel, du fond du cœur, je suis résolu à faire tout le mal que je pourrai ! »

Alors Philippe de Valois se remit à rire aux éclats, et, sans plus s'inquiéter de l'ambassadeur ni des trois Lords, il prit le roi de Navarre par l'épaule et rentra dans les appartements.

IV

AUTOUR DE WINDSOR

Autour de Windsor, la campagne est verte, largement vallonnée, amicale. Le château couronne moins la colline qu'il ne l'enveloppe, et ses rondes murailles font songer aux bras d'une géante endormie sur l'herbe.

Autour de Windsor, le paysage ressemble à celui de la Normandie, du côté d'Evreux, de Beaumont ou de Conches.

Robert d'Artois, ce matin-là, s'en allait à cheval, au pas. Sur son poing gauche, il portait un faucon muscadin dont les serres étaient enfoncées dans le cuir épais du gant. Un seul écuyer le devançait, du côté de la rivière.

Robert s'ennuyait. La guerre de France ne se décidait pas. On s'était contenté, vers la fin de l'année précédente, et comme pour confirmer par un acte belliqueux le défi de la tour de Nesle, de prendre une petite île appartenant au comte de Flandre, au large de Bruges et de l'Ecluse. Les Français, en retour, étaient venus brûler quelques bourgs côtiers du sud de l'Angleterre. Aussitôt, à cette guerre non débutée, le pape avait imposé une trêve, et des deux côtés on y avait consenti, pour d'étranges motifs.

Philippe VI, tout en ne parvenant pas à prendre au sérieux les prétentions d'Edouard à la couronne de France, avait toutefois été fort impressionné par un avis de son oncle, le roi Robert de Naples. Ce prince, érudit au point d'en devenir pédant, et l'un des deux seuls souverains du monde, avec un porphyrogénète byzantin, à jamais avoir mérité le surnom d'« Astrologue », venait de se pencher sur les cieux respectifs d'Edouard et de Philippe ; ce qu'il y avait lu l'avait assez frappé pour qu'il prît la peine d'écrire au roi de France « d'éviter de se combattre jamais au roi anglais, pour ce que celui-ci serait trop fortuné en toutes les besognes qu'il entreprendrait ». Pareilles prédictions vous nouent un peu l'âme, et, si grand tournoyeur qu'on soit, on hésite avant de rompre des lances contre les étoiles.

Edouard III, de son côté, semblait un peu effrayé de sa propre audace. L'aventure dans laquelle il s'était lancé pouvait paraître, à bien des égards, démesurée. Il craignait que son armée ne fût pas assez nombreuse ni suffisamment entraînée ; il dépêchait vers les Flandres et l'Allemagne ambassade sur ambassade afin de renforcer sa coalition. Henry Tors-Col, quasi aveugle maintenant, l'exhortait à la prudence, tout au contraire de Robert d'Artois qui poussait à l'action immédiate. Qu'attendait donc Edouard pour se mettre en campagne ? Que les princes flamands qu'on était parvenu à rallier fussent morts ? Que Jean de Hainaut, exilé à présent de la cour de France après y avoir été si fort en faveur, et qui vivait de nouveau à celle d'Angleterre, n'eût plus le bras assez fort pour soulever son épée ? Que les foulons de Gand et de Bruges fussent lassés et vissent moins d'avantages aux promesses non tenues du roi d'Angleterre qu'à l'obéissance au roi de France ?... Edouard souhaitait recevoir des assurances de l'empereur ; mais l'empereur n'allait pas risquer d'être excommunié une seconde fois avant que les troupes anglaises aient pris pied sur le Continent ! On parlait, on parlementait, on piétinait ; on manquait de courage, il fallait dire le mot.

Robert d'Artois avait-il à se plaindre ? En apparence, nullement. Il était pourvu de châteaux et pensions, dînait auprès du roi, buvait auprès du roi, recevait tous les égards souhaitables. Mais il était las de dépenser ses efforts, depuis trois ans, pour des gens qui ne voulaient point courir de risques, pour un jeune homme à qui il tendait une couronne, quelle couronne ! et qui ne s'en saisissait point. Et puis il se sentait seul. Son exil, même doré, lui pesait. Qu'avait-il à dire à la jeune reine Philippa, sinon lui parler de son grand-père Charles de Valois, de sa grand-mère d'Anjou-Sicile ? Par moments il prenait le sentiment d'être lui-même un ancêtre.

Il aurait aimé voir la reine Isabelle, la seule personne en Angleterre avec laquelle il eût vraiment des souvenirs communs. Mais la reine mère n'apparaissait plus à la cour ; elle vivait à Castle-Rising, dans le Norfolk, où son fils allait, de loin en loin, la visiter. Depuis l'exécution de Mortimer elle n'avait plus d'intérêt à rien[31]...

Robert connaissait les nostalgies de l'émigré. Il pensait à Mme de Beaumont ; quel visage aurait-elle, au sortir de tant d'années de réclusion, quand il la retrouverait, si jamais ils devaient être réunis ? Reconnaîtrait-il ses fils ? Reverrait-il jamais son hôtel de Paris, son hôtel de Conches, reverrait-il la France ? Du train qu'allait cette guerre qu'il s'était donné tant de mal à créer, il lui faudrait attendre d'être centenaire avant d'avoir quelque chance de revenir en sa patrie !

Alors, ce matin-là, mécontent, irrité, il était parti chasser seul, pour occuper le temps et pour oublier. Mais l'herbe, souple sous les pieds du cheval, l'épaisse herbe anglaise, était encore plus touffue et plus gorgée d'eau que l'herbe du pays d'Ouche. Le ciel avait une teinte bleu pâle, avec de petits nuages déchiquetés et volant très haut ; la brise de mai caressait les haies d'aubépine fleurie et les pommiers blancs, pareils aux pommiers et aux aubépines de Normandie.

Robert d'Artois allait bientôt avoir cinquante ans, et qu'avait-il fait de sa vie ? Il avait bu, mangé, paillardé, chassé, voyagé, besogné pour lui-même et pour les Etats, tournoyé, plaidé plus qu'aucun homme en son temps. Nulle existence n'avait connu plus de vicissitudes, de tumulte et de tribulations. Mais jamais il n'avait profité du présent. Jamais il ne s'était vraiment arrêté à ce qu'il faisait, pour savourer l'instant. Son esprit constamment avait été tourné vers le lendemain, vers l'avenir. Son vin trop longtemps avait été dénaturé par le désir de le boire en Artois ; au lit de ses amours, c'était la défaite de Mahaut qui avait occupé ses pensées ; au plus joyeux tournoi, le soin de ses alliances lui faisait surveiller ses élans. Durant son errance de banni, le brouet de ses haltes, la bière de ses repos, avaient toujours été mêlés d'une âcre saveur de rancune et de haine. Et aujourd'hui encore, à quoi pensait-il ? A demain, à plus tard. Une impatience rageuse l'empêchait de profiter de cette belle matinée, de ce bel horizon, de cet air doux à respirer, de cet oiseau tout à la fois sauvage et docile dont il sentait l'étreinte sur son poing... Etait-ce cela qu'on appelait vivre, et de cinquante ans passés sur la terre ne restait-il que cette cendre d'espérances ?

Il fut tiré de ses songes amers par les cris de son écuyer posté en avant, sur une éminence.

« Au vol, au vol ! Oiseau, Monseigneur, oiseau ! »

Robert se dressa sur sa selle, plissa les paupières. Le faucon muscadin, la tête enfermée dans un capuchon de cuir dont seul le bec dépassait, avait frémi sur le poing ; lui aussi connaissait la voix. Il y eut un bruit de roseaux froissés et puis un héron s'éleva des bords de la rivière.

« Au vol, au vol ! » continuait de crier l'écuyer.

Le grand oiseau, volant à faible hauteur, glissait contre le vent et venait en direction de Robert. Celui-ci le laissa passer, et quand l'oiseau eut pris environ trois cents pieds d'éloignement, alors il libéra le faucon de son capuchon, et d'un large geste le lança en l'air.

Le faucon décrivit trois cercles autour de la tête de

son maître, descendit, rasa le sol, aperçut la proie qu'on lui destinait, et fila droit comme trait d'arbalète. Se voyant poursuivi, le héron allongea le cou pour dégorger les poissons qu'il venait d'avaler dans la rivière, et s'alléger d'autant. Mais le muscadin se rapprochait ; il montait d'essor, en tournoyant comme s'il suivait une spirale. L'autre, à grands coups d'ailes, s'élevait vers le ciel pour éviter que le rapace ne le coiffât. Il montait, montait, diminuait au regard, mais perdait de la distance, parce qu'il avait été levé contre le vent et se trouvait ralenti par sa propre envergure. Il dut rebrousser chemin ; le faucon accomplit un nouveau tourbillon dans les airs et s'abattit sur lui. Le héron avait fait un écart de côté, et les serres ne purent assurer leur prise. Etourdi néanmoins par le choc, l'échassier tomba de cinquante pieds, comme une pierre, et puis se remit à fuir. Le faucon fondait à nouveau sur lui.

Robert et son écuyer suivaient, tête levée, cette bataille où l'agilité l'emportait sur le poids, la vitesse sur la force, la méchanceté belliqueuse sur les instincts pacifiques.

« Vois donc ce héron, criait Robert avec passion ; c'est vraiment le plus lâche oiseau qui soit ! Il est large quatre fois comme mon petit émouchet ; il pourrait l'assommer d'un seul coup de son long bec ; et il fuit, le couard, il fuit ! Va, mon petit vaillant, cogne ! Ah ! le brave petit oiseau ! Voilà ! Voilà ! l'autre cède ; il est pris ! »

Il mit son cheval au galop pour gagner l'endroit où les oiseaux allaient s'abattre. Le héron avait le cou étreint dans les serres du faucon ; il devait étouffer ; ses vastes ailes ne battaient plus que faiblement et, dans sa chute, il entraînait son vainqueur. A quelques pieds du sol, l'oiseau de proie ouvrit les serres pour laisser sa victime choir seule, et puis se rejeter sur elle et l'achever à coups de bec dans les yeux et la tête. Robert et son écuyer étaient déjà là.

« Au leurre, au leurre ! » dit Robert.

L'écuyer décrocha de sa selle un pigeon mort et le

jeta au faucon, pour le « leurrer ». Demi-leurre, en vérité ; un faucon bien dressé devait savoir se contenter de cette récompense sans toucher à la proie. Et le vaillant petit muscadin, la face maculée de sang, dévora le pigeon mort, tout en gardant une patte posée sur le héron. Du ciel descendaient lentement quelques plumes grises arrachées pendant le combat.

L'écuyer mit pied à terre, ramassa l'échassier et le présenta à Robert : un héron superbe et qui, ainsi élevé à bout de bras, avait des pattes au bec presque la longueur d'un homme.

« C'est vraiment trop lâche oiseau ! répéta Robert. Il n'y a presque point de plaisir à le prendre. Ces hérons sont des braillards qui s'effraient de leur ombre et se mettent à crier quand ils la voient. On devrait laisser ce gibier-là aux vilains. »

Le faucon repu, et obéissant au sifflet, était venu se reposer sur le poing de Robert ; celui-ci le recoiffa de son capuchon. Puis on reprit au petit trot la direction du château.

Soudain, l'écuyer entendit Robert d'Artois rire tout seul d'un éclat bref, sonore, que rien apparemment ne motivait, et qui fit broncher les chevaux.

Comme ils rentraient à Windsor, l'écuyer demanda :

« Que dois-je faire du héron, Monseigneur ? »

Robert leva les yeux vers la bannière royale qui flottait sur le donjon de Windsor, et son visage prit une expression moqueuse et méchante.

« Prends-le et accompagne-moi aux cuisines, répondit-il. Et puis tu iras querir un ménestrel ou deux parmi ceux qui sont au château. »

V

LES VŒUX DU HÉRON

Le repas en était au quatrième des six services, et la place du comte d'Artois, à la gauche de la reine Philippa, demeurait vide.

« Notre cousin Robert n'est-il donc point rentré ? » demanda Edouard III qui s'était déjà, en s'asseyant à table, étonné de cette absence.

Un des nombreux écuyers tranchants qui circulaient derrière les convives répondit qu'on avait aperçu le comte Robert, retour de la chasse, voici près de deux heures. Que signifiait pareil manquement ? Si même Robert était las, ou malade, il eût pu envoyer un de ses serviteurs pour porter au roi son excuse.

« Robert se conduit à votre cour, Sire mon neveu, tout juste comme il le ferait en auberge. Venant de lui d'ailleurs, ceci n'a rien pour surprendre », dit Jean de Hainaut, l'oncle de la reine Philippa.

Jean de Hainaut, qui se piquait d'être maître en chevalerie courtoise, n'aimait guère Robert, dans lequel il voyait toujours le parjure, banni de la cour de France pour falsification de sceaux ; et il blâmait Edouard III de lui accorder si grande créance. Et puis Jean de Hainaut naguère avait été épris de la reine Isabelle, comme Robert, et sans plus de succès ; mais il était blessé par la manière gaillarde dont Robert parlait en privé de la reine mère.

Edouard, sans répondre, garda ses longs cils baissés, le temps que s'apaisât l'irritation qu'il éprouvait. Il se retenait d'un mouvement d'humeur qui eût pu faire dire ensuite : « Le roi a parlé sans savoir ; le roi a prononcé des mots injustes. » Puis il releva son regard vers la comtesse de Salisbury qui était certes la dame la plus attirante de toute la cour.

Grande, avec de belles tresses noires, un visage ovale au teint uni et pâle, et des yeux prolongés d'une ombre mauve au creux des paupières, la comtesse de Salisbury donnait toujours l'impression de rêver. Ces femmes-là sont dangereuses car, sous leur apparence de songe, elles pensent. Les yeux cernés de mauve rencontraient souvent les yeux du roi.

William Montaigu, comte de Salisbury, ne prêtait guère attention à cet échange de regards, d'abord parce qu'il tenait la vertu de sa femme pour aussi certaine que la loyauté du roi, son ami, et aussi parce qu'il était lui-même en ce moment captivé par les rires, la vivacité de parole, le pépiement d'oiseau de la fille du comte de Derby, sa voisine. Les honneurs pleuvaient sur Salisbury ; il venait d'être fait gardien des Cinq-Ports et maréchal d'Angleterre.

Mais la reine Philippa, elle, était inquiète. Une femme se sent toujours inquiète lorsqu'elle voit durant qu'elle est enceinte les yeux de son époux se tourner trop souvent vers un autre visage. Or, Philippa était prégnante à nouveau et elle ne recevait pas d'Edouard toutes les marques de gratitude, d'émerveillement, qu'il lui avait prodiguées pendant sa première maternité.

Edouard avait vingt-cinq ans ; il avait laissé pousser depuis quelques semaines une légère barbe blonde qui n'encadrait que le menton. Etait-ce pour plaire à la comtesse de Salisbury ? Ou bien pour donner plus d'autorité à son visage qui restait celui d'un adolescent ? Avec cette barbe, le jeune roi se mettait à ressembler un peu à son père ; le Plantagenet semblait vouloir se manifester en lui, et lutter avec le Capétien. L'homme, simplement à vivre, se dégrade, et perd en pureté ce qu'il gagne en puissance. Une source, si transparente soit-elle, ne peut éviter de charrier, lorsqu'elle devient fleuve, les boues et les limons. Madame Philippa avait des raisons d'être inquiète...

Soudain des accents de vielle tournée et de luth pincé résonnèrent aigrelets, derrière la porte dont les vantaux s'ouvrirent. Deux petites chambrières âgées au plus de quatorze ans parurent, couronnées de feuillages, en longues chemises blanches, et jetant devant elles des fleurs d'iris, de marguerites et d'églantine qu'elles sortaient d'une panière. En même temps elles chantaient : « *Je vais à la verdure car l'amour me l'apprend.* » Deux ménestrels suivaient, les accompagnant de leurs instruments. Robert d'Artois marchait derrière eux, dépassant à mi-corps le petit orchestre, et soulevant à deux bras son héron rôti sur un large plat d'argent.

Toute la cour se mit à sourire, puis à rire, de cette entrée de farce. Robert d'Artois jouait les écuyers tranchants. On ne pouvait inventer manière plus gentille et plus gaie de se faire pardonner un retard.

Les valets avaient interrompu leur service et, le couteau ou l'aiguière en main, ils s'apprêtaient à se former en cortège pour prendre part au jeu.

Mais soudain la voix du géant s'éleva, couvrant chanson, luth et vielle :

« Ouvrez vos rangs, mauvaises gens faillis ! C'est à votre roi que je viens faire présent. »

On riait toujours. Ce « mauvaises gens faillis » semblait une joyeuse trouvaille. Robert s'était arrêté auprès d'Edouard III et, esquissant un fléchissement de genou, lui présentait le plat.

« Sire, s'écria-t-il, j'ai là un héron que mon faucon a pris. C'est le plus lâche oiseau qui soit de par le monde, car il fuit devant tous les autres. Les gens de votre pays, à mon avis, devraient s'y vouer, et je le verrais figurer aux armes d'Angleterre mieux que je n'y vois les lions. C'est à vous, roi Edouard, que j'en veux faire l'offrande car il revient de droit au plus lâche et plus couard prince de ce monde, qu'on a déshérité du royaume de France, et auquel le cœur manque pour conquérir ce qui lui appartient. »

On s'était tu. Un silence, angoissé chez certains, indigné chez les autres, avait remplacé les rires. L'insulte était indubitable. Déjà Salisbury, Suffolk, Guillaume de Mauny, Jean de Hainaut, à demi levés de leurs sièges, attendaient, pour se jeter sur le comte d'Artois, un geste du roi. Robert ne semblait pas ivre. Etait-il fou ? Certes il fallait qu'il le fût car jamais on n'avait ouï que personne en aucune cour, et à plus forte raison un étranger banni de son pays natal, eût agi de pareille façon.

Les joues du jeune roi s'étaient empourprées. Edouard regardait Robert droit dans les yeux. Allait-il le chasser de la salle, le chasser de son royaume ?

Edouard prenait toujours quelques secondes avant de parler, sachant que chaque parole de roi compte, ne fût-ce que lorsqu'il dit « Bonne nuit » à son écuyer. Clore par force une bouche ne supprime pas l'outrage qu'elle a proféré. Edouard était sage, et il était honnête. On ne montre pas son courage en ôtant, par colère, à un parent qu'on a recueilli, et qui vous sert, les bienfaits qu'on lui a octroyés ; on ne montre pas son courage en faisant jeter en prison un homme seul parce qu'il vient de vous accuser de faiblesse. On montre son courage en prouvant que l'accusation est fausse. Il se leva.

« Puisqu'on me traite de couard, face aux dames et à mes barons, il vaut mieux que je dise là-dessus mon avis ; et pour vous assurer, mon cousin, que vous m'avez mal jugé, et que ce n'est point lâcheté qui me retient encore, je vous fais vœu qu'avant l'année achevée, j'aurai passé l'eau afin de défier le roi qui se prétend de France, et me combattre à lui, vînt-il à moi un contre dix. Je vous sais gré de ce héron, que vous avez pris pour moi, et que j'accepte avec grand merci. »

Les convives restaient muets ; mais leurs sentiments avaient changé de nature et de dimension. Les poitrines s'élargissaient comme si chacun eût besoin d'aspirer plus d'air. Une cuiller qui tomba rendit dans ce silence un tintement exagéré. Robert avait dans les prunelles une lueur de triomphe. Il s'inclina et dit :

« Sire, mon jeune et vaillant cousin, je n'attendais pas de vous une autre réponse. Votre noble cœur a parlé. J'ai grande joie pour votre gloire ; et pour moi, Sire Edouard, j'en tire grande espérance, car ainsi je pourrai revoir mon épouse et mes enfants. Par Dieu qui nous entend, je vous fais vœu de partout vous précéder en bataille, et prie que vie assez longue me soit accordée pour vous servir assez et assez me venger. »

Puis, s'adressant à la tablée entière :

« Mes nobles Lords, chacun de vous n'aura-t-il pas à cœur de faire vœu comme le roi votre Sire bienaimé l'a fait ? »

Toujours portant le héron rôti, aux ailes et au croupion duquel le cuisinier avait replanté quelques-unes de ses plumes, Robert avança vers Salisbury :

« Noble Montaigu, à vous le premier je m'adresse !

— Comte Robert, tout à votre désir », dit Salisbury qui quelques instants plus tôt était prêt à se lancer sur lui.

Et se levant, il prononça :

« Puisque le roi notre Sire a désigné son ennemi, je choisis le mien ; et comme je suis maréchal d'Angleterre, je fais vœu de n'avoir repos gagné que lorsque j'aurai défait en bataille le maréchal de Philippe le faux roi de France. »

Gagnée par l'enthousiasme, la table l'applaudit.

« Moi aussi, je veux faire vœu, s'écria en battant des mains la demoiselle de Derby. Pourquoi les dames n'auraient-elles pas droit de vouer ?

— Mais elles le peuvent, gente comtesse, lui répondit Robert, et à grand avantage ; les hommes n'en tiendront que mieux leur foi. Allez, pucelettes, ajouta-t-il pour les deux fillettes couronnées, remettez-vous à chanter en l'honneur de la dame qui veut vouer. »

Ménestrels et pucelettes reprirent : « *Je vais à la verdure car l'amour me l'apprend.* » Puis devant le plat d'argent où le héron se figeait dans sa sauce, la demoiselle de Derby dit, d'une voix aigrelette :

« Je voue et promets à Dieu de Paradis que je n'aurai mari, qu'il soit prince, comte ou baron, avant que le vœu que vient de faire le noble Lord de Salisbury soit accompli. Et quand il reviendra, s'il en échappe vif, le mien corps lui octroie, et de bon cœur. »

Ce vœu causa quelque surprise, et Salisbury rougit.

Les belles nattes noires de la comtesse de Salisbury n'eurent pas un mouvement ; ses lèvres simplement se pincèrent d'une légère ironie et ses yeux aux ombres mauves cherchèrent à accrocher le regard du roi Edouard, comme pour lui faire comprendre : « Nous n'avons point trop à nous gêner. »

Robert s'arrêta ainsi devant chaque convive, faisant donner quelques tours de vielle et chanter les fillettes pour laisser à chacun le temps de préparer son vœu et choisir son ennemi. Le comte de Derby, père de la demoiselle qui avait fait une déclaration si osée, promit de défier le comte de Flandre ; le nouveau comte de Suffolk désigna le roi de Bohême. Le jeune Gautier de Mauny, tout bouillant d'avoir été récemment armé chevalier, impressionna vivement l'assemblée en promettant de réduire en cendres toutes les villes, autour du Hainaut, qui appartenaient à Philippe de Valois, dût-il, jusqu'à ce faire, ne plus voir la lumière que d'un œil.

« Eh bien ! qu'il en soit ainsi, dit la comtesse de Salisbury, sa voisine, en lui posant deux doigts sur l'œil droit. Et quand votre promesse sera accomplie, alors mon amour soit à qui plus m'aime ; c'est là mon vœu. »

En même temps elle regardait le roi. Mais le naïf Gautier, qui croyait cette promesse à lui destinée, garda la paupière fermée après que la dame en eut ôté les doigts. Puis, sortant son mouchoir qui était rouge, il se le noua en travers du front pour tenir l'œil couvert.

Le moment de pure grandeur était passé. Quelques rires se mêlaient déjà à cette compétition de bravoure orale. Le héron était arrivé devant messire Jean de Hainaut, lequel avait bien espéré que la provocation tournerait autrement pour son auteur. Il n'aimait pas à recevoir des leçons d'honneur, et son visage poupin cachait mal son dépit.

« Lorsque nous sommes en taverne, et force vin buvant, dit-il à Robert, les vœux nous coûtent peu pour nous faire regarder des dames. Nous n'avons alors parmi nous que des Olivier, des Roland et des Lancelot. Mais quand nous sommes en campagne sur nos destriers courants, nos écus au col, nos lances abaissées, et qu'une grande froidure nous glace à l'approche de l'ennemi, alors combien de fanfarons aimeraient mieux être dans les caves ! Le roi de Bohême, le comte de Flandre et Bertrand le maréchal sont aussi bons chevaliers que nous, cousin Robert, vous le savez bien ; car bannis que nous soyons l'un et l'autre de la cour de la France, mais pour raisons diverses, nous les avons assez connus ; leurs rançons ne nous sont pas encore acquises ! Pour ma part je fais vœu simplement que si notre roi Edouard veut passer par le Hainaut, je serai auprès de lui pour toujours soutenir sa cause. Et ce sera la troisième guerre où je le servirai. »

Robert venait maintenant vers la reine Philippa. Il mit un genou en terre. La ronde Philippa tourna vers Edouard son visage taché de son.

« Je ne puis faire vœu, dit-elle, sans l'autorisation de mon seigneur. »

Elle donnait par là une calme leçon aux dames de sa cour.

« Vouez tout ce qu'il vous plaira, ma mie, vouez ardemment ; je ratifie d'avance, et que Dieu vous aide ! dit le roi.

— Si donc, mon doux Sire, je puis vouer ce qui me plaît, reprit Philippa, puisque je suis grosse d'enfant et que même le sens remuer, je voue qu'il ne sortira de mon corps que vous ne m'ayez menée outre-mer pour accomplir votre vœu... »

Sa voix tremblait légèrement, comme au jour de ses noces.

« ... mais s'il advenait, ajouta-t-elle, que vous me laissiez ici, et partiez outre-mer avec d'autres, alors je m'occirais d'un grand couteau d'acier pour perdre à la fois et mon âme et mon fruit ! »

Ceci fut prononcé sans emphase, mais bien clairement pour que chacun en fût averti. On évitait de regarder la comtesse de Salisbury. Le roi baissa ses longs cils, prit la main de la reine, la porta à ses lèvres et dit dans le silence, pour rompre le malaise :

« Ma mie, vous nous donnez à tous leçon de devoir. Après vous, personne ne vouera. »

Puis à Robert :

« Mon cousin d'Artois, prenez votre place auprès de Madame la reine. »

Un écuyer partagea le héron dont la chair était dure pour avoir été cuite trop fraîche, et froide d'avoir si longtemps attendu. Chacun néanmoins en mangea une bouchée. Robert trouva à sa chasse une exquise saveur : la guerre, ce jour-là, était vraiment commencée.

LES MURS DE VANNES

Et les vœux prononcés à Windsor furent tenus.

Le 16 juillet de la même année 1338, Edouard III prenait la mer à Yarmouth, avec une flotte de quatre cents vaisseaux. Le lendemain il débarquait à Anvers. La reine Philippa était du voyage, et de nombreux chevaliers, pour imiter Gautier de Mauny, avaient l'œil droit caché par un losange de drap rouge.

Ce n'était pas encore le temps des batailles, mais celui des entrevues. A Coblence, le 5 septembre, Edouard rencontrait l'empereur d'Allemagne.

Pour cette cérémonie, Louis de Bavière s'était composé un étrange costume, moitié empereur, moitié pape, dalmatique de pontife sur tunique de roi, et couronne à fleurons scintillant autour d'une tiare. D'une main il tenait le sceptre, de l'autre le globe surmonté de la croix. Ainsi s'affirmait-il comme le suzerain de la Chrétienté entière.

Du haut de son trône, il prononça la forfaiture de Philippe VI, reconnut Edouard comme roi de France et lui remit la verge d'or qui le désignait comme vicaire impérial. C'était là encore une idée de Robert d'Artois qui s'était rappelé comment Charles de Valois, avant chacune de ses expéditions personnelles, prenait soin de se faire proclamer vicaire pontifical. Louis de Bavière jura de défendre, pendant

sept ans, les droits d'Edouard, et tous les princes allemands venus avec l'empereur confirmèrent ce serment.

Cependant Jakob Van Artevelde continuait d'appeler à la révolte les populations du comté de Flandre,
d'où Louis de Nevers s'était enfui, définitivement.
Edouard III alla de ville en ville, tenant de grandes
assemblées où il se faisait reconnaître roi de France.
Il promettait de rattacher à la Flandre Douai, Lille,
l'Artois même, afin de constituer, de tous ces terri-
toires aux intérêts communs, une seule nation.
L'Artois étant cité dans le grand projet, on devinait
bien qui l'avait inspiré et en serait, sous tutelle
anglaise, le bénéficiaire.

En même temps Edouard décidait d'augmenter les
privilèges commerciaux des cités ; au lieu de réclamer des subsides, il accordait des subventions, et il
scellait ses promesses d'un sceau où les armes
d'Angleterre et de France étaient conjointement gra-
vées.

A Anvers, la reine Philippa donna le jour à son
second fils, Lionel.

Le pape Benoît XII multipliait vainement en Avignon ses efforts de paix. Il avait interdit la croisade
pour empêcher la guerre franco-anglaise, et celle-ci
maintenant n'était que trop certaine.

Déjà, entre avant-gardes anglaises et garnisons
françaises, se produisaient de grosses escarmouches,
en Vermandois et en Thiérache, auxquelles Philippe VI ripostait en envoyant des détachements en
Guyenne et d'autres jusqu'en Ecosse pour y fomen-
ter la rébellion au nom du petit David Bruce.

Edouard III faisait la navette entre la Flandre et
Londres, engageant aux banques italiennes les
joyaux de sa couronne afin de subvenir à l'entretien
de ses troupes comme aux exigences de ses nouveaux
vassaux.

Philippe VI, ayant levé l'ost, prit l'oriflamme à
Saint-Denis et s'avança jusqu'au-delà de Saint-Quen-
tin, puis, à une journée seulement d'atteindre les

Anglais, il fit faire demi-tour à toute son armée et alla reporter l'oriflamme sur l'autel de Saint-Denis. Quelle pouvait être la raison de cette étrange dérobade de la part du roi tournoyeur ? Chacun se le demandait. Philippe trouvait-il le temps trop mouillé pour engager le combat ? Ou bien les prédictions funestes de son oncle Robert l'Astrologue lui étaient-elles soudain revenues en tête ? Il déclarait s'être décidé pour un autre projet. L'angoisse, en une nuit, lui avait fait échafauder un autre plan. Il allait conquérir le royaume d'Angleterre. Ce ne serait point la première fois que les Français y prendraient pied ; un duc de Normandie, trois siècles plus tôt, n'avait-il pas conquis la Bretagne Grande ?... Eh bien ! lui, Philippe, paraîtrait sur ces mêmes rivages d'Hastings ; un duc de Normandie, son fils, serait à ses côtés ! Chacun des deux rois ambitionnait donc de conquérir le royaume de l'autre.

Mais l'entreprise exigeait d'abord la maîtrise de la mer. Edouard ayant la plus grande partie de son armée sur le Continent, Philippe résolut de le couper de ses bases, pour l'empêcher de ravitailler ses troupes ou de les renforcer. Il allait détruire la marine anglaise.

Le 22 juin 1340, devant l'Ecluse, dans le large estuaire qui sépare la Flandre de la Zélande, deux cents navires s'avançaient, parés des plus jolis noms, la flamme de France flottant à leur grand mât : *La Pèlerine, La Nef-Dieu, La Miquolette, L'Amoureuse, La Faraude, La Sainte-Marie-Porte-Joye*... Ces vaisseaux étaient montés par vingt mille marins et soldats complétés de tout un corps d'arbalétriers ; mais on ne comptait guère, parmi eux, plus de cent cinquante gentilshommes. La chevalerie française n'aimait pas la mer.

Le capitaine Barbavera, qui commandait aux cinquante galères génoises louées par le roi de France, dit à l'amiral Béhuchet :

« Monseigneur, voici le roi d'Angleterre et sa flotte qui viennent sur nous. Prenez la pleine mer avec tous vos navires, car si vous restez ici, enfermés comme vous l'êtes dans les grandes digues, les Anglais, qui ont pour eux le vent, le soleil et la marée, vous serreront tant que vous ne saurez vous aider. »

On aurait pu l'écouter ; il avait trente ans d'expérience navale et, l'année précédente, pour le compte de la France, avait audacieusement brûlé et pillé Southampton. L'amiral Béhuchet, ancien maître des eaux et forêts royales, lui répondit fièrement :

« Honni soit qui s'en ira d'ici ! »

Il fit ranger ses bâtiments sur trois lignes : d'abord les marins de la Seine, puis les Picards et les Dieppois, enfin les gens de Caen et du Cotentin ; il ordonna de lier les navires entre eux par des câbles, et y disposa les hommes comme sur des châteaux forts.

Le roi Edouard, parti l'avant-veille de Londres, commandait une flotte sensiblement égale. Il ne possédait pas plus de combattants que les Français n'en avaient ; mais sur les vaisseaux il avait réparti deux mille gentilshommes parmi lesquels Robert d'Artois, malgré le grand dégoût que celui-ci avait de naviguer.

Dans cette flotte se trouvait également, gardée par huit cents soldats, toute une nef de dames d'honneur pour le service de la reine Philippa.

Au soir, la France avait dit adieu à la domination des mers.

On ne s'était même pas aperçu de la chute du jour tant les incendies des vaisseaux français fournissaient de lumière.

Pêcheurs normands, picards, et marins de la Seine s'étaient fait mettre en pièces par les archers d'Angleterre et par les Flamands venus à la rescousse sur leurs barques plates, du fond de l'estuaire, pour prendre à revers les châteaux forts à voile. Ce n'étaient que craquements de mâtures, cliquetis d'armes, hurlements d'égorgés. On se battait au glaive et à la hache parmi un champ d'épaves. Les survivants, qui cherchaient à échapper à la fin du massacre, plongeaient entre les cadavres, et l'on ne savait plus si l'on nageait dans l'eau ou dans le sang. Des centaines de mains coupées flottaient sur la mer.

Le corps de l'amiral Béhuchet pendait à la vergue du navire d'Edouard. Depuis de longues heures, Barbavera avait pris le large avec ses galères génoises.

Les Anglais étaient meurtris mais triomphants. Leur plus grand désastre : la perte de la nef des dames, coulée au milieu de cris affreux. Des robes dérivaient parmi le grand charnier marin, comme des oiseaux morts.

Le jeune roi Edouard avait été blessé à la cuisse et le sang ruisselait sur sa botte de cuir blanc ; mais les combats désormais se passeraient sur la terre de France.

Edouard III envoya aussitôt à Philippe VI de nouvelles lettres de défi. « *Pour éviter de graves destructions aux peuples et aux pays, et une grande mortalité de chrétiens, ce que tout prince doit avoir à cœur d'empêcher* », le roi anglais offrait à son cousin de France de le rencontrer en combat singulier, puisque la querelle concernant l'héritage de France leur était affaire personnelle. Et si Philippe de Valois ne voulait point de ce « *challenge entre leurs corps* », il lui offrait de l'affronter avec seulement cent chevaliers de part et d'autre, en champ clos : un tournoi en somme, mais à lances non épointées, à glaives non rabattus, où il n'y aurait pas de juges diseurs pour surveiller la mêlée et dont le prix ne serait point une broche de parure ou un faucon muscadin, mais la couronne de Saint Louis.

Or, le roi tournoyeur répondit que la proposition de son cousin était irrecevable, vu qu'elle avait été adressée à Philippe de Valois et non pas au roi de France dont Edouard était le vassal traîtreusement révolté.

Le pape fit négocier une nouvelle trêve. Les légats se dépensèrent fort et s'attribuèrent tout le mérite d'une paix précaire que les deux princes n'acceptaient que pour se donner le temps de souffler.

Cette seconde trêve avait quelques chances de durer, lorsque mourut le duc de Bretagne.

Il ne laissait pas de fils légitime ni d'héritier direct. Le duché fut réclamé à la fois par le comte de Montfort-l'Amaury, son dernier frère, et par Charles de Blois, son neveu : une autre affaire d'Artois, et qui, juridiquement, se présentait à peu près de la même manière. Philippe VI appuya les prétentions de son parent Charles de Blois, un Valois par alliance. Aussitôt Edouard III prit parti pour Jean de Montfort. Si bien qu'il y eut deux rois de France, ayant chacun son duc de Bretagne, comme chacun avait déjà son roi d'Ecosse.

La Bretagne touchait à Robert de fort près, puisqu'il était, par sa mère, du sang de ses ducs. Edouard III ne pouvait ni moins ni mieux faire que de remettre au géant le commandement du corps de bataille qui allait y débarquer.

La grande heure de Robert d'Artois était venue.

Robert a cinquante-six ans. Autour de son visage, aux muscles durcis par une longue destinée de haine, les cheveux ont pris cette bizarre couleur de cidre allongé d'eau qui vient aux hommes roux lorsqu'ils blanchissent. Il n'est plus le mauvais sujet qui s'imaginait faire la guerre quand il pillait les châteaux de sa tante Mahaut. A présent, il sait ce qu'est la guerre ; il prépare soigneusement sa campagne ; il a l'autorité que confèrent l'âge et toutes les expériences accumulées au long d'une tumultueuse existence. Il est unanimement respecté. Qui donc se rappelle qu'il fut faussaire, parjure, assassin et un peu sorcier ? Qui oserait le lui rappeler ? Il est Monseigneur Robert, ce colosse vieillissant, mais d'une force toujours surprenante, toujours vêtu de rouge, et toujours sûr de soi, qui s'avance en terre française à la tête d'une armée anglaise. Mais cela compte-t-il pour lui que ses troupes soient étrangères ? Et d'ailleurs cette notion existe-t-elle pour aucun des comtes, barons, et chevaliers ? Leurs expéditions sont des affaires de famille et leurs combats des luttes d'héritages ; l'ennemi est un cousin, mais l'allié est un autre cousin. C'est pour le peuple, dont les maisons vont être brûlées, les granges pillées, les femmes malmenées, que le mot « étranger » signifie « ennemi » ; pas pour les princes qui défendent leurs titres et assurent leurs possessions.

Pour Robert, cette guerre entre France et Angleterre c'est *sa guerre* ; il l'a voulue, prêchée, fabriquée ; elle représente dix ans d'efforts incessants. Il semble qu'il ne soit né, qu'il n'ait vécu que pour elle. Il se plaignait naguère de n'avoir jamais pu goûter le moment présent ; cette fois il le savoure enfin. Il aspire l'air comme une liqueur délectable. Chaque minute est un bonheur. Du haut de son énorme alezan, la tête au vent et le heaume pendu à la selle, il adresse à son monde de grandes joyeusetés qui font trembler. Il a vingt-deux mille chevaliers et soldats sous ses ordres, et, lorsqu'il se retourne, il voit ses lances osciller jusqu'à l'horizon ainsi qu'une terrible moisson. Les pauvres Bretons fuient devant lui, quelques-uns en chariot, la plupart à pied, sur leurs chausses de toile ou d'écorce, les femmes traînant les enfants, et les hommes portant sur l'épaule un sachet de blé noir.

Robert d'Artois a cinquante-six ans, mais de même qu'il peut encore fournir sans fatigue des étapes de quinze lieues, de même il continue de rêver... Demain il va prendre Brest ; puis il va prendre Vannes, puis il va prendre Rennes ; de là il entrera en Normandie, il se saisira d'Alençon qui est au frère de Philippe de Valois ; d'Alençon, il court à Evreux, à Conches, son cher Conches ! Il court à Château-Gaillard, libère Mme de Beaumont. Puis il fond, irrésistible, sur Paris ; il est au Louvre, à Vincennes, à Saint-Germain, il fait choir du trône Philippe de Valois, et remet la couronne à Edouard qui le fait, lui, Robert, lieutenant général du royaume de France. Son destin a connu des fortunes et des infortunes moins concevables, alors qu'il n'avait pas, soulevant la poussière des routes, toute une armée le suivant.

Et en effet Robert prend Brest, où il délivre la comtesse de Montfort, âme guerrière, corps robuste, qui, tandis que son mari est retenu prisonnier par le roi de France, continue, le dos à la mer, de résister au bout de son duché. Et en effet Robert traverse, triomphant, la Bretagne, et en effet il assiège Vannes ; il fait dresser perrières et catapultes, pointer les bombardes à poudre dont la fumée se dissout dans les nuages de novembre, ouvrir une brèche dans les murs. La garnison de Vannes est nombreuse, mais ne paraît pas particulièrement résolue ; elle attend le premier assaut pour pouvoir se rendre de façon honorable. Il faudra, de part et d'autre, sacrifier quelques hommes afin que cette formalité soit remplie.

Robert fait lacer son heaume d'acier, enfourche son énorme destrier qui s'affaisse un peu sous son poids, crie ses derniers ordres ; abaisse devant son visage la ventaille de son casque, agite d'un geste tournoyant les six livres de sa masse d'armes au-dessus de sa tête. Les hérauts qui font claquer sa bannière hurlent à pleine voix : « Artois à la bataille ! »

Des hommes de pied courent à côté des chevaux, portant à six de longues échelles ; d'autres tiennent au bout d'un bâton des paquets d'étoupe enflammée ; et le tonnerre roule vers l'éboulis de pierres, à l'endroit où le rempart a cédé ; et la cotte flottante de Mgr d'Artois, sous les lourdes nuées grises, rougeoie comme la foudre...

Un trait d'arbalète, ajusté du créneau, traversa la cotte de soie, l'armure, le cuir du haubergeon, la toile de la chemise. Le choc n'avait pas été plus dur que celui d'une lance de joutes ; Robert d'Artois arracha lui-même le trait et, quelques foulées plus loin, sans comprendre ce qui lui arrivait, ni pourquoi le ciel devenait soudain si noir, ni pourquoi ses jambes n'enserraient plus son cheval, il s'écroula dans la boue.

Tandis que ses troupes enlevaient Vannes, le géant déheaumé, étendu sur une échelle, était porté jusqu'à son camp ; le sang coulait sous l'échelle.

Robert n'avait jamais été blessé auparavant. Deux campagnes en Flandre, sa propre expédition en Artois, la guerre d'Aquitaine... Robert, à travers tout cela, était passé sans seulement une écorchure. Pas une lance brisée, en cinquante tournois, pas une défense de sanglier ne lui avait même effleuré la peau.

Pourquoi devant Vannes, devant cette ville qui n'offrait pas de résistance véritable, qui n'était qu'une étape secondaire sur la route de son épopée ? Aucune prédiction funeste, concernant Vannes ou la Bretagne, n'avait été faite à Robert d'Artois. Le bras qui avait tendu l'arbalète était celui d'un inconnu qui ne savait même pas sur qui il tirait.

Quatre jours Robert lutta, non plus contre les princes et les Parlements, non plus contre les lois d'héritage, les coutumes des comtés, contre les ambitions ou l'avidité des familles royales ; il luttait contre sa propre chair. La mort pénétrait en lui, par une plaie aux lèvres noirâtres ouverte entre ce cœur qui avait tant battu et ce ventre qui avait tant mangé ; non pas la mort qui glace, celle qui incendie. Le feu s'était mis dans ses veines. Il fallait à la mort brûler en quatre jours les forces qui restaient en ce corps, pour vingt ans de vie.

Il refusa de faire un testament, criant que le lendemain il serait à cheval. Il fallut l'attacher pour lui administrer les derniers sacrements, parce qu'il voulait assommer l'aumônier dans lequel il croyait reconnaître Thierry d'Hirson. Il délirait.

Robert d'Artois avait toujours détesté la mer ; un bateau appareilla pour le ramener en Angleterre. Toute une nuit, au balancement des flots, il plaida en justice, étrange justice où il s'adressait aux barons de France en les appelant « mes nobles Lords », et requérait de Philippe le Bel qu'il ordonnât la saisie de tous les biens de Philippe de Valois, manteau, sceptre et couronne, en exécution d'une bulle papale d'excommunication. Sa voix, depuis le château d'arrière, s'entendait jusqu'à l'étrave, montait jusqu'aux hommes de vigie, dans les mâts.

Avant l'aube, il s'apaisa un peu et demanda qu'on approchât son matelas de la porte ; il voulait regarder les dernières étoiles. Mais il ne vit pas se lever le soleil. A l'instant de mourir, il imaginait encore qu'il allait guérir. Le dernier mot que ses lèvres formèrent fut : « Jamais ! » sans qu'on sût s'il s'adressait aux rois, à la mer ou à Dieu.

Chaque homme en venant au monde est investi d'une fonction infime ou capitale, mais généralement inconnue de lui-même, et que sa nature, ses rapports avec ses semblables, les accidents de son existence le poussent à remplir, à son insu, mais avec l'illusion de la liberté. Robert d'Artois avait mis le feu à l'occident du monde ; sa tâche était achevée.

Lorsque le roi Edouard III, en Flandre, apprit sa mort, ses cils se mouillèrent, et il envoya à la reine Philippa une lettre où il disait :

« *Doux cœur, Robert d'Artois notre cousin est à Dieu commandé ; pour l'affection que nous avions envers lui et pour notre honneur, nous avons écrit à nos chancelier et trésorier, et les avons chargés de le faire enterrer en notre cité de Londres. Nous voulons, doux cœur, que vous veilliez à ce qu'ils fassent bien selon notre volonté. Que Dieu soit gardien de vous. Donné sous notre sceau privé en la ville de Grandchamp, le jour de Sainte Catherine, l'an de notre règne d'Angleterre seizième et de France tiers.* »

Au début de janvier 1343, la crypte de la cathédrale Saint-Paul, à Londres, reçut le plus lourd cercueil qui y fût jamais descendu.

... ET ICI L'AUTEUR, CONTRAINT PAR L'HISTOIRE À TUER SON PERSONNAGE PRÉFÉRÉ, AVEC LEQUEL IL A VÉCU SIX ANNÉES, ÉPROUVE UNE TRISTESSE ÉGALE À CELLE DU ROI ÉDOUARD D'ANGLETERRE ; LA PLUME, COMME DISENT LES VIEUX CONTEURS DE CHRONIQUES, LUI

ÉCHAPPE HORS DES DOIGTS, ET IL N'A PLUS LE DÉSIR DE POURSUIVRE, AU MOINS IMMÉDIATEMENT, SINON POUR FAIRE CONNAÎTRE AU LECTEUR LA FIN DE QUELQUES-UNS DES PRINCIPAUX HÉROS DE CE RÉCIT.

FRANCHISSONS ONZE ANS, ET FRANCHISSONS LES ALPES...

ÉPILOGUE

JEAN Ier L'INCONNU

I

LA ROUTE QUI MÈNE À ROME

Le lundi 22 septembre 1354, à Sienne, Giannino Baglioni, notable de cette ville, reçut au palais Tolomei, où sa famille tenait compagnie de banque, une lettre du fameux Cola de Rienzi qui avait saisi le gouvernement de Rome en reprenant le titre antique de tribun. Dans cette lettre, datée du Capitole et du jeudi précédent, Cola de Rienzi écrivait au banquier :

« *Très cher ami, nous avons envoyé des messagers à votre recherche avec mission de vous prier, s'ils vous rencontraient, de vouloir bien vous rendre à Rome auprès de nous. Ils nous ont rapporté qu'ils vous avaient en effet découvert à Sienne, mais n'avaient pu vous déterminer à venir nous voir. Comme il n'était pas certain qu'on vous découvrirait, nous ne vous avions pas écrit ; mais maintenant que nous savons où vous êtes, nous vous prions de venir nous trouver en toute diligence, aussitôt que vous aurez reçu cette lettre, et dans le plus grand secret, pour affaire concernant le royaume de France.* »

Pour quelle raison le tribun, grandi dans une taverne du Trastevere mais qui affirmait être fils adultérin de l'empereur Henri VII d'Allemagne — donc un demi-frère du roi Jean de Bohême — et en qui Pétrarque célébrait le restaurateur des anciennes grandeurs de l'Italie, pour quelle raison Cola de Rienzi voulait-il s'entretenir, et d'urgence, et secrètement, avec Giannino Baglioni ? Celui-ci ne cessait de se poser la question, les jours suivants, tandis qu'il cheminait vers Rome, en compagnie de son ami le notaire Angelo Guidarelli auquel il avait demandé de l'accompagner, d'abord parce qu'une route faite à deux semble moins longue, et aussi parce que le notaire était un garçon avisé qui connaissait bien toutes les affaires de banque.

En septembre le ciel est encore chaud sur la campagne siennoise, et le chaume des moissons couvre les champs comme d'une fourrure fauve. C'est l'un des plus beaux paysages du monde ; Dieu y a tracé avec aisance la courbe des collines, et répandu une végétation riche, diverse, où le cyprès règne en seigneur. L'homme a su travailler cette terre et partout y semer ses logis, qui, de la plus princière villa à la plus humble métairie, possèdent tous, avec leur couleur ocre et leurs tuiles rondes, la même grâce et la même harmonie. La route n'est jamais monotone, serpente, s'élève, descend vers de nouvelles vallées, entre des cultures en terrasses et des oliveraies millénaires. A Sienne, Dieu et l'homme ont eu également du génie.

Quelles étaient ces affaires de France dont le tribun de Rome désirait parler, en secret, au banquier de Sienne ? Pourquoi l'avait-il fait approcher à deux reprises, et lui avait-il envoyé cette lettre pressante où il le traitait de « très cher ami » ? De nouveaux prêts à consentir au roi de Paris, sans doute, ou des rançons à acquitter pour quelques grands seigneurs prisonniers en Angleterre ? Giannino Baglioni ignorait que Cola di Rienzi s'intéressât tellement au sort des Français.

Et si même il en était ainsi, pourquoi le tribun ne s'adressait-il pas aux autres membres de la compagnie, aux plus anciens, à Tolomeo Tolomei, à Andrea, à Giaccomo, qui connaissaient bien mieux ces questions, et étaient allés à Paris autrefois liquider l'héritage du vieil oncle Spinello, quand on avait dû fermer les comptoirs de France ? Certes Giannino était né d'une mère française, une belle jeune dame un peu triste, qu'il revoyait au centre de ses souvenirs d'enfance, dans un manoir vétuste en un pays pluvieux. Et certes, son père, Guccio Baglioni, mort depuis quatorze ans déjà, le cher homme, au cours d'un voyage en Campanie... et Giannino, balancé par le pas de son cheval, dessinait un signe de croix discret sur sa poitrine... son père, du temps qu'il séjournait en France, s'était trouvé fort mêlé à de grandes affaires de cour, entre Paris, Londres, Naples et Avignon. Il avait approché les rois et les reines, et même assisté au fameux conclave de Lyon...

Mais Giannino n'aimait pas se souvenir de la France, précisément à cause de sa mère jamais revue, et dont il ignorait si elle était encore vivante ou trépassée ; à cause de sa naissance, légitime selon son père, illégitime aux yeux des autres membres de la famille, de tous ces parents brusquement découverts lorsqu'il avait neuf ans : le grand-père Mino Baglioni, les oncles Tolomei, les innombrables cousins... Longtemps Giannino s'était senti étranger, parmi eux. Il avait tout fait pour effacer cette dissemblance, pour s'intégrer à la communauté, pour devenir un Siennois, un banquier, un Baglioni.

S'étant spécialisé dans le négoce des laines, peut-être parce qu'il gardait quelque nostalgie des moutons, des prés verts et des matins de brume, il avait épousé, deux ans après le décès de son père, une héritière de bonne famille siennoise. Giovanna Vivoli, dont lui étaient nés trois fils et avec laquelle il avait vécu fort heureux pendant six ans, avant qu'elle ne mourût pendant l'épidémie de peste noire, en 48. Remarié l'année suivante à une autre héritière, Francesca Agazzano, deux fils encore réjouissaient son foyer, et il attendait présentement une nouvelle naissance.

Il était estimé de ses compatriotes, conduisait ses affaires avec honnêteté, et devait à la considération publique la charge de camerlingue de l'hôpital Notre-Dame-de-la-Miséricorde...

San Quirico d'Orcia, Radicofani, Acquapendente, le lac de Bolsena, Montefiascone ; les nuits passées aux hôtelleries à gros portiques, et la route reprise au matin... Giannino et Guidarelli étaient sortis de la Toscane. A mesure qu'il avançait, Giannino se sentait davantage décidé à répondre au tribun Cola, avec toute la courtoisie possible, qu'il ne voulait point se mêler de transactions en France. Le notaire Guidarelli l'approuvait pleinement ; les compagnies italiennes gardaient trop mauvais souvenir des spoliations, et trop se détériorait le royaume de France, depuis le début de la guerre d'Angleterre, pour qu'on pût y prendre le moindre risque d'argent. Mieux valait vivre en une bonne petite république comme Sienne, aux arts et au commerce prospères, qu'en ces grandes nations gouvernées par des fous[32] !

Car Giannino, du palais Tolomei, avait bien suivi les affaires françaises durant les dernières années ; on gardait là-bas quantité de créances qu'on ne verrait sans doute jamais honorées ! Des déments, en vérité, ces Français, à commencer par leur roi Valois qui avait réussi à perdre d'abord la Bretagne et la Flandre, ensuite la Normandie, ensuite la Saintonge, et puis s'était fait buissonner comme chevreuil par les armées anglaises, autour de Paris. Ce héros de tournoi, qui voulait emmener l'univers en croisade, refusait le cartel de défi par lequel son ennemi lui offrait combat dans la plaine de Vaugirard, presque aux portes de son Palais ; puis, s'imaginant les Anglais en fuite parce qu'ils se retiraient vers le nord... pour quelle raison auraient-ils fui, alors qu'ils étaient partout victorieux ?... Philippe, soudainement, épuisant ses troupes par des marches forcées, se lançait à la poursuite d'Edouard, l'atteignait au-delà de la Somme ; et là se terminait sa gloire.

Les échos de Crécy s'étaient répandus jusqu'à Sienne. On savait comment le roi de France avait obligé ses gens de marche à attaquer, sans prendre souffle, après une étape de cinq lieues, et comment la chevalerie française, irritée contre cette piétaille qui n'avançait pas assez vite, avait chargé à travers sa propre infanterie, la bousculant, la renversant, la foulant aux fers des chevaux, pour aller se faire mettre en pièces sous les tirs croisés des archers anglais.

« Ils ont dit, pour expliquer leur défaite, que c'étaient les traits à poudre, fournis aux Anglais par l'Italie, qui avaient semé le désordre et l'effroi dans leurs rangs, à cause du fracas. Mais non, Guidarelli, ce ne sont pas les traits à poudre ; c'est leur stupidité. »

Ah ! On ne pouvait nier qu'il se fût accompli là de beaux faits d'armes. Par exemple, on avait vu Jean de Bohême, devenu aveugle vers la cinquantaine, exiger de se faire conduire quand même au combat, son destrier lié à droite et à gauche aux montures de deux de ses chevaliers ; et le roi aveugle s'était enfoncé dans la mêlée, brandissant sa masse d'armes pour l'abattre sur qui ? Sur la tête des deux malheureux qui l'encadraient. On l'avait retrouvé mort, toujours lié à ses deux compagnons assommés, parfait symbole de cette caste chevaleresque, enfermée dans la nuit de ses heaumes, qui, méprisant le peuple, se détruisait elle-même comme à plaisir.

Au soir de Crécy, Philippe VI errait dans la campagne, n'ayant plus que six hommes avec lui, et allait frapper à la porte d'un petit manoir en gémissant :

« Ouvrez, ouvrez à l'infortuné roi de France ! »

Messer Dante, on ne devait pas l'oublier, avait maudit autrefois la race des Valois, à cause du premier d'entre eux, le comte Charles, le ravageur de Sienne et de Florence. Tous les ennemis du *divino poeta* finissaient assez mal.

Et après Crécy, la peste amenée par les Génois. De ceux-là non plus il ne fallait jamais attendre rien de bon ! Leurs bateaux avaient rapporté d'Orient le mal affreux qui, gagnant d'abord la Provence, s'était abattu sur Avignon, sur cette ville toute pourrie de débauches et de vices. Il suffisait d'avoir entendu répéter les propos de messer Pétrarque sur cette nouvelle Babylone pour comprendre que sa puante infamie et les péchés qui s'y étalaient la désignaient aux calamités vengeresses[33].

Le Toscan n'est jamais content de rien ni de personne, sauf de lui-même. S'il ne pouvait médire, il ne pourrait vivre. Et Giannino, en cela, se montrait bien toscan. A Viterbo, Guidarelli et lui n'en avaient pas encore fini de critiquer et de blâmer tout l'univers.

D'abord que faisait le pape en Avignon, au lieu de siéger à Rome, en la place désignée par saint Pierre ? Et pourquoi élisait-on toujours des papes français, comme ce Pierre Roger, l'ancien évêque d'Arras, qui avait succédé à Benoît XII et régnait présentement sous le nom de Clément VI ? Pourquoi ne nommait-il à son tour que des cardinaux français et refusait-il de rentrer en Italie ? Dieu les avait tous punis. Une seule saison voyait la fermeture de sept mille maisons d'Avignon dépeuplée par la peste ; on ramassait les cadavres par charretées. Puis le fléau montait vers le nord, à travers un pays épuisé par la guerre. La peste arrivait à Paris où elle causait mille morts par journée ; grands ou petits, elle n'épargnait personne. La femme du duc de Normandie, fille du roi de Bohême, était morte de la peste. La reine Jeanne de Navarre, la fille de Marguerite de Bourgogne, était morte de la peste. La male reine de France elle-même, Jeanne la Boiteuse, sœur de Marguerite, avait péri de la peste ; les Français, qui la détestaient, disaient que son trépas n'était qu'un juste châtiment.

Mais pourquoi Giovanna Baglioni, la première épouse de Giannino, Giovanna aux beaux yeux en amande, au cou pareil à un fût d'albâtre avait-elle aussi été emportée ? Etait-ce là justice ? Etait-il juste que l'épidémie eût dévasté Sienne ? Dieu manifestait vraiment peu de discernement et taxait trop souvent les bons pour payer les fautes des méchants.

Bienheureux ceux qui avaient échappé à la peste ! Bienheureux messer Giovanni Boccacio, le fils d'un ami des Tolomei, de mère française, comme Giannino, et qui avait pu demeurer à l'abri, hôte d'un riche seigneur, dans une belle villa en lisière de Florence ! Tout le temps de la contagion, afin de distraire les réfugiés de la villa Palmieri, et leur faire oublier que la mort rôdait aux portes, Boccacio avait écrit ces beaux et plaisants contes que maintenant l'Italie entière répétait. Le courage montré devant le trépas par les hôtes du comte Palmieri et par messer Boccacio ne valait-il pas toute la sotte bravoure des chevaliers de France ? Le notaire Guidarelli partageait complètement cet avis.

Or, le roi Philippe s'était remarié trente jours seulement après la mort de la male reine. Là encore, Giannino trouvait motif à blâmer, non exactement dans le remariage puisque lui-même en avait fait autant, mais dans l'indécente hâte mise par le roi de France à ses secondes noces. Trente jours ! Et qui Philippe VI avait-il choisi ? C'était là que l'histoire commençait d'être savoureuse ! Il avait enlevé à son fils aîné la princesse à laquelle celui-ci devait se remarier, sa cousine Blanche, fille du roi de Navarre, qu'on surnommait Belle Sagesse.

Ebloui par l'apparition à la cour de cette pucelle de dix-huit ans, Philippe avait exigé de son fils, Jean de Normandie, qu'il la lui cédât, et Jean s'était laissé unir à la comtesse de Boulogne, une veuve de vingt-quatre ans, pour laquelle il n'éprouvait pas grand goût, non plus à vrai dire que pour aucune dame, car il semblait que l'héritier de France fût plutôt tourné vers les écuyers.

Le roi de cinquante-six ans avait alors retrouvé, entre les bras de Belle Sagesse, la fougue de sa jeunesse. Belle Sagesse, vraiment ! le nom convenait bien ; Giannino et Guidarelli en étaient secoués de rire sur leurs chevaux. Belle Sagesse ! Messer Boccacio en eût pu faire un de ses contes. En trois mois, la donzelle avait eu les os du roi tournoyeur, et l'on conduisait à Saint-Denis ce superbe imbécile qui n'avait régné un tiers de siècle que pour conduire son royaume de la richesse à la ruine.

Jean II, le nouveau roi, âgé maintenant de trente-

six ans, et qu'on appelait le Bon sans qu'on sût trop
pourquoi, possédait tout juste, à ce que les voyageurs
rapportaient, les mêmes solides qualités que son
père, et le même bonheur dans ses entreprises. Il
était seulement un peu plus dépensier, instable, et
futile ; mais il rappelait aussi sa mère par la sournoi-
serie et la cruauté. Se croyant constamment trahi, il
avait déjà fait décapiter son connétable.

Parce que le roi Edouard III, campant dans Calais
par lui conquis, avait institué l'ordre de la Jarretière,
un jour qu'il s'était plu à rattacher lui-même le bas
de sa maîtresse la belle comtesse de Salisbury, le roi
Jean II, ne voulant pas demeurer en reste de chevalerie, avait fondé l'ordre de l'Etoile afin d'en honorer
son favori espagnol, le jeune Charles de la Cerda. Ses
prouesses s'arrêtaient là.

Le peuple crevait de faim ; les campagnes comme
l'industrie, par suite de la peste et de la guerre, manquaient de bras ; les denrées étaient rares et les prix
démesurés ; on supprimait des emplois ; on imposait
sur toutes les transactions une taxe de près d'un sol
à la livre.

Des bandes errantes, semblables aux pastoureaux
de jadis, mais plus démentes encore, traversaient le
pays, des milliers d'hommes et de femmes en
haillons qui se flagellaient les uns les autres avec des
cordes ou des chaînes, en hurlant des psaumes
lugubres le long des routes, et soudain, saisis de
fureur, massacraient, comme toujours, les Juifs et les
Italiens.

Cependant la cour de France continuait d'étaler un
luxe insultant, dépensait pour un seul tournoi ce qui
eût suffi à nourrir un an tous les pauvres d'un comté,
et se vêtait de façon peu chrétienne, les hommes plus
parés de bijoux que les femmes, avec des cottes pin-
cées à la taille, si courtes qu'elles découvraient les
fesses, et des chaussures terminées en si longues
pointes qu'elles empêchaient de marcher.

Une compagnie de banque un peu sérieuse pouvait-elle à de telles gens consentir de nouveaux prêts

ou fournir des laines ? Certes non. Et Giannino Baglioni, entrant à Rome, le 2 octobre, par le Ponte Milvio, était bien résolu à le dire au tribun Cola de Rienzi.

II

LA NUIT DU CAPITOLE

Les voyageurs s'étaient installés dans une *osteria* du Campo dei Fiori, à l'heure où les marchandes criardes soldaient leurs bottes de roses et débarrassaient la place du tapis multicolore et embaumé de leurs éventaires.

A la nuit tombante, ayant pris l'aubergiste pour guide, Giannino Baglioni se rendit au Capitole.

L'admirable ville que Rome, où il n'était jamais venu et qu'il découvrait en regrettant de ne pouvoir à chaque pas s'arrêter ! Immense en comparaison de Sienne et de Florence, plus grande même, semblait-il, que Paris, ou que Naples, si Giannino se référait aux récits de son père. Le dédale de ruelles s'ouvrait sur des palais merveilleux, brusquement surgis, et dont les porches et les cours étaient éclairés de torches ou de lanternes. Des groupes de garçons chantaient, se tenant par le bras en travers des rues. On se bousculait, mais sans mauvaise humeur, on souriait aux étrangers ; les tavernes étaient nombreuses d'où sortaient de bons parfums d'huile chaude, de safran, de poisson frit et de viande rôtie. La vie ne semblait pas s'arrêter avec la nuit.

Giannino monta la colline du Capitole à la lueur des étoiles. L'herbe croissait devant un porche d'église ; des colonnes renversées, une statue dressant un bras mutilé attestaient l'antiquité de la cité.

Auguste, Néron, Titus, Marc-Aurèle avaient foulé ce
sol...

Cola de Rienzi soupait en nombreuse compagnie,
dans une vaste salle construite sur les assises mêmes
du temple de Jupiter. Giannino vint à lui, mit un
genou en terre et se nomma. Aussitôt le tribun, lui
prenant les mains, le releva et le fit conduire dans
une pièce voisine où, après peu d'instants, il le rejoi-
gnit.

Rienzi s'était choisi le titre de tribun, mais il avait
plutôt le masque et le port d'un empereur. La
pourpre était sa couleur ; il drapait son manteau
comme une toge. Le col de sa robe cernait un cou
large et rond ; le visage massif avec de gros yeux
clairs, des cheveux courts, un menton volontaire,
semblait destiné à prendre place à la suite des bustes
des Césars. Le tribun avait un tic léger, un frémissement de la narine droite qui lui donnait une expression d'impatience. Le pas était autoritaire. Cet
homme-là montrait bien, rien qu'en paraissant, qu'il
était né pour commander, avait de grandes vues pour
son peuple, et qu'il fallait se hâter de comprendre ses
pensées et de s'y conformer. Il fit asseoir Giannino
près de lui, ordonna à ses serviteurs de fermer les
portes et de veiller à ce qu'on ne le dérangeât point ;
puis, tout aussitôt, il commença de poser des questions qui ne concernaient en rien les affaires de
banque.

Le commerce des laines, les prêts d'argent, les
lettres de change ne constituaient pas son souci.
C'était Giannino uniquement, la personne de Giannino, qui l'intéressait. A quel âge Giannino était-il
arrivé de France ? Où avait-il passé ses premières
années ? Qui l'avait élevé ? Avait-il toujours porté le
même nom ?

Après chaque demande, Rienzi attendait la
réponse, écoutait, hochait le menton, interrogeait de
nouveau.

Donc Giannino avait vu le jour dans un couvent de
Paris. Sa mère, Marie de Cressay, l'avait élevé jusqu'à

l'âge de neuf ans, en Ile-de-France, près d'un bourg nommé Neauphle-le-Vieux. Que savait-il d'un séjour qu'aurait fait sa mère à la cour de France ? Le Siennois se rappelait les propos de son père, Guccio Baglioni, à ce sujet : Marie de Cressay, peu après avoir accouché de Giannino, avait été appelée à la cour comme nourrice, pour le fils nouveau-né de la reine Clémence de Hongrie ; mais elle y était peu restée, puisque l'enfant de la reine était mort au bout de quelques jours, empoisonné disait-on.

Et Giannino se mit à sourire. Il avait été frère de lait d'un roi de France ; c'était chose à laquelle il ne songeait presque jamais et qui lui paraissait soudain incroyable, presque risible, lorsqu'il se contemplait, tout près d'atteindre quarante ans, dans sa tranquille existence de bourgeois italien.

Mais pourquoi Rienzi lui posait-il toutes ces questions ? Pourquoi le tribun aux gros yeux clairs, le bâtard de l'avant-dernier empereur, l'observait-il avec cette attention réfléchie ?

« C'est bien vous, dit enfin Cola de Rienzi, c'est bien vous... »

Giannino ne comprenait pas ce qu'il entendait par là. Il fut encore plus surpris quand il vit l'imposant tribun mettre un genou en terre et s'incliner jusqu'à lui baiser le pied droit.

« Vous êtes le roi de France, déclara Rienzi, et c'est ainsi que tout le monde doit vous traiter désormais. »

Les lumières vacillèrent un peu autour de Giannino.

Quand la maison où l'on se tient paisiblement à dîner se fissure soudain parce que le sol est en train de glisser, quand le bateau sur lequel on dort vient en pleine nuit éclater contre un récif, on ne comprend pas non plus, dans le premier instant, ce qui arrive.

Giannino Baglioni était assis dans une chambre du Capitole ; le maître de Rome s'agenouillait à ses pieds et lui affirmait qu'il était roi de France.

« Il y a eu neuf ans au mois de juin, la dame Marie de Cressay est morte...

— Ma mère est morte ? s'écria Giannino.

— Oui, mon grandissime Seigneur... celle plutôt que vous croyiez votre mère. Et l'avant-veille de mourir elle s'est confessée... »

C'était la première fois que Giannino s'entendait appeler « grandissime Seigneur » et il en demeura bouche bée, plus stupéfait encore que du baise-pied.

Donc, se sentant proche de trépasser, Marie de Cressay avait appelé auprès de son lit un moine augustin d'un couvent voisin, frère Jourdain d'Espagne, et elle s'était confessée à lui.

L'esprit de Giannino remontait vers ses premiers souvenirs. Il voyait la chambre de Cressay et sa mère, blonde et belle... Elle était morte depuis neuf ans, et il ne le savait pas. Et voilà qu'à présent elle n'était plus sa mère.

Frère Jourdain, à la demande de la mourante, avait consigné par écrit cette confession qui constituait la révélation d'un extraordinaire secret d'Etat, et d'un non moins extraordinaire crime.

« Je vous montrerai la confession, ainsi que la lettre de frère Jourdain ; tout cela est en ma possession », dit Cola de Rienzi.

Le tribun parla pendant quatre heures pleines. Il n'en fallait pas moins, et d'abord pour instruire Giannino d'événements, vieux de quarante ans, qui faisaient partie de l'histoire du royaume de France : la mort de Marguerite de Bourgogne, le remariage du roi Louis X avec Clémence de Hongrie.

« Mon père avait été de l'ambassade qui alla chercher la reine à Naples ; il me l'a plusieurs fois raconté, dit Giannino ; il faisait partie de la suite d'un certain comte de Bouville...

— Le comte de Bouville, dites-vous ? Tout se confirme bien ! C'est ce même Bouville qui était curateur au ventre de la reine Clémence, votre mère, noblissime Seigneur, et qui alla faire prendre, pour vous nourrir, la dame de Cressay au couvent où elle venait d'accoucher. Elle a raconté cela précisément. »

À mesure que le tribun parlait, son visiteur se sentait perdre la raison. Tout était retourné ; les ombres devenaient claires, le jour devenait noir. Giannino obligeait souvent Rienzi à revenir en arrière, comme lorsqu'on reprend une opération de calcul trop compliquée. Il apprenait d'un seul coup que son père n'était pas son père, que sa mère n'était pas sa mère, et que son père véritable, un roi de France, assassin d'une première épouse, avait fini lui-même assassiné. Il cessait d'être le frère de lait d'un roi de France mort au berceau ; il était ce roi même soudain ressuscité.

« On vous a toujours appelé Jean, n'est-ce pas ? La reine votre mère vous avait donné ce nom à cause d'un vœu. Jean ou Giovanni, qui fait Giovannino, ou Giannino... Vous êtes Jean Ier le Posthume. »

Le Posthume ! Une appellation sinistre, un de ces mots qui évoquent le cimetière et que les Toscans n'entendent pas sans faire les cornes avec leur main gauche.

Brusquement, le comte Robert d'Artois, la comtesse Mahaut, ces noms qui appartenaient aux grands souvenirs de son père... non, pas son père ; enfin l'autre, Guccio Baglioni... surgissaient dans le récit du tribun, chargés de rôles terribles. La comtesse Mahaut, qui avait déjà empoisonné le père de Giannino, oui, le roi Louis !... avait entrepris de faire périr également le nouveau-né.

« Mais le comte de Bouville, prudent, avait échangé l'enfant de la reine avec celui de la nourrice, qui d'ailleurs s'appelait Jean, également. C'est ce dernier qui a été tué, et enterré à Saint-Denis... »

Et Giannino éprouva comme une sensation d'épaississement de son malaise, parce qu'il ne pouvait se déshabituer si vite d'être Giannino Baglioni, l'enfant du marchand siennois, et que c'était comme si on lui annonçait qu'il avait cessé de respirer à l'âge de cinq jours et que sa vie depuis, toutes ses pensées, tous ses actes, son corps même, n'étaient qu'illusion. Il se sentait s'évanouir, s'emplir d'ombre, se muer en son propre fantôme. Où se trouvait-il vraiment, sous une dalle de Saint-Denis, ou bien ici, au Capitole ?

« Elle m'appelait parfois : "Mon petit prince", murmura-t-il.

— Qui cela ?

— Ma mère... je veux dire, la dame de Cressay... quand nous étions seuls. Je croyais que c'était un mot comme les mères de France en donnent à leurs enfants ; et elle me baisait les mains, et elle se mettait à pleurer... Oh ! que de choses me reviennent... Et cette pension qu'envoyait le comte de Bouville, et qui faisait que les oncles Cressay, le barbu et l'autre, étaient plus gentils avec moi les jours où la bourse arrivait. »

Qu'étaient devenus tous ces gens ? Ils étaient morts pour la plupart, et depuis longtemps : Mahaut, Bouville, Robert d'Artois... Les frères Cressay avaient été armés chevaliers la veille de la bataille de Crécy, sur un jeu de mots du roi Philippe VI.

« Ils devaient être déjà assez vieux... »

Mais alors, si Marie de Cressay n'avait jamais voulu revoir Guccio Baglioni, ce n'était pas qu'elle le détestât, comme celui-ci le prétendait amèrement, mais pour garder le serment qu'on lui avait fait prononcer par force, en lui remettant le petit roi sauvé.

« Par crainte de représailles également, sur elle-même ou sur son mari, expliqua Cola de Rienzi. Car ils étaient mariés, secrètement mais réellement, par un moine. Cela aussi elle l'a dit dans sa confession. Et un jour Baglioni est venu vous enlever, quand vous aviez neuf ans.

— Je me souviens bien de ce départ... et elle, ma... la dame de Cressay, elle ne s'est jamais remariée ?

— Jamais, puisqu'elle avait contracté union.

— Lui non plus ne s'est pas remarié. »

Giannino resta songeur un moment, s'entraînant à penser à la morte de Cressay, au mort de Campanie, comme à des parents d'adoption.

Puis soudain il demanda :

« Pourrais-je avoir un miroir ?

— Certes », dit le tribun avec une légère surprise.

Il frappa dans ses mains et donna un ordre à un serviteur.

« J'ai vu la reine Clémence, une fois... précisément quand je fus emmené de Cressay et que je passai quelques jours à Paris, chez l'oncle Spinello. Mon père... adoptif, ainsi que vous dites... me conduisit la saluer. Elle m'a donné des dragées. Alors, c'était elle, ma mère ? »

Les larmes lui montaient aux yeux. Il glissa la main sous le col de sa robe, sortit un petit reliquaire pendu à une cordelette de soie :

« Cette relique de saint Jean venait d'elle... »

Il cherchait désespérément à retrouver les traits exacts du visage de la reine, pour autant qu'ils se fussent inscrits dans sa mémoire d'enfant. Il se rappelait seulement l'apparition d'une femme merveilleusement belle, tout en blanc dans le costume des reines veuves, et qui lui avait posé sur le front une main distraite et rose... « Et je n'ai pas su que j'étais devant ma mère. Et elle, jusqu'à son dernier jour, a cru son fils mort... »

Ah ! cette comtesse Mahaut était une bien grande criminelle, pour avoir non seulement assassiné un innocent nouveau-né, mais encore jeté dans tant d'existences le désarroi et le malheur !

L'impression d'irréalité de sa personne avait à présent disparu chez Giannino pour faire place à une sensation de dédoublement tout aussi angoissante. Il était lui-même et un autre, le fils du banquier siennois et le fils du roi de France.

Et sa femme, Francesca ? Il y pensa soudain. Qui avait-elle épousé ? Et ses propres enfants ? Alors ils descendaient de Hugues Capet, de Saint Louis, de Philippe le Bel ?

« Le pape Jean XXII devait avoir eu vent de cette affaire, reprit Cola de Rienzi. On m'a rapporté que certains cardinaux dans son entourage chuchotaient qu'il doutait que le fils du roi Louis X fût mort. Simple présomption, pensait-on, comme il en court tellement et qui ne paraissait guère fondée, jusqu'à cette confession *in extremis* de votre mère adoptive, votre nourrice, qui fit promettre au moine augustin de vous rechercher et vous apprendre la vérité. Toute sa vie, elle avait, par son silence, obéi aux ordres des hommes ; mais à l'instant de paraître devant Dieu, et comme ceux qui lui avaient imposé ce silence étaient décédés sans l'avoir relevée du serment, elle voulut se délivrer de son secret. »

Et frère Jourdain d'Espagne, fidèle à la promesse donnée, s'était mis à la recherche de Giannino ; mais la guerre et la peste l'avaient empêché d'aller plus loin que Paris. Les Tolomei n'y tenaient plus comptoir. Frère Jourdain ne se sentait plus en âge d'entreprendre de longs voyages.

« Il remit donc confession et récit, reprit Rienzi, à un autre religieux de son ordre, le frère Antoine, homme d'une grande sainteté qui a accompli plusieurs fois le pèlerinage de Rome et qui m'était venu visiter précédemment. C'est ce frère Antoine qui, voici deux mois, se trouvant malade à Porto Venere, m'a laissé connaître tout ce que je viens de vous apprendre, en m'envoyant les pièces et son propre récit. J'ai un moment hésité, je vous l'avoue, à croire toutes ces choses. Mais, à la réflexion, elles m'ont paru trop extraordinaires et fantastiques pour avoir été inventées ; l'imagination humaine ne saurait aller jusque-là. C'est la vérité souvent qui nous surprend. J'ai fait contrôler les dates, recueillir divers indices, et envoyé à votre recherche ; je vous ai d'abord adressé ces émissaires qui, faute d'être porteurs d'un écrit, n'ont pu vous convaincre de venir à moi ; et enfin, je vous ai mandé cette lettre grâce à laquelle, mon grandissime Seigneur, vous vous trouvez ici. Si vous voulez faire valoir vos droits à la couronne de France, je suis prêt à vous y aider. »

On venait d'apporter un miroir d'argent. Giannino l'approcha des grands candélabres, et s'y regarda longuement. Il n'avait jamais aimé son visage ; cette rondeur un peu molle, ce nez droit mais sans caractère, ces yeux bleus sous des sourcils trop pâles, était-ce là le visage d'un roi de France ?

Giannino cherchait, dans le fond du miroir, à dissiper le fantôme, à se reconstituer...

Le tribun lui posa la main sur l'épaule.

« Ma naissance aussi, dit-il gravement, fut longtemps entourée d'un bien singulier mystère. J'ai grandi dans une taverne de cette ville ; j'y ai servi le vin aux portefaix. Je n'ai su qu'assez tard de qui j'étais le fils. »

Son beau masque d'empereur, où seule la narine droite frémissait, s'était un peu affaissé.

III

« NOUS, COLA DE RIENZI… »

Giannino, sortant du Capitole à l'heure où les premières lueurs de l'aurore commençaient à ourler d'un trait cuivré les ruines du Palatin, ne rentra pas dormir au Campo dei Fiori. Une garde d'honneur, fournie par le tribun, le conduisit de l'autre côté du Tibre, au château Saint-Ange où un appartement lui avait été préparé.

Le lendemain, cherchant l'aide de Dieu pour apaiser le grand trouble qui l'agitait, il passa plusieurs heures dans une église voisine ; puis il regagna le château Saint-Ange. Il avait demandé son ami Guidarelli ; mais il fut prié de ne s'entretenir avec personne avant d'avoir revu le tribun. Il attendit, seul jusqu'au soir, qu'on vînt le chercher. Il semblait que Cola de Rienzi ne traitât ses affaires que de nuit.

Giannino retourna donc au Capitole où le tribun l'entoura de plus grands égards encore que la veille et s'enferma de nouveau avec lui.

Cola de Rienzi avait son plan de campagne qu'il exposa : il adressait immédiatement des lettres au pape, à l'empereur, à tous les souverains de la Chrétienté, les invitant à lui envoyer leurs ambassadeurs pour une communication de la plus haute importance, mais sans laisser percer la nature de cette communication ; puis, devant tous les ambassadeurs réunis en une audience solennelle, il faisait apparaître Giannino, revêtu des insignes royaux, et le leur désignait comme le véritable roi de France... Si le noblissime Seigneur lui donnait son accord, bien entendu.

Giannino était roi de France depuis la veille, mais banquier siennois depuis vingt ans ; et il se demandait quel intérêt Rienzi pouvait avoir à prendre ainsi parti pour lui, avec une impatience, une fébrilité presque, qui agitait tout le grand corps du potentat. Pourquoi, alors que depuis la mort de Louis X quatre rois s'étaient succédé au trône de France, voulait-il ouvrir une telle contestation ? Etait-ce simplement, comme il l'affirmait, pour dénoncer une injustice monstrueuse et rétablir un prince spolié dans son droit ? Le tribun livra assez vite le bout de sa pensée.

« Le vrai roi de France pourrait ramener le pape à Rome. Ces faux rois ont de faux papes. »

Rienzi voyait loin. La guerre entre la France et l'Angleterre, qui commençait à tourner en guerre d'une moitié de l'Occident contre l'autre, avait, sinon pour origine, au moins pour fondement juridique, une querelle successorale et dynastique. En faisant surgir le titulaire légitime et véritable du trône de France, on déboutait les deux autres rois de toutes leurs prétentions. Alors, les souverains d'Europe, au moins les souverains pacifiques, tenaient assemblée à Rome, destituaient le roi Jean II et rendaient au roi Jean Ier sa couronne. Et Jean Ier décidait le retour du Saint-Père dans la Ville éternelle. Il n'y avait plus de visées de la cour de France sur les terres impériales d'Italie ; il n'y avait plus de luttes entre Guelfes et Gibelins ; l'Italie, dans son unité retrouvée, pouvait aspirer à reprendre sa grandeur de jadis ; enfin le pape et le roi de France, s'ils le souhaitaient, pouvaient même, de l'artisan de cette grandeur et de cette paix, de Cola de Rienzi, fils d'empereur, faire l'empereur, et pas un empereur à l'allemande, un empereur à l'antique ! La mère de Cola était du Trastevere, où les ombres d'Auguste, de Titus, de Trajan, se promènent toujours, même aux tavernes, et y font lever les rêves...

Le lendemain 4 octobre, au cours d'une troisième entrevue, celle-ci dans la journée, Rienzi remettait à Giannino, qu'il appelait désormais Giovanni di Francia, toutes les pièces de son extraordinaire dossier : la confession de la fausse mère, le récit du frère Jourdain d'Espagne, la lettre du frère Antoine ; enfin, ayant appelé un de ses secrétaires, il commença de dicter l'acte qui authentifiait le tout :

« *Nous, Cola de Rienzi, chevalier par la grâce du Siège apostolique, sénateur illustre de la Cité sainte, juge, capitaine et tribun du peuple romain, avons bien examiné les pièces qui nous ont été délivrées par le frère Antoine, et nous y avons d'autant plus ajouté foi qu'après tout ce que nous avons appris et entendu, c'est en effet par la volonté de Dieu que le royaume de France a été en proie, pendant de longues années, tant à la guerre qu'à des fléaux de toutes sortes, toutes choses que Dieu a permises, nous le croyons, en expiation de la fraude qui a été commise à l'égard de cet homme, et qui a fait qu'il a été longtemps dans l'abaissement et la pauvreté...* »

Le tribun semblait plus nerveux que la veille ; il s'arrêtait de dicter chaque fois qu'un bruit non familier parvenait à son oreille, ou au contraire qu'un silence un peu long s'établissait. Ses gros yeux se dirigeaient souvent vers les fenêtres ouvertes ; on eût dit qu'il épiait la ville.

« *... Giannino s'est présenté devant nous, à notre invitation, le jeudi 2 octobre. Avant de lui parler de ce que nous avions à lui dire, nous lui avons demandé ce qu'il était, sa condition, son nom, celui de son père, et toutes les choses qui le concernaient. D'après ce qu'il nous a répondu, nous avons trouvé que ses paroles s'accordaient avec ce que disaient les lettres du frère Antoine ; ce que voyant, nous lui avons respectueusement révélé tout ce que nous avions appris. Mais comme nous savons qu'un mouvement se prépare à Rome contre nous...* »

Giannino eut un sursaut. Comment ! Cola de Rienzi, si puissant qu'il parlait d'envoyer des ambassadeurs au pape et à tous les princes du monde, redoutait... Il leva le regard vers le tribun ; celui-ci confirma, en abaissant lentement les paupières sur ses yeux clairs ; sa narine droite tremblait.

« Les Colonna », dit-il sombrement.

Puis il se remit à dicter :

« ... *Comme nous craignons de périr avant de lui avoir donné quelque appui ou quelque moyen pour recouvrer son royaume, nous avons fait copier toutes ces lettres et les lui avons remises en main propre, le samedi 4 octobre 1354, les ayant scellées de notre sceau marqué de la grande étoile entourée de huit petites, avec le petit cercle au milieu, ainsi que des armes de la Sainte Eglise et du peuple romain, pour que les vérités qu'elles contiennent en reçoivent une garantie plus grande et pour qu'elles soient connues de tous les fidèles. Puisse Notre Très Pieux et Très Gracieux Seigneur Jésus-Christ nous accorder une vie assez longue pour qu'il nous soit donné de voir triomphante en ce monde une aussi juste cause. Amen, amen !* »

Quand ceci fut fait, Rienzi s'approcha de la fenêtre ouverte et, prenant Jean Ier par l'épaule d'un geste presque paternel, il lui montra, à cent pieds plus bas, le grand désordre de ruines du forum antique, les arcs de triomphe et les temples écroulés. Le soleil couchant teintait d'or rose cette fabuleuse carrière où Vandales et papes s'étaient fournis de marbre pendant près de dix siècles, et qui n'était pas encore épuisée. Du temple de Jupiter, on apercevait la maison des Vestales, le laurier qui croissait au temple de Vénus...

« C'est là, dit le tribun désignant la place de l'ancienne Curie romaine, c'est là-bas que César fut assassiné... Voulez-vous me rendre un très grand service, mon noble Seigneur ? Nul ne vous connaît encore, nul ne sait qui vous êtes, et vous pouvez cheminer en paix comme un simple bourgeois de

Sienne. Je veux vous aider de tout mon pouvoir ; encore faut-il pour cela que je sois vivant. Je sais qu'une conspiration se trame contre moi. Je sais que mes ennemis veulent mettre fin à mes jours. Je sais qu'on surveille les messagers que j'envoie hors de Rome. Partez pour Montefiascone, présentez-vous de ma part au cardinal Albornez, et dites-lui de m'envoyer des troupes, avec la plus grande urgence. »

Dans quelle aventure Giannino se trouvait-il, en si peu d'heures, engagé ? Revendiquer le trône de France ! Et à peine était-il prince prétendant, partir en émissaire du tribun pour lui chercher du secours. Il n'avait dit oui à rien, et à rien ne pouvait dire non.

Le lendemain 5 octobre, après une course de douze heures, il parvenait à ce même Montefiascone qu'il avait traversé, médisant si fort de la France et des Français, cinq jours plus tôt. Il parla au cardinal Albornez qui aussitôt décida de marcher sur Rome avec les soldats dont il disposait ; mais il était déjà trop tard. Le mardi 7 octobre, Cola de Rienzi était assassiné.

IV

LE ROI POSTHUME

Et Giovanni di Francia rentra à Sienne, y reprit
son commerce de banque et de laines, et pendant
deux ans se tint coi. Simplement, il se regardait souvent dans les miroirs. Il ne s'endormait pas sans penser qu'il était le fils de la reine Clémence de Hongrie,
le parent des souverains de Naples, l'arrière-petit-fils
de Saint Louis. Mais il n'avait pas une immense
audace de cœur ; on ne sort pas brusquement de
Sienne, à quarante ans, pour crier : « Je suis le roi
de France », sans risquer d'être pris pour un fou.
L'assassinat de Cola de Rienzi, son protecteur de
trois jours, l'avait fait sérieusement réfléchir. Et
d'abord, qui serait-il allé trouver ?

Toutefois il n'avait pas gardé la chose si secrète
qu'il n'en eût parlé un peu à son épouse Francesca,
curieuse comme toutes les femmes, à son ami Guidarelli, curieux comme tous les notaires, et surtout
à Fra Bartolomeo, de l'ordre des frères prêcheurs,
curieux comme tous les confesseurs.

Fra Bartolomeo était un moine italien, enthousiaste et bavard, qui se voyait déjà chapelain de roi.
Giannino lui avait montré les pièces remises par
Rienzi ; il commença d'en parler dans la ville. Et les
Siennois bientôt de se chuchoter ce miracle : le légitime roi de France était parmi leurs concitoyens ! On
s'attroupait devant le palazzo Tolomei ; quand on

venait commander des laines à Giannino, on se courbait très bas ; on était honoré de lui signer une traite ; on se le désignait lorsqu'il marchait dans les petites rues. Les voyageurs de commerce qui avaient été en France assuraient qu'il avait tout à fait le visage des princes de là-bas, blond, les joues larges, les sourcils un peu écartés.

Et voilà les marchands siennois dispersant la nouvelle auprès de leurs correspondants en tous comptoirs italiens d'Europe. Et voilà qu'on découvre que les frères Jourdain et Antoine, les deux augustins que chacun croyait morts, tant ils se présentaient dans leurs relations écrites comme vieux ou malades, étaient toujours bien vivants, et même s'apprêtaient à partir pour la Terre sainte. Et voilà que ces deux moines écrivent au Conseil de la République de Sienne, pour confirmer toutes leurs déclarations antérieures ; et même le frère Jourdain écrit à Giannino, lui parlant des malheurs de la France et l'exhortant à prendre bon courage !

Les malheurs en effet étaient grands. Le roi Jean II, « le faux roi » disaient maintenant les Siennois, avait donné toute la mesure de son génie dans une grande bataille qui s'était livrée à l'ouest de son royaume, du côté de Poitiers. Parce que son père Philippe VI s'était fait battre à Crécy par des troupes de pied, Jean II, le jour de Poitiers, avait décidé de mettre à terre ses chevaliers, mais sans leur laisser ôter leurs armures, et de les faire marcher ainsi contre un ennemi qui les attendait en haut d'une colline. On les avait découpés dans leurs cuirasses comme des homards crus.

Le fils aîné du roi, le dauphin Charles, qui commandait un corps de bataille, s'était éloigné du combat, sur l'ordre de son père assurait-on, mais avec bien de l'empressement à exécuter cet ordre. On racontait aussi que le dauphin avait les mains qui gonflaient et qu'à cause de cela il ne pouvait tenir longtemps une épée. Sa prudence, en tout cas, avait sauvé quelques chevaliers à la France, tandis que

Jean II, isolé avec son dernier fils Philippe qui lui
criait : « Père, gardez-vous à droite, père, gardez-
vous à gauche ! » alors qu'il avait à se garder d'une
armée entière, finissait par se rendre à un chevalier
picard passé au service des Anglais.

A présent le roi Valois était prisonnier du roi
Edouard III. N'avançait-on pas, comme prix de sa
rançon, le chiffre fabuleux d'un million de florins ?
Ah ! il ne fallait pas compter sur les banquiers siennois pour y contribuer.

On commentait toutes ces nouvelles, avec beaucoup d'animation, un matin d'octobre 1356, devant
le Municipio de Sienne, sur la belle place en amphi-
théâtre bordée de palais ocre et roses ; on en discu-
tait, en faisant de grands gestes qui effarouchaient
les pigeons, lorsque soudain Fra Bartolomeo
s'avança dans sa robe blanche vers le groupe le plus
nombreux, et, justifiant sa renommée de frère prêcheur, commença de parler comme s'il eût été en
chaire.

« On va voir enfin ce qu'est ce roi prisonnier et
quels sont ses titres à la couronne de Saint Louis !
Le moment de la justice est arrivé ; les calamités qui
s'appesantissent sur la France depuis vingt-cinq
années ne sont que le châtiment d'une infamie, et
Jean de Valois n'est qu'un usurpateur... *Usurpatore*,
usurpatore ! hurlait Fra Bartolomeo devant la foule
qui grossissait. Il n'a aucun droit au trône qu'il
occupe. Le véritable, le légitime roi de France, c'est
à Sienne qu'il se trouve et tout le monde le connaît :
on l'appelle Giannino Baglioni... »

Son doigt indiquait par-dessus les toits la direction
du palais Tolomei.

« ... on le croit le fils de Guccio, fils de Mino ; mais
en vérité il est né en France, du roi Louis et de la
reine Clémence de Hongrie. »

La ville fut mise par ce prêche dans un tel émoi
que le Conseil de la République se réunit sur l'heure
au Municipio, demanda à Fra Bartolomeo d'apporter les pièces, les examina, et, après une grande déli-

bération, décida de reconnaître Giannino comme roi de France. On allait l'aider à recouvrer son royaume ; on allait nommer un conseil de six d'entre les citoyens les plus avisés et les plus riches pour veiller à ses intérêts, et informer le pape, l'empereur, les souverains, le Parlement de Paris, qu'il existait un fils de Louis X, honteusement dépossédé mais indiscutable, qui revendiquait son héritage. Et tout d'abord on lui vota une garde d'honneur et une pension.

Giannino, effrayé de cette agitation, commença par tout refuser. Mais le Conseil insistait ; le Conseil brandissait devant lui ses propres documents et exigeait qu'il fût convaincu. Il finit par raconter ses entrevues avec Cola de Rienzi, dont la mort continuait de l'obséder, et alors l'enthousiasme ne connut pas de limites ; les plus nobles des jeunes Siennois se disputaient l'honneur d'être de sa garde ; on se serait presque battu entre quartiers, comme le jour du Palio.

Cet empressement dura un petit mois, pendant lequel Giannino parcourut sa ville avec un train de prince. Son épouse ne savait trop quelle attitude adopter et se demandait si, simple bourgeoise, elle pourrait être ointe à Reims. Quant aux enfants, ils étaient habillés toute la semaine de leurs vêtements de fête. L'aîné du premier mariage, Gabriele, devrait-il être considéré comme l'héritier du trône ? Gabriele Primo, roi de France... cela sonnait étrangement. Ou bien... et la pauvre Francesca Agazzano en tremblait... le pape ne serait-il pas forcé d'annuler un mariage si peu en rapport avec l'auguste personne de l'époux, afin de permettre que celui-ci contractât une nouvelle union avec une fille de roi ?

Négociants et banquiers furent vite calmés par leurs correspondants. Les affaires n'étaient-elles pas assez mauvaises en France, qu'il fallût y faire surgir un roi de plus ? Les Bardi de Florence se moquaient bien de ce que le légitime souverain fût siennois ! La France avait déjà un roi Valois, prisonnier à Londres où il menait une captivité dorée, en l'hôtel de Savoie sur la Tamise, et se consolait, en compagnie de jeunes écuyers, de l'assassinat de son cher La Cerda. La France avait également un roi anglais qui commandait à la plus grande part du pays. Et maintenant le nouveau roi de Navarre, petit-fils de Marguerite de Bourgogne, qu'on appelait Charles le Mauvais, revendiquait lui aussi le trône. Et tous étaient endettés auprès des banques italiennes... Ah ! les Siennois étaient bien venus d'aller soutenir les prétentions de leur Giannino !

Le Conseil de la République n'envoya aucune lettre aux souverains, aucun ambassadeur au pape, aucune représentation au Parlement de Paris. Et l'on retira bientôt à Giannino sa pension et sa garde d'honneur.

Mais c'était lui, maintenant, entraîné presque contre son gré dans cette aventure, qui voulait la poursuivre. Il y allait de son honneur, et l'ambition, tardivement, le tourmentait. Il n'admettait plus qu'on tînt pour rien qu'il eût été reçu au Capitole, qu'il eût dormi au Château Saint-Ange et marché sur Rome en compagnie d'un cardinal. Il s'était promené un mois avec une escorte de prince, et ne pouvait supporter qu'on chuchotât, le dimanche, quand il entrait au Duomo dont on venait d'achever la belle façade noire et blanche : « Vous savez, c'est lui qui se disait héritier de France ! » Puisqu'on avait décidé qu'il était roi, il continuerait de l'être. Et, tout seul, il écrivit au pape Innocent VI, qui avait succédé en 1352 à Pierre Roger ; il écrivit au roi d'Angleterre, au roi de Navarre, au roi de Hongrie, leur envoyant copie de ses documents et leur demandant d'être rétabli dans ses droits. L'entreprise en fût peut-être restée là si Louis de Hongrie, seul de tout le parentage, n'eût répondu. Il était neveu direct de la reine Clémence ; dans sa lettre il donnait à Giannino le titre de roi et le félicitait de sa naissance !

Alors, le 2 octobre 1357, trois ans jour pour jour après sa première entrevue avec Cola de Rienzi,

Giannino, emportant avec lui tout son dossier, ainsi que deux cent cinquante écus d'or et deux mille six cents ducats cousus dans ses vêtements, partit pour Bude, pour demander protection à ce cousin lointain qui acceptait de le reconnaître. Il était accompagné de quatre écuyers fidèles à sa fortune.

Mais quand il arriva à Bude, deux mois plus tard, Louis de Hongrie ne s'y trouvait pas. Tout l'hiver, Giannino attendit, dépensant ses ducats. Il découvrit là un Siennois, Francesco del Contado, qui était devenu évêque.

Enfin, au mois de mars, le cousin de Hongrie rentra dans sa capitale, mais ne reçut pas Giovanni di Francia. Il le fit interroger par plusieurs de ses seigneurs qui se déclarèrent d'abord convaincus de sa légitimité, puis, huit jours plus tard, faisant volte-face, affirmèrent que ses prétentions n'étaient qu'imposture. Giannino protesta ; il refusait de quitter la Hongrie. Il se constitua un conseil, présidé par l'évêque siennois ; il parvint même à recruter, parmi l'imaginative noblesse hongroise toujours prête aux aventures, cinquante-six gentilshommes qui s'engagèrent à le suivre avec mille cavaliers et quatre mille archers, poussant leur aveugle générosité jusqu'à offrir de le servir à leurs frais aussi longtemps qu'il ne serait pas en état de les récompenser.

Encore leur fallait-il, pour s'équiper et partir, l'autorisation du roi de Hongrie. Celui-ci, qui se faisait nommer « le Grand », mais ne paraissait pas briller par la rigueur du jugement, voulut réexaminer lui-même les documents de Giannino, les approuva comme authentiques, proclama qu'il allait fournir appuis et subsides à l'entreprise, puis, la semaine suivante, annonça que, tout bien réfléchi, il abandonnait ce projet.

Et pourtant, le 15 mai 1359, l'évêque Francesco del Contado remettait au prétendant une lettre datée du même jour, scellée du sceau de Hongrie, par laquelle Louis le Grand « *enfin éclairé par le soleil de la vérité* » certifiait que le seigneur Giannino di Guccio, élevé

dans la ville de Sienne, était bien issu de la famille
royale de ses ancêtres, et fils du roi Louis de France
et de la reine Clémence de Hongrie, d'heureuses
mémoires. La lettre confirmait également que la
divine Providence, se servant du secours de la nourrice royale, avait voulu qu'un échange substituât au
jeune prince un autre enfant à la mort duquel Giannino devait son salut : « *ainsi autrefois la Vierge
Marie, fuyant en Egypte, sauvait son enfant en laissant
croire qu'il ne vivait plus...* »

Toutefois l'évêque Francesco conseillait au prétendant de partir au plus vite, avant que le roi de Hongrie ne fût revenu sur sa décision, d'autant qu'on
n'était pas absolument certain que la lettre eût été
dictée par lui, ni le sceau apposé par son ordre...

Le lendemain, Giannino quittait Bude, sans avoir
eu le temps de réunir toutes les troupes qui s'étaient
offertes à le servir, mais néanmoins avec une assez
belle suite pour un prince qui avait si peu de terres.

Giovanni di Francia se rendit alors à Venise où il
se fit tailler des habits royaux, puis à Trévise, à
Padoue, à Ferrare, à Bologne, et enfin il rentra à
Sienne, après un voyage de seize mois, pour se présenter aux élections du Conseil de la République.

Or, bien que son nom fût sorti le troisième des
boules, le Conseil invalida son élection, justement
parce qu'il était le fils de Louis X, justement parce
qu'il était reconnu comme tel par le roi de Hongrie,
justement parce qu'il n'était pas de la ville. Et on lui
ôta la citoyenneté siennoise.

Vint à passer par la Toscane le grand sénéchal du
royaume de Naples, qui se rendait en Avignon. Giannino s'empressa de l'aller trouver ; Naples n'était-elle
pas le berceau de sa famille maternelle ? Le sénéchal,
prudent, lui conseilla de s'adresser au pape.

Sans escorte cette fois, les nobles hongrois s'étant
lassés, il arriva au printemps 1360 dans la cité
papale, en simple habit de pèlerin. Innocent VI
refusa obstinément de le recevoir. La France causait

au Saint-Père trop de tracas pour qu'il songeât à s'occuper de cet étrange roi posthume.

Jean II le Bon était toujours prisonnier ; Paris demeurait marqué par l'insurrection où le prévôt des marchands, Etienne Marcel, avait péri assassiné après sa tentative d'établir un pouvoir populaire. L'émeute était aussi dans les campagnes où la misère soulevait ceux qu'on appelait « les Jacques ». On se tuait partout, on ne savait plus qui était ami ou ennemi. Le dauphin aux mains gonflées, sans troupes et sans finances, luttait contre l'Anglais, luttait contre le Navarrais, luttait contre les Parisiens même, aidé du Breton du Guesclin auquel il avait remis l'épée qu'il ne pouvait tenir. Il s'employait en outre à réunir la rançon de son père.

L'embrouille était totale entre des factions toutes également épuisées ; des compagnies, qui se disaient de soldats mais qui n'étaient que de brigands, rendaient les routes incertaines, pillaient les voyageurs, tuaient par simple vocation du meurtre.

Le séjour d'Avignon devenait, pour le chef de l'Eglise, aussi peu sûr que celui de Rome, même avec les Colonna. Il fallait traiter, traiter au plus vite, imposer la paix à ces combattants exténués, et que le roi d'Angleterre renonçât à la couronne de France, fût-ce à garder par droit de conquête la moitié du pays et que le roi de France fût rétabli sur l'autre moitié pour y ramener un semblant d'ordre. Qu'avait-on à faire d'un pèlerin agité qui réclamait le royaume en brandissant l'incroyable relation de moines inconnus, et une lettre du roi de Hongrie que celui-ci démentait ?

Alors Giannino erra, cherchant quelque argent, essayant d'intéresser à son histoire des convives d'auberge qui disposaient d'une heure à perdre entre deux pichets de vin, accordant de l'influence à des gens qui n'en avaient point, s'abouchant avec des intrigants, des malchanceux, des routiers de grandes compagnies, des chefs de bandes anglaises qui, venues jusque-là, écumaient la Provence. On disait qu'il était fou et, en vérité, il le devenait.

Les notables d'Aix l'arrêtèrent un jour de janvier 1361 où il semait le trouble dans leur ville. Ils s'en débarrassèrent dans les mains du viguier de Marseille lequel le jeta en prison. Il s'évada au bout de huit mois pour être aussitôt repris ; et puisqu'il se réclamait si haut de sa famille de Naples, puisqu'il affirmait avec tant de force être le fils de Madame Clémence de Hongrie, le viguier l'envoya à Naples.

On négociait justement dans ce moment-là le mariage de la reine Jeanne, héritière de Robert l'Astrologue, avec le dernier fils de Jean II le Bon. Celui-ci, à peine revenu de sa joyeuse captivité, après la paix de Brétigny conclue par le dauphin, courait en Avignon où Innocent VI venait de mourir. Et le roi Jean II proposait au nouveau pontife Urbain V un magnifique projet, la fameuse croisade que ni son père Philippe de Valois ni son grand-père Charles n'avaient réussi à faire partir !

A Naples, Jean le Posthume, Jean l'Inconnu, fut enfermé au château de l'Œuf ; par le soupirail de son cachot il pouvait voir le Château-Neuf, le *Maschio Angioino*, d'où sa mère était partie si heureuse, quarante-six ans plus tôt, pour devenir reine de France.

Ce fut là qu'il mourut, la même année, ayant partagé, lui aussi, par les détours les plus étranges, le sort des Rois Maudits.

Quand Jacques de Molay, du haut de son bûcher, avait lancé son anathème, était-il instruit, par les sciences divinatoires dont les Templiers passaient pour avoir l'usage, de l'avenir promis à la race de Philippe le Bel ? Ou bien la fumée dans laquelle il mourait avait-elle ouvert son esprit à une vision prophétique ?

Les peuples portent le poids des malédictions plus longtemps que les princes qui les ont attirées.

Des descendants mâles du Roi de fer, nul n'avait

échappé au destin tragique, nul ne survivait, sinon Edouard d'Angleterre, qui venait d'échouer à régner sur la France.

Mais le peuple, lui, n'était pas au bout de souffrir. Il lui faudrait connaître encore un roi sage, un roi fou, un roi faible, et soixante-dix ans de calamités, avant que les reflets d'un autre bûcher, allumé pour le sacrifice d'une fille de France, n'eussent dissipé, dans les eaux de la Seine, la malédiction du grand maître.

Paris, 1954-1960.
Essendiéras, 1965-1966.

NOTES HISTORIQUES
RÉPERTOIRE BIOGRAPHIQUE
ET BIBLIOGRAPHIE

NOTES HISTORIQUES

1. L'Eglise n'a jamais imposé de législation fixe ou uniforme au rituel du mariage et s'est plutôt contentée d'entériner des usages particuliers.

La diversité des rites et la tolérance de l'Eglise à leur égard repose sur le fait que le mariage est par essence un contrat entre individus et un sacrement dont les contractants sont l'un envers l'autre mutuellement les ministres. La présence du prêtre, et même de tout témoin, n'était nullement requise dans les églises chrétiennes primitives. La bénédiction n'est devenue obligatoire qu'à partir d'un décret de Charlemagne. Jusqu'à la réforme du Concile de Trente, au XVIe siècle, les fiançailles, par leur caractère d'engagement, avaient presque autant d'importance que le mariage lui-même.

Chaque région avait ses usages particuliers qui pouvaient varier d'un diocèse à un autre. Ainsi le rite de Hereford était différent du rite d'York. Mais de façon générale l'échange de vœux constituant le sacrement proprement dit avait lieu en public, à l'extérieur de l'église. Le roi Edouard Ier épousa de la sorte Marguerite de France, en septembre 1299, à la porte de la cathédrale de Canterbury. L'obligation faite de nos jours de tenir ouvertes les portes de l'église pendant la cérémonie du mariage, et dont la non-observance peut constituer un cas d'annulation est une précise survivance de cette tradition.

Le rite nuptial de l'archidiocèse d'York présentait certaines analogies avec celui de Reims, en particulier en ce qui concernait l'application successive de l'anneau aux quatre doigts, mais à Reims le geste était accompagné de la formule suivante :

> *Par cet anel l'Eglise enjoint*
> *Que nos deux cœurs en ung soient joints*
> *Par vray amour, loyale foy ;*
> *Pour tant je te mets en ce doy.*

2. Après l'annulation de son mariage avec Blanche de Bourgogne (voir notre précédent volume : *La Louve de France*), Charles IV avait épousé successivement Marie de Luxembourg, morte en couches, puis Jeanne d'Evreux. Celle-ci, nièce de Philippe le Bel par son père Louis de France comte d'Evreux, était également nièce de Robert d'Artois par sa mère Marguerite d'Artois, sœur de Robert.

3. Par un traité conclu à la fin de 1327, Charles IV avait échangé le comté de la Marche, constituant précédemment son fief d'apanage, contre le comté de Clermont-en-Beauvaisis que Louis de Bourbon avait hérité de son père, Robert de Clermont. C'est à cette occasion que la seigneurie de Bourbon avait été élevée en duché.

4. Cette année 1328 fut pour Mahaut d'Artois une année de maladie. Les comptes de sa maison nous apprennent qu'elle dut se faire saigner le surlendemain de ce conseil, 6 février 1328, et encore les 9 mai, 18 septembre et 19 octobre.

5. *Un chapeau d'or* : terme employé au Moyen Age concurremment à celui de couronne. Egalement en orfèvrerie, *doigt* signifiait : bague.

6. Pierre Roger, précédemment abbé de Fécamp, avait fait partie de la mission chargée des négociations entre la cour de Paris et la cour de Londres, avant l'hommage d'Amiens. Il fut nommé au diocèse d'Arras le 3 décembre 1328 en remplacement de Thierry d'Hirson ; puis il fut successivement archevêque de Sens, archevêque de Rouen ; et, enfin, élu pape en 1342 à la mort de Benoît XII, il régna sous le nom de Clément VI.

7. Jusqu'au XVIᵉ siècle, les grands miroirs, pour s'y voir en buste ou en pied, n'existaient pas ; on ne disposait que de miroirs de petites dimensions destinés à être pendus ou posés sur les meubles, ou encore de miroirs de poche. Ils étaient soit de métal poli, comme ceux de l'Antiquité, soit, et seulement depuis le XIIᵉ siècle, constitués par une plaque de verre derrière laquelle une feuille d'étain était appli-

quée à la colle transparente. L'étamage des glaces avec un amalgame de mercure et d'étain ne fut inventé qu'au XVIe siècle.

8. Cet hôtel de la Malmaison, de dimensions palatiales, devait devenir par la suite l'hôtel de ville d'Amiens.

9. On nomme *hortillonnages* des cultures maraîchères qui se pratiquaient, et se pratiquent toujours, dans la large vallée marécageuse de la Somme, selon un procédé et un aspect très particuliers, pour le maraîchage.
Ces jardins, artificiellement créés en surélevant le sol à l'aide du limon dragué dans le fond de la vallée, sont sillonnés de canaux qui drainent l'eau du sous-sol, et sur lesquels les maraîchers ou *hortillons*, se déplacent dans de longues barques noires et plates, poussées à la perche, et qui les amènent jusqu'au Marché d'Eau dans Amiens.
Les hortillonnages couvrent un territoire de près de trois cents hectares. L'origine latine du nom (*hortus : jardin*) permet de supposer que ces cultures datent de la colonisation romaine.

10. On appelait *princes à la fleur de lis* tous les membres de la famille royale capétienne, parce que leurs armes étaient constituées d'un *semé de France* (d'azur semé de fleurs de lis d'or) avec une bordure variant selon leurs apanages ou fiefs.

11. Guillaume de la Planche, bailli de Béthune, puis de Calais, se trouvait en prison pour l'exécution hâtive d'un certain Tassard le Chien, qu'il avait, de sa propre autorité, condamné à être traîné et pendu.
La Divion était venue le voir en sa prison et il lui avait promis que, s'il témoignait dans le sens qu'elle lui indiquait, le comte d'Artois le tirerait d'affaire en faisant intervenir Miles de Noyers. Guillaume de la Planche, lors de la contre-enquête, se rétracta et déclara qu'il n'avait déposé que « *par peur des menaces et par doute de demeurer très longtemps et mourir en prison, s'il refusait d'obéir à Monseigneur Robert qui était si grand, si puissant et si avant environ le roi* ».

12. *Mesquine* ou *meschine* (du wallon *eskène*, ou *méquène* en Hainaut, ou encore, en provençal, *mesquin*) signifiant : faible, pauvre, chétif, ou misérable, était le qualificatif généralement appliqué aux servantes.

13. En juin 1320, Mahaut avait fait marché avec Pierre de Bruxelles, peintre demeurant à Paris, pour la décoration à fresques de la grande galerie de son château de Conflans, situé au confluent de la Marne et de la Seine. L'accord indiquait très précisément les sujets de ces fresques — portraits du comte Robert II et de ses chevaliers en batailles de terre et de mer — les vêtements que devaient porter les personnages, les couleurs, et la qualité des matériaux utilisés.

Les peintures furent achevées le 26 juillet 1320.

14. Ces recettes de sorcellerie, dont l'origine remonte au plus haut Moyen Age, étaient encore utilisées du temps de Charles IX et même sous Louis XIV ; certains assurèrent que la Montespan se prêta à la préparation de telles pâtes conjuratoires. Les recettes de la composition des philtres d'amour, qu'on lira plus loin, sont extraites des recueils du Petit ou du Grand Albert.

15. Nous rappelons qu'après un emprisonnement de onze ans à Château-Gaillard, Blanche de Bourgogne fut transférée au château de Gournay, près Coutances, pour prendre enfin le voile à l'abbaye de Maubuisson où elle mourut en 1326. Mahaut, sa mère, devait être elle-même inhumée à Maubuisson ; ses restes ne furent transférés que plus tard à Saint-Denis où se trouve toujours son gisant, le seul, à notre connaissance, qui soit fait de marbre noir.

16. De la Chandeleur de 1329 jusqu'au 23 octobre, Mahaut semble avoir été en excellente santé et n'avoir eu à faire que très peu appel à ses médecins ordinaires. Du 23 octobre, date de son entrevue avec Philippe VI à Maubuisson, jusqu'au 26 novembre, veille de sa mort, on peut suivre presque jour par jour l'évolution de sa maladie, grâce aux paiements faits par son trésorier aux *mires, physiciens, barbiers, herbière, apothicaires et espiciers*, pour leurs soins ou leurs fournitures.

17. Le premier des douze enfants d'Edouard III et de Philippa de Hainaut, Edouard de Woodstock, prince de Galles, qu'on appela le *Prince Noir*, à cause de la couleur de son armure.

C'est lui qui devait remporter la victoire de Poitiers sur le fils de Philippe VI de Valois, Jean II, et faire ce dernier prisonnier.

Au cours d'une existence de grand chef de guerre, il

vécut surtout sur le Continent, fut l'un des personnages dominants des débuts de la guerre de Cent Ans, et mourut un an avant son père, en 1376.

18. Le texte original du jugement de Roger Mortimer fut rédigé en français.

19. Les Common Gallows de Londres (le Montfaucon des Anglais), où étaient exécutés la plupart des condamnés de droit commun, étaient situés en bordure des bois de Hyde Park, au lieu appelé Tyburn, et qu'occupe actuellement Marble Arch. Pour y parvenir, depuis la Tour, il fallait donc traverser tout Londres, et sortir de la ville. Ce gibet fut utilisé jusqu'au milieu du XVIIIe siècle. Une plaque discrète en signale l'emplacement.

20. La reine Jeanne la Boiteuse était coutumière de pareils méfaits et lorsqu'elle avait pris en détestation l'un des amis, conseillers ou serviteurs de son époux, usait des pires moyens pour assouvir sa haine.
Ainsi, voulant se débarrasser du maréchal Robert Bertrand, dit le Chevalier au Vert Lion, elle adressa au prévôt de Paris une lettre « de par le roi » lui ordonnant d'arrêter le maréchal pour trahison, et de l'envoyer pendre sur-le-champ au gibet de Montfaucon. Le prévôt était l'intime ami du maréchal ; cet ordre soudain que n'avait précédé aucune action de justice le stupéfia ; au lieu de conduire Roger Bertrand à Montfaucon, il l'emmena d'urgence trouver le roi, lequel leur fit le meilleur accueil, embrassa le maréchal et ne comprit rien à l'émoi de ses visiteurs. Quand ils lui montrèrent l'ordre d'arrestation, il reconnut aussitôt que l'ordre venait de sa femme et il enferma celle-ci, dit le chroniqueur, dans une chambre où il la battit à coups de bâton et tellement « *qu'il s'en fallut de peu qu'il la tuât* ».
L'évêque Jean de Marigny faillit lui aussi être victime des criminelles manœuvres de la Boiteuse. Il lui avait déplu et ne le savait pas. Il revenait d'une mission en Guyenne ; la reine feint de l'accueillir avec de grandes effusions d'amitié et pour le défatiguer lui fait préparer un bain au Palais. L'évêque d'abord refuse, n'en voyant pas l'urgente nécessité ; mais la reine insiste, lui disant que son fils Jean, le duc de Normandie (le futur Jean II), va se baigner également. Et elle l'accompagne aux étuves. Les deux bains sont prêts ; le duc de Normandie, par mégarde ou indifférence, se dirige vers le bain destiné à l'évêque et s'apprête à y

entrer, quand sa mère, brusquement, l'en empêche, donnant des signes d'affolement. On s'étonne. Jean de Normandie, qui était fort ami de Marigny, flaire un piège, prend un chien qui rôdait là et le jette dans la cuve ; le chien meurt aussitôt. Le roi Philippe VI, quand l'incident lui fut raconté, à nouveau enferma sa femme et la roua « *à coups de torches* ».

Quant à l'hôtel de Nesle, il lui avait été donné par son mari en 1332, c'est-à-dire deux ans après que celui-ci eut acheté l'hôtel aux exécuteurs testamentaires de la fille de Mahaut, Jeanne de Bourgogne la Veuve, qui le tenait elle-même de son époux Philippe V.

En exécution d'une clause du testament de Jeanne la Veuve, le produit de la vente, mille livres en espèces plus un revenu de deux cents livres, servit à la fondation et à l'entretien d'une maison d'écoliers installée dans une dépendance de l'hôtel. C'est là l'origine du célèbre Collège de Bourgogne ; c'est également la cause de la confusion qui s'est établie, dans la mémoire populaire, entre les deux belles-sœurs, Marguerite et Jeanne de Bourgogne.

Les débauches d'écoliers qu'on attribua à Marguerite, et qui n'existèrent jamais que dans la légende, trouvent là leur explication.

21. *Fautre,* ou *faucre* : crochet fixé au plastron de l'armure et destiné à y appuyer le bois de la lance et à en arrêter le recul au moment du choc. Le *fautre* était fixe jusqu'à la fin du XVIe siècle ; on le fit ensuite à charnière ou à ressort pour remédier à la gêne que causait cette saillie dans les combats à l'épée.

22. Ce séjour secret d'Édouard III en France dura quatre jours, du 12 au 16 avril 1331, à Saint-Christophe-en-Halatte.

23. Le *roi d'armes*, personnage qui avait des fonctions d'ordonnateur, présidait à toutes les formalités du tournoi.

24. La compagnie des Tolomei, comme nous l'avons dit précédemment, était la plus importante des compagnies siennoises, après celle des Buonsignori. Sa fondation remontait à Tolomeo Tolomei, ami ou tout au moins familier d'Alexandre III, pape de 1159 à 1181, lui-même siennois, et qui fut l'adversaire de Frédéric Barberousse. Le palais Tolomei à Sienne fut édifié en 1205. Les Tolomei furent souvent les banquiers du Saint-Siège ; ils établirent

leurs filiales en France vers le milieu du XIIIe siècle, d'abord autour des foires de Champagne, puis en créant de nombreux comptoirs, dont celui de Neauphle, avec une maison principale à Paris.

Au moment des ordonnances de Philippe VI, et quand de nombreux négociants italiens furent emprisonnés pendant trois semaines pour ne recouvrer leur liberté qu'au prix de versements considérables, les Tolomei partirent subrepticement, emportant toutes les sommes déposées chez eux soit par d'autres compagnies italiennes, soit par leurs clients français, ce qui créa d'assez sérieuses difficultés au Trésor.

25. Ces « remontrances » avaient été poussées fort loin puisque Jean de Luxembourg, pour complaire à Philippe VI, avait monté une coalition et menacé le duc de Brabant d'envahir ses terres. Le duc de Brabant préféra expulser Robert d'Artois, mais non sans avoir, à cette occasion, négocié une opération fructueuse : le mariage de son fils aîné avec la fille du roi de France. Jean de Bohême, de son côté, fut remercié de son intervention par la conclusion du mariage de sa fille Bonne de Luxembourg avec l'héritier de France, Jean de Normandie.

26. Le 2 octobre 1332. Le serment demandé par Philippe VI à ses barons était un serment de fidélité au duc de Normandie « *qui droit hoir et droit sire doit être du royaume de France* ». N'étant pas héritier direct de la couronne et n'ayant reçu celle-ci que par choix des pairs, Philippe VI revenait aux coutumes de la monarchie élective, celle des premiers Capétiens.

27. Le vieux roi lépreux Robert Bruce, qui avait tenu si longtemps en échec Edouard II et Edouard III, était mort en 1329, laissant sa couronne à un enfant de sept ans, David Bruce. La minorité de David fut une occasion pour les différentes factions de rouvrir leur querelle. Le petit David fut emmené pour sa sauvegarde par des barons de son parti qui prirent refuge avec lui à la cour de France, tandis qu'Edouard III soutenait les prétentions d'un gentilhomme français d'origine normande, Edouard de Baillol, parent des anciens rois d'Ecosse et qui acceptait que la couronne écossaise fût placée sous la suzeraineté anglaise.

28. Jean Buridan, né vers 1295 à Béthune en Artois, était disciple d'Occam. Son enseignement philosophique et théologique lui valut une immense réputation ; il devint à trente ou trente-deux ans recteur de l'Université de Paris. Sa controverse avec le vieux pape Jean XXII, et le schisme qu'elle faillit entraîner, accrurent encore sa célébrité. Il devait, dans la seconde partie de sa vie, se retirer en Allemagne où il enseigna principalement à Vienne. Il mourut en 1360.

Le rôle que l'imagination populaire lui prêta dans l'affaire de la tour de Nesle est de pure fantaisie et n'apparaît d'ailleurs que dans des récits de deux siècles postérieurs.

29. On relève, dans les comptes du trésorier de l'Echiquier, pour les seuls premiers mois de 1337 : en mars, un ordre de payer deux cents livres à Robert d'Artois comme don du roi ; en avril, un don de trois cent quatre-vingt-trois livres, un autre de cinquante-quatre livres, et l'octroi des châteaux de Guilford, Wallingford et Somerton ; en mai, l'attribution d'une pension annuelle de douze cents marcs esterlins ; en juin, le remboursement de quinze livres dues par Robert à la Compagnie des Bardi, etc.

30. L'imagination du romancier hésiterait devant pareille coïncidence, qui semble vraiment trop grossière et volontaire, si la vérité des faits ne l'y obligeait. D'avoir été le lieu où fut présenté le défi d'Edouard III, acte qui ouvrit juridiquement la guerre de Cent Ans, ne termine pas d'ailleurs l'étrange destin de l'hôtel de Nesle.

Le connétable de Raoul de Brienne, comte d'Eu, habitait l'hôtel de Nesle lorsqu'il fut arrêté en 1350 par ordre de Jean le Bon pour être condamné à mort et décapité.

L'hôtel fut encore le séjour de Charles le Mauvais, roi de Navarre (le petit-fils de Marguerite de Bourgogne), qui prit les armes contre la maison de France.

Plus tard, Charles VI le Fou devait le donner à sa femme, Isabeau de Bavière, qui livra par traité la France aux Anglais en dénonçant son propre fils, le dauphin, comme adultérin.

A peine l'hôtel fut-il donné à Charles le Téméraire par Charles VII que ce dernier mourut, et que le Téméraire entra en conflit avec le nouveau roi Louis XI.

François Iᵉʳ céda une partie des bâtiments à Benvenuto Cellini ; puis Henri II y fit installer un atelier pour la fabrication des pièces de monnaie, et la Monnaie de Paris est toujours à cet emplacement. On voit par là l'ampleur qu'avait l'ensemble du terrain et des édifices.

Charles IX, pour pouvoir payer ses gardes suisses, fit mettre en vente l'hôtel et la Tour qui furent acquis par le duc de Nevers, Louis de Gonzague ; celui-ci les fit raser pour édifier à la place l'hôtel de Nevers.

Enfin Mazarin se rendit acquéreur de l'hôtel de Nevers pour le démolir et le remplacer par le Collège des Quatre Nations, qui subsiste toujours : c'est le siège aujourd'hui de l'Institut de France.

31. La reine Isabelle devait vivre encore vingt ans, mais sans reprendre jamais aucune participation aux affaires de son siècle. La fille de Philippe le Bel mourut le 23 août 1358, au château de Hertford, et son corps fut inhumé en l'église des franciscains de Newgate à Londres.

32. En dépit des luttes politiques, émeutes, rivalités entre les classes sociales ou avec les cités voisines qui sont le lot commun des républiques italiennes à cette époque, Sienne connut au XIVe siècle sa grande période de prospérité et de gloire, autant pour ses arts que pour son commerce. Entre l'occupation de la ville par Charles de Valois en 1301 et sa conquête en 1399 par Jean Galeazzo Visconti, duc de Milan, le seul malheur véritable qui s'abattit sur Sienne fut l'épidémie de peste de 1347-1348.

33. Tout le temps qu'il passa en Avignon, Pétrarque ne cessa d'exhaler, avec un rare talent de pamphlétaire, sa haine contre cette ville. Ses lettres, où il faut faire la part de l'exagération poétique, nous ont laissé une saisissante peinture d'Avignon aux temps des papes.

« ... *J'habite maintenant, en France, la Babylone de l'Occident, tout ce que le soleil voit de plus hideux, sur les bords du Rhône indompté qui ressemble au Cocyte ou à l'Achéron du Tartare, où règnent les successeurs, jadis pauvres, du pêcheur, qui ont oublié leur origine. On est confondu de voir, au lieu d'une sainte solitude, une affluence criminelle et des bandes d'infâmes satellites répandus partout ; au lieu de jeûnes austères, des festins pleins de sensualité ; au lieu de pieuses pérégrinations, une oisiveté cruelle et impudique ; au lieu des pieds nus des apôtres, les coursiers rapides des voleurs, blancs comme la neige, couverts d'or, logés dans l'or, rongeant de l'or, et bientôt chaussés d'or. Bref, on dirait les*

rois des Perses ou des Parthes, qu'il faut adorer et qu'il n'est
pas permis de visiter sans leur offrir des présents... »

(Lettre V)

« ... Aujourd'hui Avignon n'est plus une ville, c'est la patrie
des larves et des lémures ; et pour le dire en un mot, c'est la
sentine de tous les crimes, et de toutes les infamies ; c'est cet
enfer des vivants signalé par la bouche de David... »

(Lettre VIII)

« ... Je sais par expérience qu'il n'y a là aucune pitié,
aucune charité, aucune foi, aucun respect, aucune crainte
de Dieu, rien de saint, rien de juste, rien d'équitable, rien de
sacré, enfin rien d'humain... Des mains douces, des actes
cruels ; des voix d'anges, des actes de démons ; des chants
harmonieux, des cœurs de fer... »

(Lettre XV)

« ... C'est le seul endroit de la terre où la raison n'a aucune
place, où tout se meut sans réflexion et au hasard, et parmi
toutes les misères de cet endroit, dont le nombre est infini,
le comble de la déception c'est que tout y est plein de glu, de
grappins, en sorte que, quand on croit s'échapper on se
trouve enlacé et enchaîné plus étroitement. En outre il n'y a
là ni lumière ni guide... Et, pour employer le mot de Lucain,
"une nuit noire de crimes"... Vous ne diriez pas un peuple,
mais une poussière que le vent fait tournoyer... »

(Lettre XVI)

« ... Satan regarde en riant ce spectacle et prend plaisir à
cette danse inégale, assis comme arbitre entre ces décrépits
et ces jeunes filles... Il y avait dans le nombre (des cardinaux)
un petit vieillard capable de féconder tous les animaux ; il
avait la lascivité d'un bouc ou s'il y a quelque chose de plus
puant qu'un bouc. Soit qu'il eût peur des rats ou des reve-
nants, il n'osait pas dormir seul. Il trouvait qu'il n'y a rien
de plus triste et de plus malheureux que le célibat. Il célébrait tous les jours un nouvel hymen. Il avait depuis longtemps dépassé la soixante-dixième année et il lui restait tout
au plus sept dents... »

(Lettre XVIII)

(Pétrarque, *Lettres sans titre*, à Cola de Rienzi, tribun de
Rome, et à d'autres.)

RÉPERTOIRE BIOGRAPHIQUE

ALENÇON (Charles de Valois, comte d') (1294-1346).
Second fils de Charles de Valois et de Marguerite d'Anjou-Sicile. Tué à Crécy.

ARTEVELDE (Jakob Van) (vers 1285-1345).
Marchand drapier de Gand. Joua un rôle capital dans les affaires de Flandre. Assassiné au cours d'une révolte de tisserands.

ARTOIS (Mahaut, comtesse de Bourgogne, puis d') (? -27 novembre 1329).
Fille de Robert II d'Artois. Epousa (1291) le comte palatin de Bourgogne, Othon IV (mort en 1303). Comtesse-pair d'Artois par jugement royal (1309). Mère de Jeanne de Bourgogne, épouse de Philippe de Poitiers, futur Philippe V, et de Blanche de Bourgogne, épouse de Charles de la Marche, futur Charles IV.

ARTOIS (Robert III d') (1287-1342).
Fils de Philippe d'Artois et petit-fils de Robert II d'Artois. Comte de Beaumont-le-Roger et seigneur de Conches (1309). Epousa Jeanne de Valois, fille de Charles de Valois et de Catherine de Courtenay (1318). Pair du royaume par son comté de Beaumont-le-Roger (1328). Banni du royaume (1332), se réfugia à la cour d'Edouard III d'Angleterre. Blessé mortellement à Vannes. Enterré à Saint-Paul de Londres.

ARUNDEL (Edmond Fitzalan, comte d') (1285-1326).
Fils de Richard Ier, comte d'Arundel. Grand Juge du Pays de Galles (1323-1326). Décapité à Hereford.

BAGLIONI (Guccio) (vers 1295-1340).
Banquier siennois apparenté à la famille des Tolomei. Tenait, en 1315, comptoir de banque à Neauphle-le-Vieux. Epousa secrètement Marie de Cressay. Eut un fils, Giannino (1316), échangé au berceau avec Jean Ier le Posthume. Mort en Campanie.

BENOIT XII (Jacques Nouvel-Fournier) (vers 1285-avril 1342).
Cistercien. Abbé de Fontfroide. Evêque de Pamiers (1317), puis de Mirepoix (1326). Créé cardinal en décembre 1327 par Jean XXII auquel il succéda en 1334.

BERTRAND (Robert de) (? -1348).
Baron de Briquebec, vicomte de Roncheville. Lieutenant du roi en Guyenne, Saintonge, Normandie et Flandre. Maréchal de France (1325). Il avait épousé Marie de Sully, fille d'Henri, grand bouteiller de France.

BOHEME (Jean de Luxembourg, roi de) (1296-1346).
Fils d'Henri VII, empereur d'Allemagne. Frère de Marie de Luxembourg, deuxième épouse (1322) de Charles IV, roi de France. Epouse (1310) Elisabeth de Bohême, dont il a une fille, Bonne, qui épouse en 1332 Jean, duc de Normandie, futur Jean II, roi de France. Tué à Crécy.

BOURBON (Louis, sire, puis duc de) (vers 1280-1342).
Fils aîné de Robert, comte de Clermont (1256-1318), et de Béatrix de Bourgogne, fille de Jean, sire de Bourbon. Petit-fils de Saint Louis. Grand chambrier de France à partir de 1312. Duc et pair en septembre 1327.

BOURGOGNE (Agnès de France, duchesse de) (vers 1268-1325).
Dernière des onze enfants de Saint Louis. Mariée en 1273 à Robert II de Bourgogne. Mère d'Hugues V et d'Eudes IV, ducs de Bourgogne ; de Marguerite, épouse de Louis X Hutin, roi de Navarre puis de France, et de Jeanne, dite la Boiteuse, épouse de Philippe VI de Valois.

BOURGOGNE (Blanche de) (vers 1296-1326).
Fille cadette d'Othon IV, comte palatin de Bourgogne, et de Mahaut d'Artois. Mariée en 1307 à Charles de France, troisième fils de Philippe le Bel. Convaincue d'adultère (1314), en même temps que Marguerite de Bourgogne,

fut enfermée à Château-Gaillard puis au château de Gournay, près de Coutances. Après l'annulation de son mariage (1322), elle prit le voile à l'abbaye de Maubuisson.

BOURGOGNE (Eudes IV, duc de) (vers 1294-1350).
Fils de Robert II, duc de Bourgogne, et d'Agnès de France, fille de saint Louis. Succède en mai 1315 à son frère Hugues V. Frère de Marguerite, épouse de Louis X Hutin, de Jeanne, épouse de Philippe de Valois, futur Philippe VI, de Marie, épouse du comte de Bar, et de Blanche, épouse du comte Edouard de Savoie. Marié le 18 juin 1318 à Jeanne, fille aînée de Philippe V (morte en 1347).

BOURGOGNE (Jeanne de France, duchesse de) (1308-1347).
Fille aînée de Philippe V et de Jeanne de Bourgogne. Fiancée en juillet 1316 à Eudes IV, duc de Bourgogne ; mariée en juin 1318.

BOUVILLE (Hugues III, comte de) (? -1331).
Fils de Hugues II de Bouville et de Marie de Chambly. Chambellan de Philippe le Bel. Il épousa (1293) Marguerite des Barres dont il eut un fils, Charles, qui fut chambellan de Charles V et gouverneur du Dauphiné.

BRETAGNE (Jean III, dit le Bon, duc de) (1286-1341).
Fils d'Arthur II, duc de Bretagne, auquel il succéda en 1312. Marié trois fois, mort sans enfants.

BRIENNE (Raoul de) (? -1345).
Comte d'Eu et de Guines. Connétable de France (1330). Lieutenant du roi en Hainaut (1331), en Languedoc et Guyenne (1334). Mort en tournoi. Son fils lui succéda dans la charge de connétable.

BURGHERSH (Henry de) (1282-1340).
Evêque de Lincoln (1320). Recueillit, avec Orleton, l'abdication d'Edouard II (1327). Négocia la paix avec les Ecossais (1328). Succéda à Orleton dans la charge de trésorier (mars 1328). Accompagna Edouard III à Amiens pour l'hommage (1328) en qualité de chancelier. De nouveau trésorier de 1334 à 1337. Accomplit de nombreuses missions diplomatiques en France.

Charles IV, roi de France (1294-1ᵉʳ février 1328).
Troisième fils de Philippe IV le Bel et de Jeanne de Champagne. Comte apanagiste de la Marche (1315). Succéda sous le nom de Charles IV à son frère Philippe V (1322). Marié successivement à Blanche de Bourgogne (1307), Marie de Luxembourg (1322) et Jeanne d'Evreux (1325). Mourut à Vincennes, sans héritier mâle, dernier roi de la lignée des Capétiens directs.

CHATILLON (Gaucher V de), comte de Porcien (vers 1250-1329).
Connétable de Champagne (1284), puis de France après Courtrai (1302). Fils de Gaucher IV et d'Isabeau de Villehardouin, dite de Lizines. Assura la victoire de Mons-en-Pévèle. Fit couronner Louis Hutin roi de Navarre à Pampelune (1307). Successivement exécuteur testamentaire de Louis X, Philippe V et Charles IV. Participa à la bataille de Cassel (1328), mourut l'année suivante ayant occupé la charge de connétable de France sous cinq rois. Il avait épousé Isabelle de Dreux, puis Mélisinde de Vergy, puis Isabeau de Rumigny.

CHATILLON (Guy de) comte de Blois (? -1342).
Fils de Hugues VI de Châtillon, comte de Saint-Pol, et de Béatrix de Dampierre, fille du comte de Flandre. Epouse (1311) Marguerite, fille de Charles de Valois et de Marguerite d'Anjou-Sicile, sœur de Philippe VI, roi de France. Leur fils, Charles, fut prétendant à la succession de Bretagne à la mort du duc Jean III.

CHERCHEMONT (Jean de) (? -1328).
Seigneur de Venours en Poitou. Clerc du roi (1318). Chanoine de Notre-Dame de Paris. Chancelier de France de 1320 à la fin du règne de Philippe V ; réintégré dans ces fonctions à partir de novembre 1323.

CLÉMENCE de Hongrie, reine de France (vers 1293-12 octobre 1328).
Fille de Charles-Martel d'Anjou, roi titulaire de Hongrie, et de Clémence de Habsbourg. Nièce de Charles de Valois par sa première épouse, Marguerite d'Anjou-Sicile. Sœur de Charles-Robert, ou Charobert, roi de Hongrie, et de Béatrice, épouse du dauphin Jean II. Epousa Louis X Hutin, roi de France et de Navarre, le 13 août 1315, et fut couronnée avec lui à Reims. Veuve

en juin 1316, elle mit au monde, en novembre 1316, un fils, Jean Ier. Mourut au Temple.

CRESSAY (Marie de) (vers 1298-1345).
Fille de dame Eliabel et du sire Jean de Cressay, chevalier. Secrètement mariée à Guccio Baglioni, et mère (1316) d'un enfant échangé au berceau avec Jean Ier le Posthume dont elle était la nourrice. Fut enterrée au couvent des Augustins, près de Cressay.

DESPENSER (Hugh Le) dit le Vieux (1262-27 octobre 1326).
Fils de Hugh Le Despenser, Grand Justicier d'Angleterre. Baron, membre du Parlement (1295). Principal conseiller d'Edouard II à partir de 1312. Comte de Winchester (1322). Chassé du pouvoir par la révolte baronniale de 1326, il mourut pendu à Bristol.

DESPENSER (Hugh Le) dit le Jeune (vers 1290-24 novembre 1326).
Fils du précédent. Chevalier (1306). Chambellan et favori d'Edouard II à partir de 1312. Marié à Eleanor de Clare, fille du comte de Gloucester (vers 1309). Ses abus de pouvoir amenèrent la révolte baronniale de 1326. Pendu à Hereford.

DIVION (Jeanne de) (? -6 octobre 1331).
Fille d'un gentilhomme de la châtellenie de Béthune. Inculpée de fabrication de faux dans le procès d'Artois, fut brûlée vive.

EDOUARD II Plantagenêt, roi d'Angleterre (1284-21 septembre 1327).
Né à Carnarvon. Fils d'Edouard Ier et d'Eléonore de Castille. Premier prince de Galles et comte de Chester (1301). Duc d'Aquitaine et comte de Ponthieu (1303). Chevalier (1306). Roi en 1307. Epousa (1308) Isabelle de France, fille de Philippe le Bel. Couronné à Westminster le 25 février 1308. Détrôné (1326) par une révolte baronniale conduite par sa femme, fut emprisonné et mourut assassiné au château de Berkeley.

EDOUARD III Plantagenêt, roi d'Angleterre (13 novembre 1312-1377).
Né à Windsor. Fils du précédent et d'Isabelle de France. Comte de Chester (1320). Duc d'Aquitaine et comte de Ponthieu (1325). Chevalier (1327). Couronné roi à West-

minster (1327) après la déposition de son père. Epousa (1328) Philippa, fille de Guillaume, comte de Hainaut, de Hollande et de Zélande, dont il eut douze enfants. Ses prétentions au trône de France furent cause de la guerre de Cent Ans.

EVREUX (Philippe d').
Fils de Louis d'Evreux, demi-frère de Philippe le Bel, et de Marguerite d'Artois. Epousa (1318) Jeanne de France, fille de Louis X Hutin et de Marguerite de Bourgogne, héritière de la Navarre (morte en 1349). Père de Charles le Mauvais, roi de Navarre, et de Blanche, seconde épouse de Philippe VI de Valois, roi de France.

FLANDRE (Louis, seigneur de Crécy, comte de Nevers et de) (? -1346).
Fils de Louis de Nevers. Succéda à son grand-père, Robert de Béthune, comme comte de Flandre en 1322. Marié en 1320 à Marguerite, seconde fille de Philippe V et de Jeanne de Bourgogne. Tué à Calais.

HAINAUT (Guillaume d'Avesnes, dit le Bon, comte de Hollande, de Zélande et de) (? -1337).
Fils de Jean II d'Avesnes, comte de Hainaut, et de Philippine de Luxembourg. Succède à son père en 1304. Epouse en 1305 Jeanne de Valois, fille de Charles de Valois et de Marguerite d'Anjou-Sicile. Père de Philippa, reine d'Angleterre, et d'un fils, Guillaume, qui lui succède.

HAINAUT (Jean de) sire de Beaumont (? -1356).
Frère du précédent. Participa à plusieurs opérations en Angleterre et en Flandre.

HIRSON, ou HIREÇON (Thierry Larchier d') (vers 1270-17 novembre 1328).
D'abord petit clerc de Robert II d'Artois, il accompagna Nogaret à Anagni et fut utilisé par Philippe le Bel pour plusieurs missions. Chanoine d'Arras (1299). Chancelier de Mahaut d'Artois (1303). Evêque d'Arras (avril 1328).

HIRSON, ou HIREÇON (Pierre et Denis Larchier d').
Frères du précédent. Respectivement trésorier de la comtesse Mahaut d'Artois et bailli d'Arras.

HIRSON, ou HIREÇON (Béatrice d').
Nièce des précédents. Demoiselle de parage de la comtesse Mahaut d'Artois.

ISABELLE de France, reine d'Angleterre (1292-23 août 1358).
Fille de Philippe IV le Bel et de Jeanne de Champagne. Sœur des rois Louis X, Philippe V et Charles IV. Epousa Edouard II d'Angleterre (1308). Prit la tête (1325), avec Roger Mortimer, de la révolte des barons anglais qui amena la déposition de son mari. Surnommée « la Louve de France », gouverna de 1326 à 1328 au nom de son fils Edouard III. Exilée de la cour (1330). Morte au château de Hertford.

JEAN, duc de Normandie, puis Jean II, roi de France (1319-8 avril 1364).
Fils de Philippe VI et de Jeanne de Bourgogne, dite la Boiteuse. Roi en 1350. Marié à Bonne de Luxembourg, fille du roi de Bohême (1332). Veuf en 1349, remarié en 1350 à Jeanne de Boulogne. De son premier mariage il eut quatre fils (dont le futur roi Charles V) et cinq filles. Mort à Londres.

JEAN XXII (Jacques Duèze), pape (1244-décembre 1334).
Fils d'un bourgeois de Cahors. Fit ses études à Cahors et Montpellier. Archiprêtre de Saint-André de Cahors. Chanoine de Saint-Front de Périgueux et d'Albi. Archiprêtre de Sarlat. En 1289, il partit pour Naples où il devint rapidement familier du roi Charles II d'Anjou qui en fit le secrétaire des conseils secrets, puis son chancelier. Evêque de Fréjus (1300), puis d'Avignon (1310). Secrétaire du concile de Vienne (1311). Cardinal évêque de Porto (1312). Elu pape en août 1316. Couronné à Lyon en septembre 1316. Mort en Avignon.

JEANNE de Bourgogne, comtesse de Poitiers, puis reine de France (vers 1293-21 janvier 1330).
Fille aînée d'Othon IV, comte palatin de Bourgogne, et de Mahaut d'Artois. Sœur de Blanche, épouse de Charles de France, futur Charles IV. Mariée en 1307 à Philippe de Poitiers, futur Philippe V. Convaincue de complicité dans les adultères de sa sœur et de sa belle-sœur (1314), elle fut enfermée à Dourdan, puis libérée en 1315. Mère de trois filles : Jeanne, Marguerite et Isabelle, qui épou-

sèrent respectivement le duc de Bourgogne, le comte de Flandre et le dauphin de Viennois.

JEANNE de Bourgogne, comtesse de Valois, puis reine de France (vers 1296-1348).
Fille de Robert II, duc de Bourgogne, et d'Agnès de France. Sœur d'Eudes IV, duc de Bourgogne, et de Marguerite, épouse de Louis X Hutin. Epouse (1313) Philippe de Valois, futur Philippe VI. Mère de Jean II, roi de France. Morte de la peste.

JEANNE de France, reine de Navarre (vers 1311-8 octobre 1349).
Fille de Louis de Navarre, futur Louis X Hutin, et de Marguerite de Bourgogne. Présumée bâtarde. Ecartée de la succession au trône de France, elle hérita de la Navarre. Mariée (1318) à Philippe, comte d'Evreux. Mère de Charles le Mauvais, roi de Navarre, et de Blanche, seconde épouse de Philippe VI de Valois, roi de France. Morte de la peste.

JEANNE d'Evreux, reine de France (? -mars 1371).
Fille de Louis de France, comte d'Evreux, et de Marguerite d'Artois. Sœur de Philippe, comte d'Evreux, plus tard roi de Navarre. Troisième épouse de Charles IV le Bel (1325) dont elle eut trois filles : Jeanne, Marie, et Blanche, née posthume le 1er avril 1328.

KENT (Edmond de Woodstock, comte de) (1301-1329).
Fils d'Edouard Ier, roi d'Angleterre, et de sa seconde épouse, Marguerite de France, sœur de Philippe le Bel. Demi-frère du roi Edouard II d'Angleterre. En 1321, il est nommé gouverneur du château de Douvres, gardien des Cinque Ports, et créé comte de Kent. Lieutenant d'Edouard II en Aquitaine en 1324. Décapité à Londres.

LANCASTRE (Henry, comte de Leicester et de), dit Tors-Col (vers 1281-1345).
Fils d'Edmond, comte de Lancastre, et petit-fils d'Henry III, roi d'Angleterre. Participa à la révolte contre Edouard II. Arma chevalier Edouard III le jour de son couronnement et fut nommé chef du conseil de régence. Passa ensuite dans l'opposition à Mortimer.

Louis X, dit Hutin, roi de France et de Navarre (octobre 1289-5 juin 1316).

Fils de Philippe IV le Bel et de Jeanne de Champagne. Frère des rois Philippe V et Charles IV, et d'Isabelle, reine d'Angleterre. Roi de Navarre (1307). Roi de France (1314). Epousa (1305) Marguerite de Bourgogne dont il eut une fille, Jeanne, née vers 1311. Après le scandale de la tour de Nesle et la mort de Marguerite, se remaria (août 1315) à Clémence de Hongrie. Couronné à Reims (août 1315). Mort à Vincennes. Son fils, Jean Ier le Posthume, naquit cinq mois plus tard (novembre 1316).

Maltravers (John, baron) (1290-1365).

Chevalier (1306). Gardien du roi Edouard II à Berkeley (1327). Sénéchal (1329). Maître de la maison du roi (1330). Après la chute de Mortimer, condamné à mort comme responsable de la mort d'Edouard II, il fuit sur le Continent. Autorisé à rentrer en Angleterre en 1345 et réhabilité en 1353.

Marguerite de Bourgogne, reine de Navarre (vers 1293-1315).

Fille de Robert II, duc de Bourgogne, et d'Agnès de France. Mariée (1305) à Louis, roi de Navarre, fils aîné de Philippe le Bel, futur Louis X, dont elle eut une fille, Jeanne. Convaincue d'adultère (affaire de la tour de Nesle), 1314, elle fut enfermée à Château-Gaillard où elle mourut assassinée.

Marigny (Jean de) (? -1350).

Dernier des trois frères de Marigny. Chanoine de Notre-Dame de Paris, puis évêque de Beauvais (1312). Chancelier (1329). Lieutenant du roi en Gascogne (1342). Archevêque de Rouen (1347).

Mauny (Guillaume de) (? -1372).

Né en Hainaut, et passé en Angleterre dans la suite de Philippa, épouse d'Edouard III. Chevalier (1331). Participa à toutes les campagnes d'Edouard III dont il fut un des grands capitaines. Il avait épousé Marguerite, fille de Thomas de Brotherton, comte de Norfolk, oncle d'Edouard III.

MELTON (William de) (? -1340).
Familier d'Edouard II dès son enfance. Clerc du roi, puis
gardien du sceau privé (1307). Secrétaire du roi (1310).
Archevêque d'York (1316). Trésorier d'Angleterre (1325-
1327). A nouveau trésorier en 1330-1331 et gardien du
grand sceau en 1333-1334.

MONTAIGU, ou MONTACUTE (Guillaume de) (1301-1344).
Fils aîné de Guillaume, deuxième baron Montacute,
auquel il succède en 1319. Armé chevalier en 1325. Gouverneur des îles de la Manche et connétable de la Tour
(1333). Comte de Salisbury (1337). Maréchal d'Angleterre (1338). Mort des suites de blessures reçues en tournoi à Windsor.

MORTIMER (Lady Jeanne) (1286-1356).
Fille de Pierre de Joinville et de Jeanne de Lusignan ;
petite-nièce du sénéchal compagnon de Saint Louis.
Epousa Sir Roger Mortimer, baron de Wigmore, vers
1305, et eut de lui onze enfants.

MORTIMER (Roger) baron de Chirk (vers 1256-1326).
Lieutenant du roi Edouard II et Grand Juge du Pays de
Galles (1307-1321). Fait prisonnier à Shrewsbury
(1322). Mort à la tour de Londres.

MORTIMER (Roger) huitième baron de Wigmore (1287-
29 novembre 1330).
Fils aîné de Roger Mortimer et de Marguerite de
Fiennes. Lieutenant du roi Edouard II et Grand Juge
d'Irlande (1316-1321). Chef de la révolte qui amena la
déposition d'Edouard II. Gouverna de fait l'Angleterre,
avec la reine Isabelle, pendant la minorité
d'Edouard III. Premier comte de March (1328). Arrêté
par Edouard III et condamné par le Parlement, il fut
pendu au gibet de Tyburn, à Londres.

NORFOLK (Thomas de Brotherton, comte de) (1300-1338).
Fils aîné du second mariage d'Edouard Ier, roi d'Angleterre, avec Marguerite de France. Demi-frère
d'Edouard II, et frère d'Edmond de Kent. Créé duc de
Norfolk en décembre 1312 et maréchal d'Angleterre en
février 1316. Rallia le parti Mortimer dont son fils
épousa une des filles.

NOYERS (Miles, seigneur de Vandœuvre et de) (? -1350).
Maréchal de France (1303-1315). Successivement conseiller de Philippe V, Charles IV et Philippe VI, joua un rôle d'exceptionnelle importance sous ces trois règnes. Grand bouteiller de France (1336).

ORLETON (Adam) (? -1345).
Evêque de Hereford (1317), puis de Worcester (1328), et de Winchester (1334). Un des maîtres de la conspiration contre Edouard II. Trésorier d'Angleterre (1327-1328). Accomplit de nombreuses missions à la cour de France et en Avignon.

PHILIPPA de Hainaut, reine d'Angleterre (1314 ? -1369).
Fille de Guillaume de Hainaut, comte de Hollande et Zélande, et de Jeanne de Valois. Mariée le 30 janvier 1328 à Edouard III d'Angleterre dont elle eut douze enfants. Couronnée en 1330.

PHILIPPE IV, dit le Bel, roi de France (1268-20 novembre 1314).
Né à Fontainebleau. Fils de Philippe III le Hardi et d'Isabelle d'Aragon. Epousa (1284) Jeanne de Champagne, reine de Navarre. Père des rois Louis X, Philippe V et Charles IV, et d'Isabelle de France, reine d'Angleterre. Reconnu roi à Perpignan (1285) et couronné à Reims (6 février 1286). Mort à Fontainebleau et enterré à Saint-Denis.

PHILIPPE V, dit le Long, roi de France (1291-3 janvier 1322).
Fils de Philippe IV le Bel. Frère des rois Louis X, et Charles IV, et d'Isabelle, reine d'Angleterre. Comte palatin de Bourgogne, sire de Salins, par son mariage avec Jeanne de Bourgogne (1307). Comte apanagiste de Poitiers (1311). Pair de France (1315). Régent à la mort de Louis X, puis roi à la mort du fils posthume de celui-ci (novembre 1316). Mort à Longchamp, sans héritier mâle. Enterré à Saint-Denis.

PHILIPPE, comte de Valois, puis PHILIPPE VI, roi de France (1293-22 août 1350).
Fils aîné de Charles de Valois et de sa première épouse Marguerite d'Anjou-Sicile. Neveu de Philippe IV le Bel et cousin germain des rois Louis X, Philippe V et Charles IV. Devint régent du royaume à la mort de Charles IV le Bel, puis roi à la naissance de la fille

posthume de ce dernier (avril 1328). Sacré à Reims le 29 mai 1328. Son accession au trône, contestée par l'Angleterre, fut l'origine de la seconde guerre de Cent Ans. Epousa en premières noces (1313) Jeanne de Bourgogne, dite la Boiteuse, sœur de Marguerite, et qui mourut en 1348 ; en secondes noces (1349), Blanche de Navarre, petite-fille de Louis X et de Marguerite.

POUGET ou POYET (Bertrand de) (? -1352).
Neveu du pape Jean XXII et créé cardinal par lui en décembre 1316.

TOLOMEI (Spinello).
Chef en France de la compagnie siennoise des Tolomei fondée au XIIᵉ siècle par Tolomeo Tolomei et rapidement enrichie par le commerce international et le contrôle des mines d'argent en Toscane. Il existe toujours à Sienne un palais Tolomei.

TRYE (Mathieu de) (? -1344).
Neveu du chambellan de Louis X Hutin. Seigneur d'Araines et de Vaumain. Maréchal de France vers 1320. Lieutenant général en Flandre (1342).

VALOIS (Charles, comte de) (12 mars 1270-décembre 1325).
Fils de Philippe III le Hardi et de sa première épouse, Isabelle d'Aragon. Frère de Philippe IV le Bel. Armé chevalier à quatorze ans. Investi du royaume d'Aragon par le légat du pape la même année, il n'en put jamais occuper le trône et renonça au titre en 1295. Comte apanagiste d'Anjou, du Maine et du Perche (mars 1290) par son premier mariage avec Marguerite d'Anjou-Sicile ; empereur titulaire de Constantinople par son second mariage (janvier 1301) avec Catherine de Courtenay ; fut créé comte de Romagne par le pape Boniface VIII. Epousa en troisièmes noces (1308) Mahaut de Châtillon-Saint-Pol. De ses trois mariages, il eut de très nombreux enfants ; son fils aîné fut Philippe VI, premier roi de la lignée Valois. Il mena campagne en Italie pour le compte du pape en 1301, commanda deux expéditions en Aquitaine (1297 et 1324) et fut candidat à l'empire d'Allemagne. Mort à Nogent-le-Roi et enterré à l'église des Jacobins à Paris.

VALOIS (Jeanne de), comtesse de Beaumont (vers 1304-1363).
Fille du précédent et de sa seconde épouse, Catherine de Courtenay. Demi-sœur de Philippe VI, roi de France. Epouse de Robert d'Artois, comte de Beaumont-le-Roger (1318). Enfermée, avec ses trois fils, à Château-Gaillard après le bannissement de Robert, puis rentrée en grâce.

VALOIS (Jeanne de), comtesse de Hainaut (vers 1295-1352). Fille de Charles de Valois et de sa première épouse, Marguerite d'Anjou-Sicile. Sœur de Philippe VI, roi de France. Epouse (1305) Guillaume, comte de Hainaut, de Hollande et de Zélande, et mère de Philippa, reine d'Angleterre.

WATRIQUET BRASSENIEX, dit de COUVIN.
Originaire de Couvin, en Hainaut, village proche de Namur. Ménestrel attaché aux grandes maisons de la famille Valois, acquit une réelle célébrité pour ses lais composés entre 1319 et 1329. Ses œuvres furent conservées dans de jolis manuscrits enluminés, exécutés sous sa direction pour les princesses de son temps.

BIBLIOGRAPHIE

Pour répondre à la curiosité de nombreux lecteurs que *Les Rois Maudits* ont intéressés à l'histoire des derniers Capétiens directs, nous ne croyons pouvoir mieux faire que de donner ici la nomenclature des sources et principaux ouvrages qui ont été utilisés pour la préparation de cette fresque historique.

Cette bibliographie a été établie
par Pierre de LACRETELLE.

CHRONIQUEURS

Français *Les grandes chroniques de France.*
Les chroniques de Saint-Denis.
Chronique parisienne anonyme.
Chronique des quatre premiers Valois.
Le Continuateur de Guillaume de Nangis.
Pierre COCHON : *Chronique normande.*
Geoffroy de PARIS : *Chronique métrique.*
Jehan le BEL : *Les vrayes chroniques.*
Jean FROISSART : *Les Chroniques.*

Anglais Adam de MURIMUTH : *Chronica sui temporis.*
MALMESBURY : *De gestis regum anglorum.*
HOLINSHED : *Chronicles of England.*

RECUEILS DE TEXTES ORIGINAUX

Recueil des Ordonnances des Rois de France (publ. 1770 et ann. suivantes).

Itinéraires des Rois de France (dans : *Recueil des Historiens de la France XVIIIe et XIXe siècles*).

Calendar of Close rolls (pour les règnes d'Edouard II et d'Edouard III — Ldres 1893-1900).

Archives du Record Office.

RYMER : *Fœdera, conventiones, litteræ, acta publica inter reges Angliæ et alias...* (tome II — Ldres 1739).

OUVRAGES GÉNÉRAUX

Dictionary of national biography (Ldres 1885-1901).

ANSELME (le Père) : *Histoire générale de la maison de France et des grands officiers de la couronne* (1726-1733).

COKAYNE (J.-E.) : *Complete peerage of England* (Ldres 1893-1900).

GIRY (A.) : *Manuel de diplomatique (1894).*

BERTY (Ad.) : *Topographie historique du vieux Paris* (1888 et ann. suivantes).

CALMETTE (J.) : *Le monde féodal* (1934).

DEPREZ (Eug.) : *Les préliminaires de la guerre de Cent Ans* (1902).

LAFAURIE (J.) : *Les monnaies des rois de la France* (tome I — 1951).

FRANKLIN (A.) : *Les rois et les gouvernements de France* (1906) ;

FRANKLIN (A.) : *Les rues et les cris de Paris au Moyen Age* (1874).

VIOLLET-LE-DUC : *Dictionnaire raisonné de l'architecture française* ;

VIOLLET-LE-DUC : *Dictionnaire raisonné du mobilier français.*

ENLART (C.) : *Manuel d'architecture française au Moyen Age* (tome III : Le costume).

LACROIX (P.) : *L'ancienne France* (1886) ;

LACROIX (P.) : *Vie militaire et religieuse — Science et lettres — Les Arts — Mœurs, usages et costumes au Moyen Age* (4 vol. 1877).

MICHELET : *Histoire de France.*

SISMONDI : *Histoire des républiques italiennes au Moyen Age* (1840).

LANGLOIS (C.-V.) : *Histoire de France* dirigée par E. Lavisse (tome III — 2) ;

LANGLOIS (C.-V.) : *La vie en France au Moyen Age* (1924).

COVILLE (A.) : *Histoire de France* dirigée par E. Lavisse (tome IV-1 et 2).

FAWTIER (R.) : et COVILLE (A.) : *L'Europe occidentale de 1270 à 1380* (Histoire générale, dirigée par Glotz, tome IV-1 et 2).

GAUTIER (L.) : *La chevalerie* (1884).

DUPOUY (Ed.) : *Le Moyen Age médical* (1888).

GAUZONS (Th. de) : *La magie en France au Moyen Age* (1910).

GILBERT (E.) : *Les plantes magiques* (1899).

BRACHET (A.) : *Pathologie mentale des rois de France* (1903).

DODU (G.) : *Les Valois* (1934).

BELLEVAL (marquis de) : *Les bâtards de la maison de France* (1901).

FOURNEL (V.) : *Les rues du vieux Paris* (1879).

LE GOFF (J.) : *Les intellectuels au Moyen Age* (1957).

MOLLAT (G.) : *Les papes d'Avignon* (1912).

LÉONARD (E.-G.) : *Les Angevins de Naples* (1954).

RICHARD (J.) : *Les ducs de Bourgogne et la formation du duché du XIe au XIVe siècle* (1954).

GARRETA (J.-Cl.) : *Le quartier Saint-André-des-Arts des origines à 1660.* (Position des thèses-1957).

PARMENTIER (A.) : *Album historique* (tome II-1897).

GAMS : Series episcoporum ecclesiœ catholicœ (Ratisbonne - 1873).

DOCUMENTS ET OUVRAGES RELATIFS AUX PRINCIPAUX PERSONNAGES DES ROIS MAUDITS

ARTEVELDE (Jacques d'). Kervyn de LETTENHOVE : *Jacques d'Artevelde* (Gand, 1863).

ARTOIS (Mahaut d'). RICHARD (J.) : *Une petite-nièce de Saint Louis : Mahaut d'Artois, comtesse d'Artois et de Bourgogne* (1897) ; — *La bibliothèque de Mahaut d'Artois* (Revue des questions historiques, 1886). — LE ROUX de LINCY : *Inventaire des biens meubles et immeubles de la comtesse Mahaut, pillés par son neveu Robert* (Bibl. de l'Ecole des Chartes, 1861).

ARTOIS (Robert d'). FRONDEVILLE (H. de) : *Le comté de Beaumont-le-Roger* (1937) ; — *Inventaire des biens saisis après l'arrestation de la comtesse de Beaumont* (Actes normands de la Chambre des comptes). — LANCELOT : *Mémoires pour servir à l'histoire de Robert d'Artois* (Mémoire de l'Académie des Inscriptions et Belles-lettres (1736) — *Les vœux du Héron.* (Les deux manuscrits connus de ce poème du XIVe siècle sont conservés l'un à la Bibliothèque de Berne, l'autre à la Bibliothèque royale de Bruxelles).

CHARLES IV, roi de France. *Journal du Trésor de Charles IV,* publié par Jules VIARD (1917). — *Information de l'annulation du mariage de Charles IV* (Arch. nat. J 682-2). (Ce document n'a jamais été publié.) — *Testament de Charles IV.* (Une copie faite sur l'original, alors conservé aux archives de la Chambre des comptes, est au département des manuscrits de la Bibliothèque nationale — fds. fr. nouv. acqu. 7 600).

CHATILLON (le connétable de). DU CHESNE (A.) : *Histoire de la maison de Chastillon-sur-Marne* (1621).

CLÉMENCE DE HONGRIE, reine de France. *Lettres secrètes et curiales de Jean XXII relatives à la cour de France* (1900-1913). — *Inventaire et vente après décès des biens meubles et immeubles, bijoux, etc., de la reine Clémence* (Nouveau recueil des comptes de l'argenterie des rois de France, publié par DOUET d'ARCQ, tome II, 1874).

CRESSAY (famille de) : voir JEAN Iᵉʳ.

EDOUARD II et EDOUARD III, rois d'Angleterre. MORE (Thomas de la) : *Vita et mors Edwardi secundi* (Chronique contemporaine mais publiée pour la première fois en 1603). — MARLOWE (C.) : *Edward the Second.* — BARNES (J.) : *The history of Edward the third* (Cambridge, 1868). — MACKINONN (J. P.) : *The history of Edward the third* (Ldres, 1900). — RAMSAY (J. H.) : *Genesis of Lancaster* (Ldres, 1913). — LONGMAN (N.) : *History of the life and times of Edward the third* (Ldres, 1869). — PONS (Ch.) : *L'Edouard II de Marlowe* — (Thèse complémentaire, 1959).

HIRSON (Thierry d'). RICHARD (J.-M.) : *Thierry d'Hirson* (1892).

ISABELLE DE FRANCE, reine d'Angleterre. STRICKLAND : *Lives of the queens of England* (1889). — Rhodes (W. E.). : *The inventory of the jewels and wardrobe of queen Isabella* (English review, 1897).

JEAN Iᵉʳ, roi de France (Giannino). MONMERQUÉ : *Dissertation historique sur Jean Iᵉʳ , roi de France et de Navarre,* suivie d'une charte par laquelle Nicolas de Rienzi reconnaît Giannino, fils supposé de Guccio Baglioni, comme roi de France, et d'autres documents relatifs à ce fait singulier (1844). — Institut royal de France. *Doutes historiques sur le sort du petit roi Jean Iᵉʳ ;* mémoire lu à la séance publique du vendredi 9 août 1844.

Lettre du frère Antoine à Nicolas de Rienzi, suivie de deux lettres de Rienzi adressées à Giannino (1845). — BRÉHAUT (L.) : *Giannino Baglioni, roi de France* (Revue contemporaine, 1860). — TAVERNIER (E.) : *Le roi Giannino* (Mém. de l'Ac. d'Aix, 1882). — MACCARI : Istoria del re Giannino di Francia (Sienne, 1893).

JEAN XXII, pape. BACHELET (X.) : Etude critique de la vie et des œuvres de Jean XXII, dans : *Dictionnaire de théologie catholique ;* — *Lettres secrètes et curiales de Jean XXII, relatives à la cour de France* (1900-1913). — VERLACQUE (abbé V.) : Jean XXII (1883). — ALBE (Edm.) : *Autour de Jean XXII* (1904). — LABANDE (L. H.) : *Le palais des Papes au XIVᵉ siècle.* — PÉTRARQUE : Epistolœ sine titulo (Trad. franç. 1885). — BERTRANDY et MOLLAT : *Recherches historiques sur l'origine de l'élection et le couronnement de Jean XXII* (1854). — VALON (L. de) : *Le service de table à la cour de Jean XXII.*

Principaux ouvrages de Jean XXII : *Thesaurus pauperum.* — *L'art transmutatoire.* — *L'élixir des philosophes* (attribution).

JOINVILLE (le sire de). Gaston PARIS : *Jean, sire de Joinville* (1897).

LOUIS X HUTIN, roi de France. DUFAYARD : *La réaction féodale sous les fils de Philippe le Bel* (Revue historique, 1894). — *Obsèques et pompe funèbre de Louis X et du petit roi Jean* (dans : Comptes de l'argenterie des rois de France au XIVᵉ siècle, publiés par DOUET d'ARCQ, tome II — 1874).

MORTIMER (Roger). *Chronicon Galfredi Le Baker.* — PLANCHÉ (R.) : *Genealogy of the Mortimer* (Journal of the British Archeological Association, 1868).

PHILIPPE IV LE BEL, roi de France. LÉVIS MIREPOIX (duc de) : *Philippe le Bel* (1912). — BALDRICH : *Maladie et mort de Philippe le Bel*, rapport au roi de Majorque, daté du 7 décembre 1314. (Bibl. de l'Ecole des Chartes, 1897.) — DOUET D'ARCQ : *Notes sur la mort de Philippe le Bel et son codicille* (Revue des soc. savantes, 1876).

PHILIPPE V LE LONG, roi de France. LEHUGEUR (P.) : *Le règne de Philippe le Long* (1931). — *Comptes du trésor de Philippe le Long*, publiés par DOUET d'ARCQ (1857). — OLIVIER-MARTIN (F.) : *Etudes sur les régences* (tome 1, 1931).

PHILIPPE VI DE VALOIS, roi de France. VIARD (J.) : *La France sous Philippe VI* (1896) ; — *Documents parisiens pour servir à l'histoire de Philippe VI* (1899) ; — *L'hôtel de Philippe VI* (1895). — LA RONCIÈRE (Ch. de) : *La guerre*

navale entre la France et l'Angleterre (1898). — CAZELLES
(R.) : *La société politique et la crise de la royauté sous Philippe de Valois* (1958).

LES TEMPLIERS. MICHELET (J.) : *Le procès des Templiers* (1841-1851).

TOLOMEI (famille des). PITON (C.) : *Les Lombards en France* (1882). — VAN BASSERMAN : *Les Tolomei au XIVe siècle.* — BAUTIER : *Les Tolomei aux foires de Champagne* (1955).

VALOIS (Charles de). PETIT (J.) : *Charles de Valois* (1900). — *Testaments de Charles de Valois* (copies authentiques faites au XVIIe siècle et conservées au département des manuscrits de la Bibliothèque nationale — fds. fr. nouv. acq. 7 600).

ŒUVRES DE MAURICE DRUON

À la Librairie Plon :

LA FIN DES HOMMES
I. — LES GRANDES FAMILLES.
II. — LA CHUTE DES CORPS.
III. — RENDEZ-VOUS AUX ENFERS.

LES ROIS MAUDITS
I. — LE ROI DE FER.
II. — LA REINE ÉTRANGLÉE.
III. — LES POISONS DE LA COURONNE.
IV. — LA LOI DES MÂLES.
V. — LA LOUVE DE FRANCE.
VI. — LE LIS ET LE LION.
VII. — QUAND UN ROI PERD LA FRANCE.

LES MÉMOIRES DE ZEUS
I. — L'AUBE DES DIEUX.
II. — LES JOURS DES HOMMES.

LA VOLUPTÉ D'ÊTRE.
ALEXANDRE LE GRAND.
LE BONHEUR DES UNS...
TISTOU LES POUCES VERTS.
LA DERNIÈRE BRIGADE.

L'AVENIR EN DÉSARROI (essai).
DISCOURS DE RÉCEPTION À L'ACADÉMIE FRANÇAISE.
LETTRES D'UN EUROPÉEN (essai).
UNE ÉGLISE QUI SE TROMPE DE SIÈCLE.
LA PAROLE ET LE POUVOIR (essai).